COLLECTION IDÉES

Sigmund Freud

Le mot d'esprit

et ses rapports avec l'inconscient

TRADUIT DE L'ALLEMAND
PAR MARIE BONAPARTE
ET LE Dr M. NATHAN

Gallimard

Sigmund Freud « Der Witz und seine Beziehung zum Unbewussten ». GESAMMELTE WERKE Band VI. S. Fischer
Verlag GmbH, Frankfurt am Main.

Der Witz und seine Beziehung zum Unbewussten
*a paru en 1905 chez Franz Deuticke, Leipzig et Vienne,
et a été compris dans les* Gesammelte Schriften *de*
Sigmund Freud, *éditées par l'Internationaler Psycho-
analytischer Verlag, avec l'autorisation de Deuticke.
Une deuxième édition avait paru en 1912, une troisième en 1921, une quatrième en 1925.*

*Une traduction anglaise (du Dr A. A. Brill) a paru
en 1917 à New York.*

*Le professeur Freud a bien voulu revoir lui-même
cette traduction française.*

SOMMAIRE

INTRODUCTION

Il suffit de demander à la littérature esthétique et psychologique quelque lumière sur la nature et les affinités de l'esprit pour se convaincre de ce que l'effort des philosophes a été loin de répondre au rôle important dévolu à l'esprit dans notre vie intellectuelle. A peine relèverait-on les noms de quelques penseurs qui se soient appliqués aux problèmes de l'esprit. Citons cependant parmi eux les noms glorieux du poète Jean Paul (Fr. Richter) et des philosophes Th. Vischer, Kuno Fischer et Th. Lipps ; mais, même dans leurs œuvres, la question de l'esprit reste à l'arrière-plan tandis que l'intérêt se concentre sur le problème plus vaste et plus attrayant du comique.

On a d'abord l'impression, en lisant toute cette littérature, qu'il n'est pas possible de traiter de l'esprit indépendamment du comique.

Pour Th. Lipps (*Komik und Humor*, 1898) [1]
l'esprit est « le comique absolument subjectif »,
c'est-à-dire le comique « que nous faisons naître
nous-mêmes, le comique qui fait partie intégrante de notre activité, le comique en présence duquel nous nous comportons en sujet
supérieur, mais jamais en objet, fût-ce même
volontairement » (p. 80). L'auteur fait à ce
propos une remarque explicative : est, par
essence, esprit « toute évocation consciente et
habile du comique, que ce comique relève de
notre optique ou de la situation » (p. 78).

K. Fischer, pour expliquer les rapports de
l'esprit et du comique, fait appel à la caricature,
qui, dans son traité, leur sert d'intermédiaire
(*Ueber den Witz*, De l'Esprit, 1889). Le comique
a pour objet la laideur dans ses diverses manifestations : « se cache-t-elle, il faut la découvrir
à la lumière de l'observation comique ; appa-
raît-elle peu ou prou, il faut la saisir et la révéler,
afin qu'elle éclate au plein jour... Telle est
l'origine de la caricature » (p. 45). — « Notre
univers spirituel, le monde intellectuel de nos
pensées et de nos représentations, ne se livre
pas à l'observation extérieure, ne se prête pas
directement à la représentation visible et figurative, il comporte aussi pourtant ses inhibi-

---

1. *Beiträge zur Aesthetik*, édité par Theodor Lipps et Richard
Maria Werner. VI. — Un livre auquel je dois le courage et la
possibilité de risquer le présent essai.

tions, ses infirmités, ses difformités, sa large
part de ridicule et de contrastes comiques.
Pour les faire ressortir, les rendre accessibles
à l'observation esthétique, il faut faire appel
à une force spéciale, capable non seulement de
représenter directement les objets, mais de se
réfléchir sur ces représentations elles-mêmes et
de les élucider : en un mot, une force qui éclaire
la pensée. Cette force est le seul *jugement*.
Le jugement qui fait surgir le contraste comique
est l'*esprit ;* il participait déjà en sourdine
à la caricature, mais ce n'est que dans le jugement qu'il apparaît sous sa forme particulière
et qu'il prend son libre essor » (p. 49).

On le voit : Lipps transfère le caractère qui
signale l'esprit, au sein même du comique, à
l'activité, à l'attitude agissante du sujet ;
K. Fischer, au contraire, caractérise l'esprit
en fonction de son objet qui, d'après lui, serait
la laideur latente du monde des pensées. Il est
impossible d'apprécier la valeur de ces définitions de l'esprit, à peine possible même de les
comprendre si on ne les replace dans le contexte
dont elles figurent ici détachées ; l'on se trouverait donc astreint à parcourir les traités que
les divers auteurs ont consacrés au comique
pour y glaner quelques clartés sur l'esprit. On
peut reconnaître par ailleurs que ces mêmes
auteurs s'entendent aussi à assigner avec
justesse à l'esprit quelques-uns de ses carac-

tères généraux et essentiels sans tenir compte
néanmoins de ses rapports avec le comique.

Voici, selon K. Fischer, le critérium de l'esprit
qui semble le mieux satisfaire l'auteur lui-
même : « L'esprit est un jugement ludique »
(p. 51). Pour expliquer ce terme, l'auteur nous
ramène à l'analogie avec « la liberté esthétique
qui consiste dans l'observation ludique des
choses » (p. 50). Ailleurs (p. 20) l'attitude esthétique en présence d'un objet est définie par
cette condition que, loin de rien demander à
cet objet, surtout aucune satisfaction d'ordre
utilitaire, nous nous contentons de la jouissance que nous procure sa contemplation.
L'attitude esthétique est celle *du jeu* et non
point celle du travail. « La liberté esthétique
serait peut-être susceptible de conditionner
une variété de jugement libéré de ses entraves
et de ses directives habituelles, un jugement
que, en raison de son origine, nous appellerons
« *jugement ludique* » et il se pourrait que cette
notion impliquât la donnée primordiale, sinon
l'équation intégrale de notre problème. » « La
liberté, dit Jean Paul, donne l'esprit, et l'esprit
la liberté. » « L'esprit est un simple jeu
d'idées » (p. 24).

On s'est toujours plu à définir l'esprit comme
l'aptitude à découvrir le semblable au sein
du dissemblable, c'est-à-dire des ressemblances
cachées. Jean Paul a donné à cette même idée

une formule spirituelle : « L'esprit, dit-il, est un prêtre travesti qui unit tous les couples. » Th. Vischer ajoute : « Il se plaît à sceller les unions qui déplaisent aux familles. » Vischer objecte qu'il y a néanmoins des mots d'esprit qui ne comportent aucune comparaison, donc aucune recherche de ressemblance. S'écartant légèrement de Jean Paul, il définit l'esprit : l'aptitude, la virtuosité à introduire l'unité parmi plusieurs notions absolument étrangères l'une à l'autre, tant dans leur essence que dans leurs rapports respectifs. K. Fischer fait alors ressortir que nombre de jugements spirituels s'appuient non sur des ressemblances mais sur des différences. Lipps fait remarquer que ces définitions s'appliquent à l'esprit que l'homme spirituel *possède* et non pas à celui qu'il *fait*.

Voici encore d'autres formules apparentées, dans une certaine mesure, qui visent à définir et à caractériser l'esprit : *Contraste des représentations, sens dans le non-sens, sidération et lumière.*

C'est sur le contraste des représentations que s'appuient les définitions du type de celle de Kraepelin, suivant laquelle l'esprit serait « la combinaison, la liaison arbitraires de deux représentations contradictoires d'une manière ou de l'autre ; cette liaison utilise principalement l'association discursive ». Un critique tel que Lipps ne fut pas long à saisir l'insuf-

fisance de cette formule, mais, loin de
supprimer le facteur « contraste », il ne
fait que le déplacer. « Le contraste subsiste ;
toutefois il ne réside pas — sous une forme ou
sous une autre — dans les représentations liées
aux mots ; le contraste ou la contradiction tient
au caractère sensé ou absurde des mots eux-
mêmes » (p. 87). Des exemples précisent cette
conception : « Le contraste ne surgit que lorsque
nous attribuons tout d'abord aux mots un
sens auquel il nous faut ultérieurement renoncer » (p. 90).

Dans l'évolution ultérieure de ce détermi-
nisme, l'antithèse « sens et non-sens » prend
toute son importance. « Ce que pour un moment
nous avons admis comme sensé, nous paraît
ensuite insensé. Tel est, en pareil cas, le processus comique » (p. 85 et suiv.). « Un propos
nous semble spirituel lorsque nous lui attribuons,
en raison d'une nécessité psychologique, un
certain sens pour, ce faisant, le lui retirer aussitôt. Plusieurs interprétations de ce sens sont
alors possibles. Nous prêtons un *sens* à un
propos tout en sachant que la logique s'y oppose.
Nous y trouvons une *vérité*, mais les lois de
notre expérience et les modes habituels de
notre penser nous forcent ensuite à la récuser.
Nous tirons de cette vérité des conséquences
logiques et pratiques qui débordent son thème
réel, et nous les rejetons dès que ce propos

nous apparaît sous son véritable jour. Dans tous les cas, la démarche psychologique que déclenche en nous le mot d'esprit, démarche qui préside au sentiment du comique, est la suivante : aussitôt après avoir souscrit, adhéré sans réserve au mot d'esprit, nous le trouvons plus ou moins vide de sens. »

Quelque suggestive que soit cette explication, une question se pose : l'antithèse du sensé et de l'insensé, sur laquelle repose le sentiment du comique, contribue-t-elle à définir l'esprit, en fonction de sa différenciation d'avec le comique ?

De même, le facteur « sidération et lumière » nous transporte au sein même du problème des relations de l'esprit et du comique. Kant dit du comique en général qu'une de ses particularités essentielles consiste à ne nous leurrer qu'un moment. Heymans (*Zeitschr. f. Psychologie*, XI, 1896) nous montre comment l'effet d'un mot d'esprit résulte de la succession « sidération et lumière ». Il illustre son opinion d'un excellent mot d'esprit de Heine : Un de ses personnages, le pauvre buraliste de loterie Hirsch-Hyacinthe, se vante d'avoir été traité par le grand baron de Rothschild d'égal à égal, de façon toute *famillionnaire*. Tout d'abord le mot, qui est la cheville ouvrière de l'esprit, apparaîtrait comme un néologisme défectueux, comme une chose inintelligible, incompréhen-

sible, énigmatique. Par là, il sidérerait. Le
comique résulterait de ce que la sidération
cesse, de ce que le mot devient intelligible. Lipps
ajoute qu'au premier stade « lumière », stade au
cours duquel le sens du mot sidérant reste
ambigu, succède un second au cours duquel
on reconnaît que ce mot insensé, qui nous a
tout d'abord sidérés, prend son sens exact.
Ce n'est que cette lumière après coup, la conscience d'avoir été abusé par un mot insensé
du langage courant, cette réduction au néant
qui produit le comique (p. 95).

Quelle que soit la conception qui nous paraisse la plus plausible, ces discussions sur
« sidération et lumière » nous orientent vers
une certaine intelligence de la question. Si,
en effet, le comique du *famillionnaire* de Heine
réside dans la décomposition du mot apparemment dénué de sens, « l'esprit » doit résider dans
la formation de ce mot et dans le caractère du
mot ainsi formé.

En dehors de toutes les considérations qui
précèdent, les auteurs s'accordent à reconnaître
à l'esprit une autre particularité essentielle :
« la *concision* est à l'esprit et son corps et son
âme, elle est l'esprit lui-même, » dit Jean Paul
(*Vorschule der Aesthetik* — Propédantique à
l'esthétique — I, § 45), accommodant ainsi
la parole de ce vieux bavard de Polonius dans
l'*Hamlet* de Shakespeare (Acte II, scène II) :

Puisque la concision est l'âme de l'Esprit,
Prolixité son corps, son lustre et son habit,
Mon discours sera bref.

Très suggestive est la description de la briè-
veté du mot d'esprit dans Lipps (p. 90). « L'esprit dit ce qu'il dit, pas toujours en peu mais
toujours en trop peu de mots, c'est-à-dire en
mots qui, au sens de la logique stricte, aussi
bien que des modes cogitatifs et discursifs
habituels, sont insuffisants. Il finit par le dire,
tout en le passant sous silence. »

La nécessité pour l'esprit de découvrir quelque chose de *secret* et de *caché* (K. Fischer,
p. 51) a déjà été signalée à propos des rapports
de l'esprit et de la caricature. Je tiens à rappeler
ce caractère parce qu'il touche de plus près à
l'essence même de l'esprit qu'à ses rapports
avec le comique.

Je sais bien que les quelques citations précédentes, tirées des traités relatifs à l'esprit,
ne peuvent donner une idée juste de la valeur
de ces œuvres. Vu la difficulté d'exprimer sans
prêter à l'équivoque, des pensées aussi complexes et aussi finement nuancées, je ne puis
dispenser les lecteurs plus curieux de se reporter
aux sources. Y trouveront-ils pleine satisfaction ? je l'ignore. Les critères et caractères de

l'esprit, indiqués par les auteurs et résumés ci-
dessus, — activité, relation avec le contenu
de notre penser, caractère de jugement ludique,
accouplement du dissemblable, contraste de
représentations, « sens dans le non-sens »,
succession « sidération et lumière », découverte
du caché, concision particulière du mot d'esprit
— tout cela nous paraît, de prime abord, si juste,
si facile à démontrer, que nous ne risquons
pas de sous-estimer ces conceptions. Mais
ce sont des *disjecta membra*, que nous serions
désireux d'agréger à un tout organisé. Leur
contribution en ce qui concerne la connaissance
de l'esprit équivaudrait à une série d'anecdotes
relatives à un personnage dont nous voudrions
tracer la biographie. Nous ignorons tous des
rapports respectifs de ses diverses déterminantes
entre elles, par exemple la concision du mot
d'esprit et son caractère de jugement ludique ;
nous ignorons également si, pour être vraiment
spirituel, un mot doit satisfaire à toutes ces
conditions ou seulement à certaines d'entre
elles ; lesquelles sont interchangeables, lesquelles indispensables. Nous désirerions encore
grouper et classer les mots d'esprit suivant
ceux de leurs caractères qui nous sembleraient
essentiels. Le classement que nous trouvons
chez les auteurs s'appuie d'une part sur les
moyens techniques, d'autre part sur le mode
d'emploi du mot d'esprit dans le discours (asso-

nance, jeu de mots —, mot d'esprit caricaturant,
caractérisant, réplique caustique).

Nous ne serions donc pas embarrassés pour
orienter des recherches plus approfondies sur
l'esprit. Pour nous assurer le succès, il faudrait
nous placer à des points de vue nouveaux ou
nous efforcer de travailler de plus en plus en
profondeur, en redoublant d'attention et de
concentration. Nous pouvons nous proposer
de ne rien négliger du moins sur ce dernier
point. On est frappé, en effet, du nombre restreint d'exemples de mots d'esprit notoires qui
suffisent aux auteurs dans leurs recherches ;
chacun s'en tient à peu près aux exemples
transmis par ses devanciers. Nous ne devons
pas nous soustraire à l'obligation d'analyser
les exemples qui ont déjà servi aux auteurs
classiques dans leurs traités de l'Esprit ; nous
y joindrons cependant un matériel neuf afin
d'asseoir nos conclusions sur de plus larges
bases. Rien alors de plus naturel que de prendre
pour objet de nos recherches les mots d'esprit
qui nous ont, au cours de notre vie, le plus
vivement impressionné, le plus franchement
diverti.

Le thème de l'esprit vaut-il de tels efforts ?
A mon avis, on n'en saurait douter. Sans parler
des considérations d'ordre personnel que révé-
lera la suite de ces études et qui m'ont poussé
à scruter les problèmes de l'esprit, je puis en

appeler à l'étroite solidarité des diverses manifestations psychiques. Cette solidarité est telle
que toute acquisition psychologique, aussi
lointaine qu'elle puisse paraître, marque une
avance, de prime abord inestimable, dans
d'autres domaines de la psychologie. D'autre
part, on pourrait faire valoir le charme particulier, la fascination, exercés par l'esprit dans
notre société. Un mot d'esprit nouveau fait
presque l'effet d'un événement d'ordre général ;
on le colporte de bouche en bouche comme le
message de la plus récente victoire. Des hommes
en vue eux-mêmes, qui considèrent leur passé
comme digne d'être révélé, et nous transmettent
les noms des villes et des pays qu'ils ont visités,
des personnages importants qu'ils ont fréquentés,
ne dédaignent pas d'incorporer au récit de
leur vie certains bons mots qu'ils ont pu glaner
au passage [1].

1. J. v. Falke, *Lebenserinnerungen* (Souvenirs), 1897.

A

PARTIE ANALYTIQUE

CHAPITRE PREMIER

TECHNIQUE DU MOT D'ESPRIT

Prenons au hasard le premier mot d'esprit qui s'est présenté au cours du chapitre précédent.

Dans une pièce des *Reisebilder* (Tableaux de Voyage), intitulée « Les Bains de Lucques », H. Heine profile les traits du buraliste de loterie et chirurgien pédicure Hirsch-Hyacinthe de Hambourg. Cet homme, en présence du poète, se targue de ses relations avec le riche baron de Rothschild et termine par ces mots : « Docteur, aussi vrai que Dieu m'accorde ses faveurs, j'étais assis à côté de Salomon Rothschild et il me traitait tout à fait d'égal à égal, de façon toute *famillionnaire*. »

S'appuyant sur cet exemple reconnu comme excellent et comme particulièrement risible, Heymans et Lipps ont expliqué son effet comique par « sidération et lumière » (voir plus haut). Mais laissons de côté cette question et soulevons-en une autre : qu'est-ce donc qui confère aux paroles de Hirsch-Hyacinthe le caractère de mot d'esprit ? De deux choses l'une : ou bien la pensée suggérée par la phrase possède par elle-même un caractère spirituel ; ou bien l'esprit réside dans l'expression choisie pour la communiquer. Ce caractère de l'esprit, de quelque côté qu'il se manifeste, nous le pourchasserons afin de nous en saisir.

Une pensée peut généralement s'exprimer sous des formes différentes, c'est-à-dire par des mots également susceptibles de la rendre de façon idoine. L'expression d'une pensée, telle qu'elle se présente à nous dans le discours de Hirsch-Hyacinthe, prend, nous nous en doutons, une forme toute particulière qui n'est pas des plus faciles à comprendre. Essayons d'exprimer aussi fidèlement que possible cette même pensée en d'autres termes. Lipps l'a déjà fait ; c'est ainsi qu'il a commenté la formule du poète (p. 87) : « Nous le comprenons, Heine veut dire que l'accueil, tout en étant familier, possédait cette familiarité connue qui n'a rien à gagner d'un arrière-goût de millions. » Nous n'altérons nullement ce sens en adoptant une autre formule, peut-être mieux adaptée au discours de Hirsch-Hyacinthe : « Rothschild me traitait tout à fait d'égal à égal, de façon toute *familière*, c'est-à-dire autant qu'il est possible à un *millionnaire*. » La condescendance d'un riche, ajouterions-nous, a toujours quelque chose de pénible pour celui auquel elle s'adresse [1].

Que nous adoptions l'une ou l'autre de ces
deux formules équivalentes de la pensée, nous
voyons que la question que nous nous sommes
posée se trouve parfaitement résolue. Dans
cet exemple, le caractère spirituel ne réside pas
dans la pensée. C'est une remarque juste et judicieuse que Heine prête à son personnage Hirsch-
Hyacinthe, remarque d'une incontestable amertume, d'ailleurs bien naturelle de la part d'un
homme pauvre à l'adresse d'un homme aussi
fortuné ; mais nous n'oserions pas la qualifier
de spirituelle. Si toutefois, en dépit de notre
transposition, le lecteur continuait à rester
sous l'impression de la phrase telle que l'a formulée le poète et par suite à considérer la pensée
comme spirituelle par elle-même, nous pourrions en appeler à un critérium qui établirait
que le caractère spirituel a disparu avec la
transposition. Le discours de Hirsch-Hyacinthe
nous a fait rire de bon cœur, cependant les
transpositions fidèles, celle de Lipps comme la
nôtre, ont pu nous plaire, nous inciter à réfléchir,
mais elles n'ont pu déclencher notre hilarité.

Si donc, dans notre exemple, le caractère
spirituel ne dépend pas du fond même de la

1. Du reste, nous nous occuperons encore de ce mot d'esprit et
nous aurons l'occasion de rectifier la transposition de Lipps — à
laquelle la nôtre se relie —, mais cette rectification ne troublera
pas les discussions qui vont suivre.

pensée, il nous faut le chercher dans la forme,
dans les termes qui l'expriment. Il doit nous
suffire d'étudier ce que cette expression a de
particulier pour saisir ce que l'on pourrait appeler la technique verbale et expressive de ce mot
d'esprit, technique qui doit être en rapport
étroit avec l'essence même de l'esprit, puisque
toute substitution formelle enlève au mot et son
caractère et son effet spirituels. Nous demeurons
au reste en parfait accord avec les auteurs en
attribuant une telle valeur à la forme discursive de l'esprit. Ainsi, par exemple, K. Fischer
s'exprime en ces termes (p. 72) : « C'est d'abord
par sa seule forme que le jugement devient
esprit » ; on se souviendra à ce propos d'un mot
de Jean Paul, mot qui à la fois explique et établit ce même caractère de l'esprit : « La position
seule décide de la victoire, qu'il s'agisse de guer-
riers ou de phrases. »

En quoi consiste la « technique » de ce mot
d'esprit ? Quelles modifications la pensée a-
t-elle donc subies dans notre version, pour devenir
le mot d'esprit qui nous a fait rire de si bon
cœur ? Il y en a deux, ainsi que le démontre la
comparaison entre notre version et le texte
même du poète. Tout d'abord une *ellipse* importante. Aux paroles : « *R. me traitait tout à fait
d'égal à égal, de façon toute famillionnaire* », il
nous a fallu ajouter — pour exprimer intégralement la pensée incluse dans ce mot d'esprit —

une phrase supplémentaire, une restriction expressive, « *c'est-à-dire autant qu'il est possible à un millionnaire* », et encore une explication complémentaire semblait-elle s'imposer [1]. La formule du poète est beaucoup plus concise :

« *R. me traitait tout à fait d'égal à égal, de façon toute famillionnaire.* »

Toute la restriction apportée par la seconde phrase à la première, qui constate l'accueil familier, a disparu dans le mot d'esprit.

Elle a cependant laissé une trace qui permet de la rétablir. Une seconde modification s'est produite. Le mot « *familier* » de la version non spirituelle de la pensée a été, dans le mot d'esprit, transformé en « *famillionnaire* ». C'est sans aucun doute de ce néologisme que dépend le caractère spirituel et l'effet risible. Sa première partie est identique au terme « familier » de la première phrase, ses syllabes finales au « millionnaire » de la seconde ; ce néologisme représente, pour ainsi dire, l'élément « millionnaire » qui se trouve dans la seconde phrase, par conséquent la seconde phrase tout entière ; il nous permet ainsi de deviner la seconde phrase qui a été omise dans le texte de ce mot d'esprit. On peut le décrire comme un mélange des deux éléments « familier » et « millionnaire », et l'on serait tenté

---

1. Des considérations analogues s'appliquent à la transposition de Lipps.

de figurer cette synthèse par cette image graphique [1] :

FAMI LI   ERE
MI LIONNAIRE
FA*MI LIONNAIRE*

Le processus, qui a fait de la pensée un mot d'esprit, peut se représenter de la manière suivante, qui, tout en paraissant au premier abord bien fantastique, aboutit néanmoins à un résultat exactement conforme à la réalité :

« R. m'a traité tout familièrement,
c'est-à-dire autant qu'il est possible à un millionnaire. »

Imaginons une force de compression qui s'exercerait sur ces deux phrases et supposons que la deuxième phrase soit, pour une raison quelconque, la moins résistante. Cette dernière disparaîtra ; son armature, le mot « millionnaire », qui est capable de résister à la suppression, s'accolera, pour ainsi dire, à la première et se soudera au mot « familier » qui présente avec lui tant d'affinité ; cette occasion de sauver l'es-

---

1. Les syllabes communes aux deux mots sont imprimées en caractères penchés pour faire ressortir le contraste avec les caractères différents des éléments spéciaux des deux mots. Nous nous sommes permis d'omettre le deuxième « l », à peine discernable dans la prononciation. Il est facile de concevoir que l'identité de plusieurs syllabes dans les deux mots fournit à la technique du spirituel l'occasion de former un mot composite.

sentiel de la deuxième phrase favorisera la
chute des éléments accessoires moins importants. C'est ainsi que se forme le mot d'esprit :
« R. m'a traité de façon toute " famillionnaire " »

(mi li)'   '(aire)

Abstraction faite de cette force de compression, qui d'ailleurs nous est inconnue, nous pouvons considérer la genèse du mot d'esprit, c'est-
à-dire la technique spirituelle de cet exemple,
comme le résultat d'une *condensation avec formation substitutive ;* la substitution, en l'espèce,
consiste dans la formation d'un *mot composite.*
Le mot composite, « famillionnaire », incompréhensible en lui-même, s'explique immédiatement
par le contexte et apparaît ainsi comme plein
de sens; ce mot est le vecteur de l'effet risible,
dont le mécanisme ne nous devient d'ailleurs
pas plus compréhensible après la découverte de
la technique de l'esprit. Jusqu'à quel point une
condensation verbale avec substitution par un
mot composite peut-elle nous procurer du plaisir
et forcer notre rire ? C'est là, remarquons-le, un
tout autre problème, que nous aborderons plus
loin lorsqu'il nous sera devenu plus accessible.
Pour le moment, nous nous en tenons à la technique même de l'esprit.

Dans l'espoir de pénétrer, par l'étude de la
technique, l'essence même de l'esprit, nous cher-

cherons d'abord s'il existe d'autres exemples de
mots d'esprit répondant au type du « *famillionnaire* » de Heine. Leur nombre, quoique fort
restreint, est cependant suffisant pour constituer
un petit groupe caractérisé par la formation
d'un mot composite. Heine, se copiant pour
ainsi dire lui-même, a tiré du mot « millionnaire »
un second trait d'esprit. Il parle d'un « *Millio-
narr* » (*Ideen*, chap. xiv), par une contraction
transparente des mots allemands « Millionär » et
« Narr » (fou) ; comme dans le premier exemple,
il exprime une pensée accessoire qui est réprimée.

Voici d'autres exemples que j'ai pu réunir :
les Berlinois nomment « *Forckenbecken* » une
fontaine dont l'édification avait fait fort mal
noter à la cour le maire Forckenbeck. Cette
dénomination ne manque pas d'esprit, malgré
la transformation de « Brunnen » (fontaine) en
« Becken » (bassin) — mot peu usité dans ce sens
— transformation favorable à la fusion avec le
nom propre. L'Europe avait malicieusement
transposé le nom d'un souverain, prénommé
Léopold, en *Cléopold*, en raison d'une dame qui
répondait au prénom de *Cléo* et dont les attaches
avec le monarque étaient alors de notoriété
publique. C'est sans doute une condensation qui,
par l'addition d'une seule lettre, renouvelait
sans cesse l'allusion malicieuse. Les noms propres
se prêtent d'ailleurs facilement à cette adaptation de la technique de l'esprit : Il y avait à

Vienne deux frères du nom de *Salinger*, dont l'un
était *courtier en bourse*. Ce fut l'occasion de
dénommer l'un *Bursisalinger*, tandis que l'autre
se voyait gratifié du nom peu flatteur de *Ursisa-
linger* qui le distinguait de son frère [1]. C'était
commode et incontestablement spirituel ; justi-
fié, je n'oserais l'affirmer. Sous ce rapport l'esprit
se montre peu exigeant.

On nous raconta un jour ce mot d'esprit par
condensation : Un jeune homme qui avait
jusque-là mené joyeuse vie à l'étranger rend,
après une longue absence, visite à un ami.
Celui-ci, étonné de lui voir une alliance au doigt,
s'écrie : « Quoi, vous marié ? » — « Oui, répond
l'autre, *Trauring aber wahr* » (Sacrément vrai) [2].
C'est du meilleur esprit ; deux composantes
s'associent dans le mot « *Trauring* », d'abord la
transformation de *Trauring* en *Ehering* (alliance) et, en second lieu, la phrase suivante :
« *Traurig, aber wahr* ».

L'effet comique, dans ce cas, n'est pas diminué
de ce fait que le mot composite n'est pas une
formation incompréhensible, non viable en

---

1. Freud parle de deux frères *Salinger* dont un était « *Börsen-
sensal* » (courtier en bourse) ; les deux sobriquets sont : *Sensalinger*
et *Scheusalinger* (Scheusal = monstre). Nous avons quelque peu
modifié les sobriquets pour rendre le jeu de mots en français.
(N. d. T.)
2. En allemand *Traurig aber wahr* Triste mais vrai est une
locution très usitée. *Traurig* = triste. *Trauring* = alliance.
(N. d. T.)

toute autre circonstance, comme « famillionnaire », mais cadre parfaitement avec l'un des
deux éléments condensés.

J'ai moi-même un jour, sans le vouloir, pendant une conversation, fourni l'occasion d'un
mot d'esprit du type « famillionnaire ». Je par-
lais à une dame des grands mérites d'un savant
que je considérais comme injustement méconnu.
« Mais, dit-elle, cet homme mérite un *monument.* » — « Peut-être l'aura-t-il un jour, dis-je,
mais pour le *moment* il a bien peu de succès. »
— « *Monument* » et « *moment* » sont contradictoires. La dame associant ces contraires, ajoute :
« Souhaitons-lui alors un succès " *monumen-
tané.* "

Je trouve, dans un excellent travail anglais
consacré à des questions du même genre
(A. A. Brill, *Freud's Theory of Wit*, Journal of
Abnormal Psychology, 1911), quelques exemples
en plusieurs langues qui relèvent du même mécanisme de condensation que notre " famillionnaire ". »

L'auteur anglais de Quincey, rapporte Brill,
faisait observer que les vieillards ont tendance
à tomber dans l' « *anecdotage* ». Ce mot résulte
de la fusion et de la coalescence partielles de

anecdote et
        dotage (babil enfantin).

Dans une histoire brève anonyme, Brill trouva le temps de Noël qualifié de « *the alcoholidays* ». Ce mot représente de façon analogue la fusion de

alcohol et

holidays   (jours

de fête).

Lorsque Flaubert publia son célèbre roman « *Salammbô* » qui avait pour théâtre Carthage, Sainte-Beuve traita ironiquement ce roman de « *Carthaginoiserie* » en raison de sa recherche méticuleuse du détail :

Cartha ginois

chinoiserie.

Le meilleur jeu d'esprit de cet ordre nous est fourni par un des hommes les plus éminents de l'Autriche qui, après une remarquable carrière scientifique et publique, occupe actuellement une des plus hautes fonctions de l'État. J'ai pris la liberté de me servir, dans ces investigations des mots d'esprit qui lui sont attribués et qui sont tous marqués au coin de sa verve [1]; je m'y risque

---

1. Je crois y avoir droit, puisque ces mots d'esprit ne m'ont pas été révélés par indiscrétion. Ils sont de notoriété publique en cette ville (Vienne) et circulent dans toutes les bouches. Un certain nombre d'entre eux a été publié par Ed. Hanslick dans la *Neue Freie Presse* et dans sa propre autobiographie. Si les autres ont subi, par tradition orale, une déformation à peu près inévitable, j'en fais mes excuses au lecteur. (N. d. A.)

Il s'agit du docteur Josef Unger, juriste, ministre, mort depuis. (N. d. T.)

avant tout parce qu'il serait difficile de s'en procurer de meilleurs.

On attirait un jour l'attention de M. N... sur
un auteur connu par une série d'articles vraiment fastidieux, parus dans un journal viennois.
Ces articles traitent tous d'épisodes relatifs aux
rapports de Napoléon Ier avec l'Autriche. Cet
auteur est roux. Dès qu'il eut entendu ce nom,
M. N... s'écria : « *N'est-ce pas ce* rouge Fadian
(*filandreux poil de carotte*) *qui s'étire à travers toute*
l'histoire des Napoléonides [1] ? »

Pour découvrir la technique de ce mot d'esprit, il convient de lui faire subir une « réduction », qui, en changeant les termes, le vide de son
esprit et rétablisse, dans son intégralité, le sens
primitif tel qu'il se dégage à coup sûr d'un mot
vraiment spirituel. Le mot d'esprit de M. N...
sur le « Rote Fadian » (filandreux rouquin)
comporte deux éléments : d'une part un jugement péjoratif sur l'auteur, d'autre part la
réminiscence de la métaphore célèbre qui sert
d'introduction aux extraits du « Journal d'Ottilie » dans les « Affinités Électives » de Goethe [2].

---

1. Rote = rouge ; Fadian = fil et fade, Fadian = mot intraduisible dont le sens s'éclairera dans la discussion ultérieure.
(N. d.T.)
2. « Nous avons entendu parler d'une disposition particulière à
la marine anglaise. Tous les cordages de la flotte royale, des plus
forts aux plus faibles, sont faits de telle sorte qu'un *fil rouge* leur
est incorporé de façon à ne pouvoir être enlevé sans tout désor-
ganiser ; par là les petits bouts de cordage sont reconnaissables
comme étant la propriété de la Couronne. De même, tout le journal

La teneur de la critique malveillante était peut-être la suivante : « Voilà donc l'homme capable d'écrire encore et toujours de fastidieux feuilletons sur Napoléon et l'Autriche! » Ceci n'est pas du tout spirituel. La belle comparaison de Goethe n'est pas non plus spirituelle, et ne prête certainement pas à rire. Ce n'est que du rapprochement de ces deux éléments, de leur condensation et de leur fusion toutes particulières que naît un mot d'esprit, et même du meilleur [1].

Le rapport entre le jugement injurieux sur l'ennuyeux historien et la belle métaphore des « Affinités Électives » a dû — pour des raisons que je ne peux pas encore faire comprendre — s'établir d'une façon moins simple que dans une série de cas similaires. Je m'efforcerai de substituer au mécanisme probable la construction suivante. D'abord cet élément, la répétition du même thème, a dû suggérer à M. N... la réminiscence du passage connu des « Affinités Électives » qui est souvent cité à tort dans les termes suivants : « *Cela s'étire comme un fil rouge.* » Le « fil rouge » de la métaphore modifie l'expression de la première proposition en raison de cette coïncidence fortuite : l'écrivain incri-

d'Ottilie est parcouru d'un fil qui symbolise le penchant et l'atta-chement, et qui relie le tout et caractérise l'ensemble (20ᵉ volume de la Sophien-Ausgabe, p. 112).

1. Il suffira de faire remarquer combien cette observation, que l'on sera régulièrement amené à faire, est peu d'accord avec l'as-sertion que le mot d'esprit serait un jugement ludique.

miné est *roux*, c'est-à-dire a la chevelure *rousse*.
Voici le sens probable du premier terme : « *C'est
donc ce rouquin qui écrit ces fastidieux feuilletons
sur Napoléon.* » Et alors commence le processus
qui tend à condenser les deux éléments. Sous
cette pression — le facteur commun « rouge »
formant charnière — « l'ennuyeux » s'associe au
« fil » (en allemand : Faden) ; ce dernier se transforme en « fad » (= fade) ; ces deux composantes peuvent ainsi se souder dans le terme
même du mot d'esprit, où la citation de Goethe
finit presque par dominer le jugement péjoratif,
d'abord prépondérant.

« Ainsi c'est cet homme *rouge* qui écrit des
                [*fadaises* sur [Napoléon.
Le   *rouge*   (fil) *Faden*, qui
                [s'étire à travers tout.

*N'est-ce pas ce « rote Fadian » qui s'étire à
travers toute l'histoire des Napoléonides ?*
Je fournirai une justification ainsi qu'une
correction de cet exposé au cours d'un chapitre
suivant, dans lequel je pourrai analyser ce mot
d'esprit d'un point de vue autre que de celui de
la forme. Cependant, quelque doute qui plane
encore sur tout ceci, le rôle de la condensation
me semble du moins à présent absolument
indubitable. La condensation aboutit d'une
part à une abréviation notable, d'autre part,

non pas à l'édification d'un mot composite
frappant, mais plutôt à l'interpénétration des
éléments des deux composantes. « Roter Fadian » (« filandreux rouquin ») serait viable
en toutes circonstances à titre de simple injure ;
dans notre cas particulier il apparaît, à coup
sûr, comme le produit d'une condensation.

Si quelque lecteur commençait à s'indigner
de ces conclusions, qui risquent de l'empêcher
de savourer l'esprit sans lui révéler la source
de son plaisir, je lui demanderais de patienter
un moment. Nous n'en sommes encore qu'à
l'étude technique de l'esprit, étude pleine de
promesses, à condition d'être suffisamment
approfondie.

L'analyse du dernier exemple nous a fami-
liarisés avec cette éventualité : tout en retrouvant dans d'autres cas la condensation, le
substitut de l'élément supprimé peut n'être pas
fourni par un mot composite, mais par toute
autre modification de l'expression. D'autres
mots d'esprit de M. N... nous montreront en
quoi peut consister cette autre forme de la
substitution.

« *J'ai voyagé tête-à-bête avec lui.* » Rien de
plus facile que de réduire ce mot en ses éléments.
Il signifie évidemment : j'ai voyagé en *tête à
tête* avec X., et X. est une *bête* stupide.

Aucune de ces deux phrases n'est spirituelle,
même en les juxtaposant l'une à l'autre : *j'ai*

voyagé en tête-à-tête avec cette bête stupide de X.
L'esprit n'apparaît qu'en laissant tomber la
« *bête stupide* » et en la remplaçant, dans le mot
tête, par la substitution du « *b* » au « *t* ». Cette
légère modfication permet de rétablir le mot
« bête » tout d'abord supprimé. On peut définir
la technique de ce groupe de mots d'esprit :
condensation avec légère modification, et, comme
l'on peut s'y attendre, plus cette modification
est légère, plus le mot est spirituel.

Même technique, plus compliquée peut-être,
dans un autre mot d'esprit : M. N... disait au
cours d'une conversation qui visait un homme
digne de bien des blâmes et aussi de quelque
louange : « *Oui, la vanité est un de ses quatre
talons d'Achille* [1]. » La légère modification
consiste en ce qu'au lieu de l'unique *talon
d'Achille* de la tradition légendaire, on en
assigne *quatre* au héros du mot. Quatre talons
impliquent quatre pieds, c'est-à-dire l'anima-
lité. Aussi les deux pensées condensées dans
ce mot d'esprit pourraient s'exprimer ainsi :

« *Y. est un homme éminent en dehors de sa vanité ;
mais il me déplaît car il est plutôt une bête qu'un
homme* [2]. »

1. Ce même mot d'esprit aurait, dit-on, déjà été fait par
H. Heine sur Alfred de Musset.
2. Une des complications de la technique de cet exemple consiste
en ce fait que la modification qui remplace l'injure omise doit être
qualifiée d'allusion à cette dernière, étant donné qu'elle n'y aboutit
que par l'intermédiaire d'un syllogisme. Pour un autre facteur de
complication de cette technique, voir plus bas.

Voici, dans sa simplicité, un mot du même
genre, qu'il m'a été donné de saisir *statu nascendi* dans une famille. De deux frères, tous
deux lycéens, l'un est un très bon élève, l'autre
un élève fort médiocre. L'élève modèle présente
un jour une défaillance ; la mère fait part de
ses appréhensions, elle craint que cette défaillance ne marque le début d'une déchéance
définitive. L'autre enfant, jusque-là éclipsé
par son frère, saisit la balle au bond : « Oui,
dit-il, *Charles recule des quatre pattes.* »

La modification consiste en une petite addition qui montre que lui aussi est persuadé de
la déchéance de son frère. Mais cette modification remplace et figure un plaidoyer senti
en sa propre faveur : « N'allez pas croire surtout qu'il soit beaucoup plus intelligent que
moi, du fait qu'il est mieux placé en classe! Il
n'est qu'un animal stupide, encore plus stupide
que moi. »

Un bel exemple de condensation avec légère
modification est fourni par un autre mot d'esprit fort connu de M. N... D'un personnage,
bien en place dans la vie publique, il disait
qu'« *il avait un grand avenir derrière lui* ». Le
jeune homme en question semblait, par sa
naissance, son éducation, ses dons particuliers,
appelé à prendre un jour la tête d'un parti
puissant et à assumer de ce fait un rôle de premier plan dans le gouvernement. Mais il y eut

une volte-face, le parti perdit toute chance d'arriver au pouvoir et tout indiquait que le leader désigné n'aboutirait à rien. Réduite à sa plus simple expression, la teneur de ce mot d'esprit serait la suivante : *cet homme a eu un grand avenir devant lui mais c'en est fait à présent.* L'« *eu* » et la proposition qui suit sont remplacés, dans le membre de phrase principal, par une légère modification, « *derrière* » s'étant substitué à son contraire « devant [1] ».

Une modification du même genre conditionne un autre mot d'esprit de M. N... visant un gentilhomme parvenu au ministère de l'Agriculture sans autre titre que ses exploitations rurales. L'opinion publique avait eu l'occasion de le reconnaître comme le moins capable des ministres auxquels ce département eût jamais été confié. Lorsqu'il résigna ses fonctions pour se retirer dans ses terres, M. N... dit de lui :

« *Comme Cincinnatus, il a repris sa place devant sa charrue.* »

Le Romain, que l'on arracha à sa charrue pour lui confier la magistrature, reprit ensuite place *derrière* sa charrue. Aujourd'hui, comme

---

1. Un autre facteur encore, que je me réserve de citer plus loin, coopère à la technique de ce mot d'esprit. Il se rapporte au caractère intrinsèque de la modification (représentation par le contraire, contresens). Rien n'empêche la technique de l'esprit d'user à la fois de plusieurs procédés que cependant nous ne parviendrons à connaître que l'un après l'autre.

naguère, c'est toujours le bœuf que l'on met
devant la charrue.

Une amusante condensation avec légère
modification se retrouve encore dans un mot
de Karl Kraus. A propos d'un soi-disant jour-
naliste, coutumier du chantage, il rapporte
qu'il est parti en pays balkanique par l'« *Orient-
erpresszug* ». Évidemment ce mot résulte de la
synthèse de « *Orient-expresszug* » (Orient-
Express) et de « *Erpressung* » (chantage). Vu
l'analogie de ces deux mots, l'élément « Erpressung » ne semble qu'une modification du mot
« Orientexpresszug » exigé par la phrase. Ce
mot d'esprit nous offre encore un autre intérêt,
c'est qu'il joue la faute d'impression.

Nous pourrions aisément multiplier les
exemples ; nous croyons cependant que les
précédents suffisent à mettre en lumière les
caractères de la technique du second groupe,
condensation avec modification. Si nous comparons le second groupe au premier, dont la technique consistait en la condensation avec formation de mots composés, nous comprenons
aisément que les deux catégories ne comportent
pas de différences essentielles et que les transitions de l'une à l'autre sont insensibles. La formation du mot composé, comme la modification, est subordonnée à la notion de la substitution, et il nous est loisible de considérer à
notre gré la formation du mot composé elle

aussi comme une modification du terme fondamental par le second élément.

Il convient de marquer ici un temps d'arrêt
et de nous demander à quel procédé littéraire
notre premier résultat se superpose partiellement ou totalement. Évidemment à la concision, qui, pour Jean Paul, est l'âme même de
l'esprit (v. plus haut p. 18). Toutefois la concision n'est pas par elle-même spirituelle, autrement tout laconisme serait un mot d'esprit.
La concision doit donc présenter un caractère
spécial. Nous nous rappelons que Lipps a tenté
de préciser les particularités de l'abréviation
dans les mots d'esprit (v. plus haut p. 19). C'est
de là que sont parties nos investigations, qui
viennent de démontrer que la concision du mot
spirituel est souvent le résultat d'un processus
spécial, ayant laissé dans l'expression du mot
d'esprit une seconde empreinte, à savoir la
substitution. En employant la réduction, qui
tend à annuler le processus spécial de la condensation, nous voyons aussi que l'esprit ne réside
que dans l'expression verbale qui résulte de la
condensation. Notre intérêt se porte alors naturellement sur ce processus si particulier, dont
l'importance a presque complètement échappé
jusqu'ici. Nous ne pouvons non plus comprendre

encore comment il arrive à engendrer tout ce qui fait le prix de l'esprit, le « bénéfice de plaisir » que l'esprit nous confère.

Connaissons-nous, en d'autres domaines de la vie psychique, des processus analogues à ceux que nous venons de représenter comme constituant la technique de l'esprit? Effectivement, et dans un seul domaine qui en semble fort éloigné. En 1900, j'ai publié un ouvrage qui, conformément à son titre : *Die Traumdeutung* (La Science des Rêves [1]), cherchait à résoudre les énigmes du rêve et à démontrer que celui-ci est le dérivé de manifestations psychiques normales. J'ai eu l'occasion d'y confronter le *contenu manifeste*, souvent étrange, *du rêve*, avec les *pensées oniriques latentes*, mais parfaitement pertinentes, qui lui ont donné naissance ; j'y étudie le processus qui, avec les pensées oniriques latentes, forme le rêve, ainsi que les forces psychiques qui prennent part à cette transformation. J'ai donné à l'ensemble de ces processus de transformation le nom d'*élaboration du rêve* ; j'ai décrit comme un des éléments de cette élaboration du rêve un processus de condensation qui présente les plus grandes analogies avec celui de la technique du mot d'esprit : dans les deux cas la conden-

---

1. 7ᵉ édition, 1922, et *Gesammelte Schriften*, vol. II. Trad. Meyerson, Alcan. Paris, 1926.

sation conduit à l'abréviation et crée des formations substitutives d'un caractère semblable:
Nous avons tous présents à l'esprit des rêves
au cours desquels les personnages ainsi que les
objets fusionnent entre eux ; le rêve fusionne
même des mots que l'analyse permet ensuite
de dissocier (p. ex. Autodidasker = Auto-
didakt + Lasker) [1]. D'autres fois, et même plus
souvent encore, la condensation réalise, dans
le rêve, non point des formations composites,
mais des images absolument conformes à un
objet ou à une personne et qui n'en diffèrent
que par une addition ou une modification éma-
nées d'une source différente, modifications qui
sont par suite identiques à celles que nous
retrouvons dans les mots d'esprit de M. N...
Sans aucun doute, c'est le même processus
psychique qui s'offre à nous dans les deux cas
et qu'il nous est loisible de reconnaître à ses
effets identiques. Aussi une analogie si profonde entre la technique de l'esprit et l'élaboration du rêve nous intéressera-t-elle davantage à la première et nous engagera-t-elle à
puiser dans la comparaison du rêve et de l'esprit bien des clartés sur ce dernier. Nous atten-
drons toutefois pour aborder ce sujet car,
n'ayant envisagé jusqu'ici dans leur technique

1. *Die Traumdeutung*, 7° éd., p. 204 et suiv. Trad. Meyerson,
p. 269 et suiv.

qu'un nombre très restreint de mots d'esprit,
nous ne savons pas encore si l'analogie que
nous voulons adopter comme directive ne se
démentira pas. Abandonnons donc la comparaison avec le rêve pour en revenir à la technique de l'esprit, quittes à reprendre ultérieurement ce fil conducteur que nous laissons, pour
le moment, volontairement tomber.

Nous nous proposons à présent de rechercher
d'abord si la condensation avec substitution
est décelable dans tous les mots d'esprit, à telle
enseigne qu'elle puisse être considérée comme
le caractère général de la technique de l'esprit.
Je me souviens d'un mot qui s'est gravé dans
ma mémoire du fait de certaines circonstances
particulières. Un des grands professeurs de ma
jeunesse, que nous croyions incapable d'apprécier un mot d'esprit, et qui, du reste, n'en avait
jamais risqué un seul en notre présence, arriva
un jour en riant à notre institut, et plus spontanément que de coutume, nous fit part de la
cause de son hilarité. « J'ai lu un mot d'esprit
excellent. On introduisait dans un salon parisien un jeune homme que l'on disait parent
du grand J.-J. Rousseau et qui, du reste, portait ce nom. De plus il était roux. Il se montra
si gauche que la maîtresse de maison lança à

son introducteur cette épigramme : " *Vous
m'avez fait connaître un jeune homme* ROUX ET
SOT, *mais non pas un* ROUSSEAU ". » Et il se mit
à rire.

C'est, d'après la nomenclature classique, un
calembour, et même des plus mauvais, qui joue
sur un nom propre. Il rappelle la capucinade du
Camp de Wallenstein qui, on le sait, pastiche
l'*Abraham a Santa Clara :*

> « Lässt sich nennen den *Wallenstein,*
> ja freilich ist er uns *allen* ein *Stein*
> des Anstosses und Aergernisses [1]. »
> (Il se nomme Wallenstein [Pierre du rempart]
> et nous est bien *à tous* une *pierre*
> d'achoppement et de tintouin.)

Quelle est cependant la technique de ce mot
d'esprit ?

Il est bien évident que le caractère que nous
espérions d'ordre général se montre en défaut
dès notre premier cas. Pas trace d'ellipse, à
peine une abréviation. La dame dit, dans son
mot d'esprit, presque tout ce que notre commentaire pourrait exprimer de sa pensée. « Vous
m'avez intriguée avec un parent de *J.-J. Rousseau,* peut-être même avec un de ses parents
intellectuels, et voilà un jeune imbécile roux,
un *roux et sot.* » J'ai pu faire, il est vrai, une

---

1. Que ce mot d'esprit, en vertu d'un autre facteur, soit digne
d'être mieux apprécié, nous le montrerons plus loin.

addition, une interpolation, mais cet essai de réduction ne supprime pas l'esprit. Tout se réduit et se borne au calembour $\dfrac{\text{Rousseau}}{\text{roux sot.}}$

Il s'ensuit que la condensation avec substitution ne joue aucun rôle dans la genèse de ce mot d'esprit.

Quoi donc? De nouveaux essais de réduction me démontrent que l'esprit subsiste tant que le nom de *Rousseau* n'est pas remplacé par un autre. En effet, le remplace-t-on par celui de *Racine*, la critique de la dame, tout en demeurant aussi pertinente qu'auparavant, perd tout son esprit. Je sais à présent où chercher la technique de ce mot d'esprit, mais j'hésite encore sur sa formule ; essayons de la suivante : la technique du mot d'esprit consiste à employer un seul et même mot — le nom — *de deux façons différentes*, une première fois dans son entier, une seconde fois décomposé en syllabes à la façon d'une charade.

Je puis citer quelques exemples qui ressortissent à la même technique.

Cette même technique du double emploi se retrouve dans un mot d'esprit qui permit, dit-on, à une dame italienne de se venger d'une remarque déplacée de Napoléon Ier. Dans un bal de la Cour, il lui disait, en parlant de ses compatriotes : « *Tutti gli Italiani ballano così male.* » (Tous les Italiens dansent si mal.) Elle répondit

du tac au tac : « *Non tutti, ma buona parte.* »
(Non pas tous, mais une bonne partie.) (Brill,
l. c.)

(D'après Th. Vischer et K. Fischer) : A la
première représentation d'*Antigone* à Berlin
les critiques trouvèrent que la représentation
manquait du caractère d'antiquité classique.
L'esprit berlinois se saisit de cette critique en
ces termes : *Antik? Oh, nee!* (Antique? oh non!)

Un mot d'esprit, fondé également sur la décomposition, court les cercles médicaux allemands. Si l'on demandait à l'un de ses jeunes
clients si jamais il se masturbe, il répondrait à
coup sûr : *O na, nie* (Oh non! jamais).

Ces trois exemples, qui nous suffiront à caractériser l'espèce, répondent à la même technique
de l'esprit. Un nom y est employé deux fois :
la première fois dans son entier ; la seconde,
dissocié en ses syllabes ; cette décomposition
lui donne un certain sens tout différent [1].

---

1. La qualité de ces mots d'esprit résulte de ce fait qu'en même
temps un autre procédé technique, d'un ordre fort supérieur, a été
mis en œuvre (v. plus bas). D'ailleurs je puis signaler ici une relation
entre le mot d'esprit et l'énigme. Le philosophe Fr. Brentano a
composé une sorte d'énigmes en vers dans lesquelles il faut deviner
un petit nombre de syllabes qui, réunies en un seul mot, ou rassemblées d'une manière ou de l'autre, donnent un sens différent,
par exemple :

... liess mich das *Platanenblatt ahnen*.
la feuille de platane me laissait pressentir...

wie du dem Inder hast verschrieben, in der Hast verschrieben ?
comme tu as prescrit à l'*Indien*, ou bien *comme tu as prescrit en hâte.*
Les syllabes qui sont à deviner sont remplacées, dans le contexte

L'emploi répété du même mot à l'état complet, puis à l'état dissocié, est le premier cas que nous ayons rencontré dans lequel la technique diffère de la condensation. Après quelque réflexion, et à la faveur de nombreux exemples qui nous viennent à l'esprit, nous devons supposer que la technique que nous venons de découvrir ne peut guère se restreindre à ce procédé. Des combinaisons, dont le nombre apparaît *a priori* comme incalculable, permettent d'employer dans une phrase le même mot ou le même matériel verbal, en jouant sur la multiplicité de leurs sens. Se pourrait-il que toutes ces possibilités se présentassent à nous comme des procédés techniques du mot d'esprit ? Il semble en être effectivement ainsi ; l'exemple des mots suivants va le démontrer.

On peut d'abord adopter le même matériel verbal et en modifier légèrement l'agencement. Plus la modification est légère, plus on a l'impression qu'un sens différent est exprimé par les mêmes mots, plus le mot est réussi du point de vue de la technique.

de la phrase, d'après le nombre des syllabes à deviner, par le mot explétif *dal.* Un collègue du philosophe se vengea d'une façon spirituelle, quand il apprit les fiançailles de cet homme, qui déjà était d'un certain âge, en demandant : *Daldaldal daldaldal ?* (*Brentano brennt-a-no ?*) (Brentano brûle-t-il encore ?).

Qu'est-ce qui établit la différence entre ces énigmes *daldal* et les mots d'esprit susmentionnés ? C'est que, dans les premières, la technique est imposée comme condition, le texte est à deviner, tandis que dans les mots d'esprit, le texte est donné mais la technique est cachée.

D. Spitzer (*Wiener Spaziergange* [*Promenades viennoises*], vol. II, p. 42) :

« Das Ehepaar X. lebt auf ziemlich grossem Fusse. Nach der Ansicht der einen soll der Mann *viel verdient* und sich *dabei etwas zurückgelegt* haben, nach anderen wieder soll sich die Frau *etwas zurückgelegt* und *dabei viel verdient* haben. » (« Le couple X. vit sur un assez grand pied. Au dire de certains, le mari aurait *beaucoup gagné* pour *se mettre sur le velours ;* au dire des autres, la femme se serait *mise sur le velours* pour *beaucoup gagner*[1] .»)

Voilà un mot vraiment diabolique! et à peu de frais! Beaucoup gagné — s'être mis sur le velours ; s'être mise sur le velours — beaucoup gagner : ce n'est que par une simple transposition des deux phrases que le jugement sur l'homme se distingue de l'allusion à la femme. A cela ne se borne pas la technique de ce mot d'esprit[2].

On ouvre un vaste champ à la technique de l'esprit, lorsque l'on élargit l' « *utilisation du même matériel verbal* » jusqu'à permettre que le mot, ou le groupe de mots vecteurs de l'esprit, apparaissent la première fois dans leur intégralité, la seconde fois *légèrement modifiés*.

1. *Zurücklegen* = mettre de côté, se pencher en arrière. Intraduisible littéralement en français. Tandis que *viel verdient* se traduit littéralement par *beaucoup gagné*. (N. d. T.)

2. Aussi peu que dans l'excellent mot d'esprit d'Olivier Wendell Holmes, cité par Brill : « Put not your *trust in money*, but put your *money in trust.* » Voilà une contradiction dont on est prévenu, contradiction qui pourtant ne se réalise pas. La deuxième partie de la phrase supprime la contradiction. Du reste un bon exemple de l'impossibilité de traduire des mots d'esprit de ce genre.

Voici par exemple un autre mot de M. N... :

« Monsieur le Conseiller, dit-il, je connaissais votre *antésémitisme*, j'ignorais votre *antisémitisme*. »

Ici, tout se borne à la modification d'une seule lettre, modification qui est à peine remarquée si l'on prononce avec quelque négligence. Cet exemple rappelle les autres mots de M. N... formés par modification (voir p. 36) ; toutefois il lui manque la condensation. Tout ce qui doit être dit est dit. « Je sais qu'autrefois vous étiez Juif ; je suis donc étonné de vous entendre injurier les Juifs. »

Un bel exemple de mot d'esprit par modification est la célèbre exclamation : *Traduttore —
Traditore!*

La similitude des deux mots, qui frise l'identité, exprime de façon saisissante la fatalité qui fait du traducteur un traître à son auteur [1].

La variété des modifications légères dont dispose cette catégorie de mots d'esprit est telle qu'aucun d'eux ne ressemble tout à fait à l'autre.

Voici un mot d'esprit qui aurait été forgé à l'occasion d'un examen de droit : Le candidat doit traduire un passage du code : « *Labeo ait...* » *Je tombe, dit-il... Vous tombez, dis-je*, reprend l'examinateur et l'examen prend fin. Celui qui prend le nom du grand juriste pour un verbe,

---

1. Brill cite un mot d'esprit par modification tout à fait analogue : *Amantes amentes* (Amants = déments).

en estropiant ce verbe, ne mérite certainement
pas mieux. Mais la technique du mot d'esprit
réside dans l'emploi approximatif des mêmes
mots à démontrer d'une part l'ignorance du
candidat, et à énoncer de plus le verdict de
l'examen. Ce mot offre en outre un exemple
d'une réponse du « tac au tac », dont la technique,
comme on le verra, ne diffère pas sensiblement
de celle que nous venons de définir.

Les mots représentent une substance plastique et malléable à merci. Il est des mots qui,
dans certaines combinaisons, ont perdu entièrement leur plein sens primitif, qu'ils ont en
revanche gardé dans d'autres. Un mot d'esprit
de Lichtenberg réalise justement les conditions
dans lesquelles des mots dont le sens primitif
a pâli récupèrent leur plein sens.

« *Comment allez-vous ?* » — dit l'aveugle au *paraly-
tique*. — « *Comme vous le voyez* », répond ce dernier
à l'*aveugle*.

L'allemand possède de ces mots qui peuvent
se prendre au sens « *plein* ou *vide* » — dans leur
plein sens ou vidés de leur sens — et cela dans
plus d'une acception. Une même racine a pu
donner naissance à deux termes dont l'un a
gardé sa plénitude de sens et dont l'autre s'est
décoloré en une désinence ou en une enclitique ;
tous deux en homonymie parfaite. L'homonymie entre le mot qui a conservé son plein sens
et la syllabe décolorée peut aussi être acciden-

telle. Dans les deux cas, la technique de l'esprit peut en tirer profit.

A Schleiermacher, p. ex., on attribue le mot d'esprit suivant qui s'impose à nous comme un exemple dans lequel cette technique joue à l'état pur : *Eifersucht* ist eine *Leidenschaft*, die mit *Eifer sucht*, was *Leiden schafft*. (La jalousie est une passion qui cherche avec zèle ce qui procure la peine.)

Voilà qui est incontestablement spirituel sans pourtant être un mot d'esprit risible. Il manque ici bien des facteurs susceptibles de nous égarer dans l'analyse d'autres mots d'esprit, tant que nous considérons chacun d'eux isolément. La pensée exprimée dans cette phrase est sans valeur, elle donne d'ailleurs une définition fort incomplète de la jalousie. Aucune trace de « sens dans le non-sens », de « sens caché », de « sidération et lumière ». En dépit de tous nos efforts, impossible de découvrir un contraste de représentations ; c'est avec beaucoup de peine qu'on pourrait saisir un contraste entre les mots et leur sens. Pas l'ombre d'une abréviation ; la phrase, au contraire, affecte une certaine prolixité. Et cependant, c'est un mot d'esprit et des meilleurs. Son seul caractère frappant réside dans l'emploi multiple des mêmes mots ; c'est également le caractère dont la suppression fait disparaître l'esprit. Veut-on le classer, on peut choisir entre la catégorie qui

emploie les mots alternativement dans leur
intégralité et dans leurs composantes (*Rousseau,
Antigone*), et cette autre catégorie qui joue
sur le plein sens et le sens décoloré des éléments
du mot. En outre, il n'y a qu'un seul autre
facteur qui soit à considérer du point de vue
de la technique. C'est l'établissement d'un
rapport inaccoutumé, d'une sorte d'*unification*,
en définissant « Eifersucht » par les syllabes
mêmes de son nom, pour ainsi dire par elle-
même. C'est là encore, comme nous l'apprendrons
ici, un des procédés de la technique de l'esprit.
Chacun de ces deux facteurs doit donc suffire
à conférer à un discours le caractère spirituel
que l'on recherche.

Or, si nous étudions de plus près les variétés
de « l'emploi multiple » d'un même mot, nous
nous apercevons tout d'un coup que nous avons
affaire à des formes du « double sens », ou du
« jeu de mots », formes qui depuis longtemps
sont nécessairement reconnues et considérées
comme des éléments de la technique de l'esprit.
Pourquoi nous être donné la peine de redécou-
vrir ce que nous aurions pu tirer du Traité de
l'esprit le plus banal ? C'est que, soit dit tout
d'abord à notre décharge, nous saisissons sous
un angle différent un même artifice de l'expression discursive. Ce que les auteurs envisagent
comme le caractère « ludique » de l'esprit revient
pour nous à « l'emploi multiple ».

Les autres modalités de l'emploi multiple, que l'on peut aussi, sous le nom de *double sens*, grouper dans une troisième catégorie, sont susceptibles d'être subdivisées en groupes, il est vrai, aussi peu différents l'un de l'autre que la troisième catégorie l'est, dans son ensemble, de la seconde. On peut distinguer :

a) Les cas où le double sens résulte d'un *nom propre* possédant en outre un *sens objectif* (appliqué à un objet), p. ex. : « *Pistolet* (nom propre), *je te presse de quitter notre société!* » (dans Shakespeare).

« *Mehr Hof als Freiung* » (plus de cour que de demande en mariage), disait un homme d'esprit de Vienne, de certaines jeunes filles fort jolies et fort courtisées, qui n'avaient pas encore trouvé d'épouseur. « Hof » (cour) et « Freiung » (lieu d'asile ou demande en mariage) sont aussi les noms de deux places contiguës, occupant le centre de Vienne.

Heine : « Ici, à Hambourg, ce n'est pas le scélérat Macbeth qui règne mais c'est *Banco* » (Banque).

Lorsqu'on ne peut pas user du mot — je dirais en mésuser — on peut néanmoins, au prix d'une légère modification, l'adapter au double sens.

« Pourquoi les Français ont-ils rejeté Lohengrin? » demandait-on à une époque où leurs idées étaient différentes de ce qu'elles sont aujourd'hui. La réponse était : « *Elsa's* (*Elsass*) *wegen* » (calembour sur Elsa's = Elsa, l'héroïne de Lohengrin et Elsass = Alsace).

b) Le double sens, créé par le *sens réel* et le sens *métaphorique* d'un mot, est une « source » féconde de la technique de l'esprit. Je n'en cite qu'un exemple. Un médecin connu pour ses facéties dit un jour au poète Arthur Schnitzler : « Rien d'étonnant à ce que tu sois devenu un grand poète vu que ton père a présenté le *miroir* à bon nombre de ses contemporains. » Le miroir que le père du poète, le célèbre médecin, le docteur Schnitzler avait présenté, était le *laryngoscope*. C'est le mot célèbre d'Hamlet, selon lequel le but de la pièce, et par conséquent l'intention du poète qui l'écrit, serait « de mirer la nature comme dans un miroir : il donne à la vertu ses traits, à la honte son image, au siècle et au temps son expression et sa silhouette » (Acte III, scène II).

c) Le double sens proprement dit, ou le *jeu de mots* qui représente le cas idéal du sens multiple ; ici point d'entorse au mot, point de dépeçage en syllabes, point de modification, point de nécessité de transposer le mot de la sphère à laquelle il appartient (p. ex. en tant que nom propre) à une autre. Le mot tel qu'il est et tel qu'il est placé dans la phrase peut, à la faveur de certaines circonstances, se prêter à différents sens.

Les exemples ne manquent pas :

(D'après K. Fischer) : Un des premiers actes du règne de Napoléon III fut, on le sait, de confisquer les biens de la famille d'Orléans. On en fit un joli jeu de mots : « *C'est le premier vol de l'aigle.* »

Louis XV voulait mettre à l'épreuve l'esprit d'un de ses courtisans [1], dont on lui avait vanté le talent ; il lui ordonna de faire, à la première occasion, un mot d'esprit sur lui ; le roi lui-même, disait-il, voulait lui servir de « sujet » ; le courtisan répondit par ce bon mot : « *Le roi n'est pas un sujet.* »

Un médecin quitte le chevet d'une malade et dit au mari qui l'accompagne : « Voilà qui ne me *plaît* pas ! » — « Voilà déjà longtemps qu'elle me *déplaît* », répond le mari approbateur.

Naturellement le médecin parlait de l'état de la santé : il a cependant traduit son inquiétude en des termes tels qu'ils ont fourni au mari l'occasion d'exprimer son aversion à l'égard de sa femme.

A propos d'une comédie satirique, Heine s'exprime ainsi : « L'auteur eût été moins *mordant*, s'il avait eu plus à se *mettre sous la dent.* » Ce mot est un exemple de double sens créé par le sens métaphorique et par le sens réel, plutôt qu'un jeu de mots au sens strict du

1. Le maréchal marquis de Bièvre. (N. d. T.)

terme. Mais à qui importerait-il d'édifier des
cloisons aussi étanches?

Un autre jeu de mots bien venu est raconté
par les auteurs (Heymans, Lipps) sous une forme
peut-être un peu obscure [1]. Je l'ai retrouvé
récemment, dans sa version et sous sa forme
originale, dans un recueil de mots d'esprit dont
nous aurons du reste peu d'autres choses à
tirer [2].

Saphir rencontra un jour Rothschild. Après

1. Saphir, rendant visite à un riche créancier, qui l'accueille
avec cette question : « Sie kommen wohl um die 300 Gulden »
(Vous venez [littéralement] probablement pour les 300 florins),
lui répond : « Nein. Sie kommen um die 300 Gulden » (Non, c'est
vous qui venez [littéralement] pour les 300 florins ; l'autre sens
de cette phrase allemande est : Non, c'est vous qui allez en être
de 300 florins). Ici, dit Heymans, la pensée est exprimée d'une
façon parfaitement correcte et nullement insolite. De fait, il en est
ainsi : la réponse de Saphir, *considérée en elle-même*, est absolument
correcte. Aussi comprenons-nous ce qu'il veut dire : qu'il n'a point
l'intention de payer sa dette. Mais Saphir se sert des termes mêmes
que son créancier vient d'employer. Aussi ne pouvons-nous pas
nous empêcher de les comprendre dans le sens dans lequel ce dernier les a employés. Mais alors la réponse de Saphir perd tout son
sens. Car ce n'est pas le créancier qui « kommt » (vient). Il serait,
du reste, impossible qu'il « kommt um die 300 Gulden » (qu'il
vienne pour les 300 florins), c'est-à-dire, il ne pourrait pas venir
pour apporter 300 florins. En outre, étant créancier, il ne se trouve
pas dans le cas d'apporter l'argent, mais de l'exiger. Dès qu'on
reconnaît de cette manière que les mots de Saphir représentent
en même temps sens et non-sens, le comique surgit (Lipps, p. 97).
Dans la version que nous venons de donner ci-dessus *in extenso*
afin d'éliminer tout malentendu, la technique de ce mot d'esprit
est beaucoup plus simple que Lipps ne la considère. Saphir ne
vient pas pour apporter les 300 florins, mais pour les extorquer
au richard. Il s'ensuit que toute l'argumentation relative au rôle
du sens et « non-sens » dans ce mot d'esprit est superfétatoire.

2. *Das grosse Buch der Witze* (Le grand livre des mots d'esprit)
recueillis et édités par Willy Hermann, Berlin, 1904.

un brin de causette, Saphir dit : « Écoutez-moi, Rothschild, ma bourse est bien plate, vous pourriez bien m'abouler cent ducats. » — « Bien, répondit Rothschild, mais à la seule condition que vous me fassiez un mot d'esprit! » — « Qu'à cela ne tienne! » reprit Saphir. — « Bien, venez demain à mon bureau. » Saphir est fidèle au rendez-vous. « Ah! dit Rothschild en le voyant entrer, *vous en êtes toujours pour vos cents ducats.* » — « *Non, c'est vous, car jamais, au grand jamais, je n'aurai l'idée de vous les rendre.* »

« Was *stellen* diese Statuen *vor* ? » (Que représentent ces statues?) disait un étranger à un Berlinois, au milieu d'une place publique et devant les monuments. — « *Je nu, entweder das rechte oder das linke Bein* [1] » (Eh bien! elles présentent tantôt le pied droit, tantôt le pied gauche.)

Heine, dans son *Voyage dans le Harz :* « En ce moment, je n'ai pas présent à l'esprit le *nom* de tous les étudiants ; quant aux professeurs, il en est parmi eux plus d'un qui n'a pas encore un *nom* (renom). »

Peut-être nous exercerons-nous à la différenciation diagnostique, en ajoutant aux précédents un mot d'esprit universitaire, fort connu.

1. Pour une plus ample analyse de ce jeu de mots, v. plus bas (N. d. A.)

Le jeu de mots joue sur le double sens du verbe « vorstellen » qui signifie à la fois représenter et porter en avant. (N. d. T.)

« Der Unterschied zwischen *ordentlichen* und
ausserordentlichen Professoren besteht darin,
dass die *ordentlichen* nichts *ausserordentliches*
und die *ausserordentlichen* nichts *ordentliches*
leisten. (La différence entre le professeur *ordinaire* [= titulaire] et le professeur *extraordinaire*
[= chargé de cours] est la suivante : le premier
ne fait rien d'*extraordinaire* et le second rien
qui soit selon l'ordre.) Il s'agit incontestablement d'un jeu de mots sur le double sens
d' « ordinaire » et « extraordinaire », pris d'abord
dans le sens hiérarchique qui se réfère à l'*ordo* =
ordre, puis dans le sens du mérite. L'analogie de
ce mot d'esprit avec d'autres que nous avons
vus nous rappelle que, dans ce cas particulier,
l'emploi multiple est beaucoup plus apparent
que le double sens. Le mot « *ordentlich* » (ordinaire) revient sans cesse au cours de la phrase,
soit tel quel, soit modifié par une particule
négative (cf. p. 51). De plus ici encore une
notion est très adroitement définie par sa
propre expression verbale (cf. Eifersucht ist
eine Leidenschaft, etc.) ; ou, plus précisément,
deux notions corrélatives sont définies l'une par
l'autre, quoique négativement ; il en résulte
une subtile intrication. Enfin on peut alléguer
ici le point de vue de l'unification, à savoir l'établissement, entre les éléments expressifs, d'un
rapport plus intime que n'eût pu le faire présager
leur caractère.

Heine, dans son *Voyage dans le Harz*, dit :
« L'huissier me saluait en collègue car il est
écrivain comme moi et m'a *cité* souvent dans ses
publications semestrielles ; comme il m'a d'ailleurs encore souvent *cité* et — lorsqu'il ne me
trouvait pas chez moi — il poussait la complaisance jusqu'à inscrire la *citation* à la craie sur
ma porte. »

Le *Wiener Spaziergänger* (Promeneur viennois) Daniel Spitzer trouva a un type social,
assez répandu à l'époque des grandes entreprises
spéculatives (profiteur), une caractéristique
laconique et à coup sûr fort spirituelle :

« *Front de fer — caisse de fer — couronne de fer.* »
(Ce dernier est un ordre qui confère la noblesse.)

Unification excellente, tout est, pour ainsi
dire, en fer. Les sens différents mais assez voisins
de l'épithète « de fer » favorisent cet « emploi
multiple ».

Un autre jeu de mots nous orientera vers une
nouvelle variété de la technique du double sens.
Le spirituel collègue, dont il a été question à la
page 58, risqua ce mot d'esprit à l'époque de
l'affaire Dreyfus :

« Cette jeune fille me rappelle Dreyfus. L'armée
ne croit pas à son *innocence*. »

Le mot « innocence », dont le double sens
forme le pivot de ce mot d'esprit, a dans un
contexte son sens usuel qui s'oppose à culpa-

bilité, crime ; dans l'autre, un sens sexuel qui s'oppose à « expérience des choses sexuelles ». Or, il y a beaucoup d'exemples du double sens, et leur sel à tous dépend tout particulièrement du sens sexuel. On pourrait réserver à ce groupe la dénomination d'*équivoque*.

Un excellent exemple de mot d'esprit équivoque est le mot de D. Spitzer cité à la page 52 :

« Au dire de certains, le mari aurait *beaucoup gagné* pour *se mettre sur le velours ;* au dire des autres, la femme se serait *mise sur le velours* pour *beaucoup gagner.* »

Met-on en parallèle cet exemple de double sens plus équivoque avec d'autres exemples, une différence s'impose qui n'est pas sans importance au point de vue de la technique. Dans le mot d'esprit de l' « *innocence* », les deux sens sont également compréhensibles, on ne saurait distinguer si c'est la signification sexuelle qui est la plus usitée et la plus familière. Il en est tout autrement dans l'exemple de D. Spitzer ; le sens banal de se « mettre sur le velours » s'impose tout d'abord, le sens sexuel se cache et se dissimule au point d'échapper à un lecteur sans malice. Opposons-lui nettement un autre type de double sens, où l'on renonce à dissimuler ainsi le sens sexuel, p. ex. le portrait d'une dame « aimable » esquissé par Heine : « Sie konnte nichts *abschlagen* ausser ihr Wasser » (Elle ne pouvait expulser [abschlagen =

expulser et refuser] que ses urines.) Ce mot
semble obscène, l'esprit y apparaît à peine [1].

Cette particularité, à savoir que les deux
significations du double sens ne nous sont pas
également familières, se rencontre également
dans des mots d'esprit qui ne font aucune allusion au sexuel ; cela tient ou bien à ce que l'un
des sens est le plus courant, ou bien à ce qu'il
s'impose de par ses rapports avec les autres
termes de la phrase (p. ex. *c'est le premier* vol
de l'aigle). Je propose de dénommer ce groupe
double sens avec allusion.

Nous avons appris à connaître tant de
techniques de l'esprit que, pour ne point perdre
notre vision d'ensemble, nous en dressons ci-
dessous le tableau synoptique :

i. Condensation :
   a) avec mots composites,
   b) avec modifications.

ii. Emploi du même matériel :
   c) mots entiers et leurs composantes,
   d) interversion,
   e) modification légère,

1. Cf. K. Fischer (p. 94), qui réclame pour de tels mots d'esprit
à double sens, dont les deux significations ne se présentent pas
également au premier plan mais l'une derrière l'autre, le terme
d' « équivoque », dont j'ai fait emploi ci-dessus dans un sens différent. Une telle nomenclature est affaire de convention, l'usage de
la langue n'étant pas encore fixé sur ce point.

f) les mêmes mots dans leur *plein* sens
ou *vidés* de leur sens.

III. Double sens :
    g) nom propre et nom d'objet,
    h) sens métaphorique et sens concret,
    i) double sens proprement dit (jeu de mots).
    j) équivoque,
    k) double sens avec allusion.

Cette diversité est embrouillante. Elle pourrait nous faire regretter de nous être attachés
aux procédés techniques de l'esprit et nous
attirer le reproche d'avoir exagéré leur importance au détriment de l'intelligence même de ce
qui est essentiel dans l'esprit. Mais à cette
conjecture, qui nous allégerait le travail,
s'oppose ce fait incontestable que l'esprit
s'évanouit chaque fois que l'on fait abstraction de ces procédés techniques de l'expression!
Cela nous amène pourtant à rechercher une
unité dans cette diversité. Peut-être pouvons-
nous les réunir tous sous un même bonnet. Point
de difficultés en ce qui concerne la fusion des
deuxième et troisième catégories, comme nous
l'avons déjà dit. Le double sens et le jeu de
mots représentent le cas idéal de l'emploi du
même matériel. Évidemment ce dernier est le
concept le plus compréhensif. Les exemples de
division, d'inversion des mêmes matériaux, de
leur emploi multiple avec légère modification
(*c*, *d*, *e*) n'entreraient pas sans contrainte dans

la rubrique du double sens. Mais quel facteur
commun trouver entre la technique de la première catégorie — condensation avec substitution — et la technique des deux autres — emploi
multiple du même matériel ?

A mon avis, elles comportent un facteur
commun très net et très simple. L'emploi du
même matériel n'est qu'un cas particulier de la
condensation ; le jeu de mots ne représente
qu'une condensation *sans* substitution ; la
condensation demeure donc la catégorie à
laquelle sont subordonnées toutes les autres.
Une tendance à la compression ou mieux à
l'*épargne* domine toutes ces techniques. Tout
paraît être, comme le dit Hamlet, affaire d'économie (*Thrift, Horatio, thrift !*).

Faisons, dans les différents exemples, la
preuve de cette épargne. « *C'est le premier vol
de l'aigle.* » Mais ce vol est un rapt ; il s'agit donc
ici du double sens du mot *vol*. Pour justifier
ce mot, *vol* signifie à la fois action de voler avec
des ailes et larcin. N'y a-t-il pas à la fois condensation et épargne ? Certes, elles portent sur
toute la seconde pensée qui tombe complètement sans laisser de substitut. Le double sens
du mot *vol* rend ce substitut inutile, ou, en
d'autres termes : le mot *vol* implique le substitut
de la pensée réprimée, sans qu'il soit besoin de
rien ajouter ni modifier à la première phrase.
Voilà un des avantages du double sens.

Un autre exemple : Front de fer — caisse de
fer — couronne de fer. Quelle extraordinaire
épargne de mots en comparaison de la longueur
des phrases qui traduiraient cette pensée en
l'absence du terme « de fer »! « Avec de l'audace
et un manque de conscience suffisant, il n'est
pas difficile d'acquérir une grosse fortune et la
récompense de tels mérites ne va pas sans l'ano-
blissement. »

On ne peut, dans ces exemples, méconnaître
la condensation, par conséquent, l'économie.
Mais il faut qu'on la puisse démontrer dans tous
les cas. Où trouver l'économie dans des mots
d'esprit tels que *Rousseau* — *roux et sot* et
Antigone — *antik ? o* — *nee* ? Nous avons pu y
reconnaître pour la première fois l'absence de la
condensation ; ce sont ces exemples qui nous
ont déterminés à établir la technique de l'emploi
multiple du même matériel. En effet, nous
n'arrivions à rien ici par la condensation, mais,
si nous la remplaçons par le concept plus général
de l' « épargne », il n'y a plus de difficultés. Il
est facile de saisir l'économie réalisée dans les
exemples de Rousseau, d'Antigone et dans les
autres similaires. Nous épargnons la peine de
faire une critique, de formuler un jugement ;
tout est contenu dans le nom propre lui-même.
Dans l'exemple « passion-jalousie », nous évitons
la synthèse laborieuse d'une définition : « Eifersucht, Leidenschaft » et — « Eifer sucht, Leiden

schafft » ; ajoutez quelques mots explétifs et
voilà la définition. Cette règle s'applique de
même à tous les autres exemples que nous
avons analysés. Dans le moins « économique »
de ces jeux de mots (celui de Saphir : « Vous
venez pour vos cent ducats »), l'épargne consiste
du moins à n'avoir pas à trouver d'autres
termes pour la réponse ; ceux de la demande y
suffisent. C'est peu de chose, mais c'est là tout le
secret de l'esprit. L'emploi multiple des mêmes
mots dans la demande et dans la réponse constitue certes une « épargne ». De même Hamlet
traduit la succession immédiate de la mort du
père et des noces de la mère par ces mots :

« Le rôti du repas mortuaire fournit la viande
froide du banquet nuptial. »

Avant d'admettre cependant que « la tendance à l'épargne » soit le caractère le plus
général de la technique de l'esprit, avant de
nous enquérir de l'origine même de cette tendance, de sa signification, de la façon dont elle
procure le « bénéfice de plaisir » offert par l'esprit,
il convient de formuler un doute, qui mérite
d'être pris en considération. Il est possible que
toute technique de l'esprit comporte une tendance à économiser les matériaux expressifs,
mais la réciproque n'est pas vraie. Aussi toute
ellipse, toute abréviation n'est-elle pas forcément
spirituelle. Nous nous sommes déjà trouvés

dans cette même impasse lorsque nous espérions
rencontrer la condensation à la base de tous
les mots d'esprit ; nous nous sommes fait alors
cette objection fort légitime que le laconisme
n'était pas fatalement de l'esprit. Le caractère
spirituel n'appartiendrait donc qu'à un genre
particulier d'ellipse et d'épargne — et tant
que nous ne connaîtrons pas cette particularité,
la découverte du facteur commun à toutes les
techniques de l'esprit ne nous rapprochera pas
de notre but. De plus, avouons-le, les économies
réalisées par la technique de l'esprit ne sont
pas capables de nous en imposer. Certaines
nous rappellent peut-être celles des ménagères
qui perdent leur temps et font des frais de véhicule dans l'espoir de payer, sur un marché
éloigné, leurs légumes quelques sous de moins.
Quelles économies l'esprit réalise-t-il donc par
sa technique ? Il s'épargne l'assemblage de
quelques mots nouveaux que, la plupart du
temps, on aurait facilement trouvés ; en échange,
l'esprit doit se donner la peine de rechercher le
mot capable d'habiller les deux pensées ;
souvent même il lui faut chercher d'abord, à
l'une de ces pensées, une expression peu usuelle
mais susceptible de réaliser sa fusion avec la
seconde. Ne serait-il pas plus simple, plus aisé,
plus réellement économique, d'exprimer les
deux pensées telles qu'elles se présentent, au
risque de ne pas leur trouver d'expression

commune? L'épargne de paroles n'est-elle pas
plus que compensée par un supplément de
dépense intellectuelle? Et qui réalise cette
épargne? Qui en tire avantage?

Nous pouvons, pour le moment, nous dérober
à ce doute en déplaçant ce doute lui-même.
Connaissons-nous vraiment déjà toutes les
techniques de l'esprit? Il est sûrement plus pru-
dent de rassembler de nouveaux exemples et
de les soumettre à l'analyse.

En effet, si nous n'avons point encore envisagé
un groupe important, dans lequel se rangent
probablement la plupart des mots d'esprit, c'est
que nous étions peut-être influencés par le dédain
qui pèse en général sur ce genre de bons mots.
Ce sont ceux qui sont habituellement connus
sous le nom de *calembour* et tenus pour un genre
inférieur, parce que nous les faisons sans grande
peine et à peu de frais. En vérité la technique
de leur expression est des plus simples, tandis
que le jeu de mots proprement dit fait appel aux
plus élevées d'entre elles. Tandis que ce dernier
réunit deux sens en un mot identique, de sorte
que dans la plupart des cas il les présente en un
seul mot, au contraire, il suffit au calembour
que les deux mots vecteurs se suggèrent l'un
l'autre par une ressemblance quelconque :

ressemblance générale dans leur structure, assonance ou allitération, etc. Une brassée de mots d'esprit, de ce genre, pas très heureusement dénommés en allemand « Klangwitze » (mots d'esprit par assonance), émaille le sermon du capucin du Camp de Wallenstein :

« Kümmert sich mehr um den *Krug* als den *Krieg.*
Wetzt lieber den *Schnabel* als der *Sabel,*

Frisst den *Ochsen* lieber als den *Oxenstirn'*,

Der *Rheinstrom* ist geworden zu einem *Peinstrom,*
Die *Klöster* sind ausgenommene *Nester,*
Die *Bistümer* sind verwandelt in *Wüsttümer*

Und alle die gesegneten deutschen *Länder*
Sind verkehrt worden in *Elender.* »

(Plus préoccupé de la bière que de la guerre,
De la croûte que de la joute,
Bouffent plutôt le bœuf [Ochsen] qu'Oxenstirn [1]

Les flots du Rhin ne sont faits chagrins,
Les retraites [cloîtres] sont des repaires,
Les évêchés sont des déserts,
Et l'Allemagne alors, tout ce pays prospère,
Est transformé en pays de misère.)

Le mot d'esprit se plaît souvent à changer une voyelle dans un mot, p. ex. : Hevesi (Almanaccando, *Voyages en Italie,* p. 87) applique à un poëte italien qui, malgré ses opinions

---

1. *Oxenstirn,* nom du général ennemi = *Ochenstirn,* front de bœuf. (N. d. T.)

anti-impérialistes, se vit contraint de célébrer
en hexamètres un empereur allemand, les mots
suivants : « Ne pouvant chasser les Césars, il
fit tout au moins sauter les césures. »

Parmi les innombrables calembours dont
nous disposons, il est peut-être piquant d'en
citer un fort mauvais commis par Heine. Après
s'être présenté pendant assez longtemps comme
un « prince hindou » (Le Grand, chap. v), il jeta
un jour le masque et avoua à sa dame : « Madame,
je vous ai trompée... J'ai été aussi peu à Cal-
cutta que le dindon (Kalkutte) que j'ai mangé
hier. » Le défaut de ce mot d'esprit vient apparemment de ce que ces deux mots (Kalkutta,
— Kalkutte) se ressemblent à ce point qu'on
peut dire qu'ils sont, à proprement parler,
identiques. Le volatile dont il a mangé doit —
dit-on — son nom allemand à sa ville d'origine.

K. Fischer s'est vivement intéressé à ce genre
de mots d'esprit, qu'il entend séparer nettement du « jeu de mots » (p. 86). « Le calembour
est un mauvais jeu de mots car il joue avec le
mot, non point en tant que mot, mais en tant
que son. » Le jeu de mots, au contraire, « pénètre
du son à l'âme même du mot ». D'autre part
il range « famillionnaire », « Antigone (antik ?
o nee) » etc., parmi les calembours. Je ne me
crois point obligé de le suivre dans cette voie.
Dans le jeu de mots, il s'agit également d'une
assonance, à laquelle s'associe un sens ou l'autre.

Le langage courant n'établit guère de différence tranchée entre les deux et, s'il traite avec
mépris le « calembour » et avec un certain respect
le « jeu de mots », c'est que cette appréciation
ne paraît pas dépendre de la technique mais
d'autres considérations. Remarquez à quel
genre appartiennent les mots d'esprit qualifiés
de « calembours ». Certains hommes ont le don,
dans leurs jours de bonne humeur, de répondre
à tout pour un temps par un calembour. Un de
mes amis, coutumier d'une modestie exemplaire
tant que ses travaux scientifiques sont sur le
tapis, se vante d'avoir ce don. Comme la société
qu'il avait un jour ainsi tenue sous le charme
de sa parole s'étonnait de son endurance, il
dit : « Ja, ich liege hier auf der *Ka-Lauer* »,
« Oui, je suis ici à l'*affût* (Lauer = affût,
Kalauer = calembour) [1], et lorsqu'on le pria
de se taire, il mit comme condition d'être sacré
« *poeta ka-laureatus* » (poète cal-lauréat). Mais
l'un et l'autre sont de bons mots d'esprit par
condensation, avec formation de mot composite. (Je suis à l'*affût* [Lauer] de faire un *calembour* [Kalauer]).

Retenons toutefois à l'occasion de ces discussions destinées à distinguer le calembour
du mot d'esprit, que le premier ne peut nous
offrir aucune acquisition vraiment nouvelle

1. On pourrait, peut-être, rendre ce calembour par : « Je cours
la calembredaine. » (N. d. T.)

dans le domaine de la technique de l'esprit.
Bien que, dans le calembour, on renonce à
l'emploi du *même* matériel expressif dans des
acceptions différentes, l'accent porte cependant sur un élément connu à retrouver, sur
la concordance des deux mots dont se sert le
calembour ; celui-ci n'est par conséquent qu'une
sous-variété du groupe dont le jeu de mots
proprement dit demeure le type le plus élevé.

Mais il est vraiment des mots d'esprit dont la
technique semble avoir fort peu d'accointances
avec celle des groupes précédents.

Heine, dit-on, rencontra un jour dans un
salon parisien le poète Soulié ; pendant qu'ils
causaient, entre un de ces « rois de l'or » pari-
siens, que l'on ne compare pas au roi Midas
sous le seul rapport de l'argent : une cour aussi
nombreuse qu'obséquieuse l'entoure aussitôt.
« Voyez, dit Soulié à Heine, le xixe siècle
adore le veau d'or! » Jetant un regard sur
l'objet de ce culte, Heine répondit comme
pour rectifier : « *Oh! celui-là doit en avoir passé
l'âge!* » (K. Fischer, p. 82).

Où réside donc la technique de ce mot excellent? Dans le jeu de mots, selon l'avis de
K. Fischer. « Veau d'or, par exemple, peut s'appliquer, dit-il, également à Mammon et à l'idolâ-

trie ; l'or, dans le premier cas, l'image de l'animal, dans le second, occupant le premier plan ,
on peut aussi se servir de ce terme pour dési-
gner de façon peu flatteuse quelqu'un qui possède beaucoup d'argent, mais fort peu d'esprit »
(p. 82). Faisons la preuve en supprimant le mot
« veau d'or » ; il n'y a plus d'esprit. Soulié
eût-il dit par exemple : « Voyez donc comme les
gens fêtent ce benêt en raison de sa seule richesse »,
voilà qui n'est plus spirituel du tout et la réponse
de Heine devient impossible.

Il faut retenir pourtant qu'il ne s'agit point
là de la comparaison plus ou moins spirituelle
de Soulié mais de la réponse incontestablement
plus fine de Heine. Alors nous n'avons aucun
droit de toucher à la phrase du veau d'or qui ne
sert que de prémisse à la réplique de Heine ;
ainsi la réduction ne doit s'appliquer qu'à cette
dernière. Voulons-nous préciser la phrase :
« Oh! celui-là doit en avoir passé l'âge », nous
ne pouvons l'exprimer autrement qu'en disant :
« Oh, ce n'est plus un veau, c'est déjà un bœuf
adulte. » Il en résulterait que Heine, dans son
mot d'esprit, n'aurait pas pris le « veau d'or »
dans un sens métaphorique, mais dans un sens
personnel en l'appliquant à l'homme de finances
lui-même. Ce double sens ne préexistait-il pas
déjà dans la pensée de Soulié ?

Mais comment donc ? Nous croyons remarquer que cette réduction n'annihile pas entiè-

rement le mot d'esprit de Heine ; en effet elle
ne touche point à son essence. Ainsi Soulié
dirait : « Voyez comme le XIXᵉ siècle adore le
veau d'or! » Et Heine de répondre : « Oh, ce
n'est plus un veau, c'est déjà un bœuf. » Et
sous cette forme réduite, le mot demeure toujours spirituel. Or, toute autre réduction des
paroles de Heine est impossible.

Il est bien regrettable que les conditions
techniques de cet excellent exemple soient si
compliquées. Comme il ne peut nous éclairer
sur la technique, abandonnons-le pour en chercher un autre, qui nous semble avoir une certaine accointance avec le précédent.

C'est une des « histoires de baignade » qui
illustrent l'hydrophobie du Juif galicien. Nous
ne demandons d'ailleurs, pour les exemples
cités par nous, ni titre de noblesse, ni certificat
d'origine. Ils ne valent que parce qu'ils s'entendent à nous faire rire et offrent un intérêt
théorique. Or, ces deux conditions se trouvent
réalisées au plus haut point par les mots d'esprit juifs.

Deux Juifs se rencontrent au voisinage d'un
établissement de bains : « *As-tu pris un bain ?* »
demande l'un d'eux — « *Comment ?* dit l'autre,
en manquerait-il donc un ? »

Le franc rire n'est pas l'attitude idéale pour
démêler la technique d'un bon mot. C'est pourquoi cette analyse offre quelque difficulté. C'est

donc un quiproquo comique! penserons-nous
d'abord. — Tout beau! mais quelle est la technique de ce mot d'esprit? Apparemment, c'est
l'emploi du double sens du mot « prendre ».
Dans l'un, le mot « prendre » est un passe-par-
tout décoloré ; dans l'autre, c'est le verbe dans
son plein sens. C'est donc un cas où le même
mot est pris au sens « plein » ou est « vidé »
de son sens (groupe II, *f*). Pour supprimer
l'esprit, il suffit de remplacer « prendre un bain »
par l'expression équivalente, mais plus simple :
« se baigner ». La réponse ne porte plus. L'esprit réside donc dans l'expression « prendre
un bain ».

C'est juste, mais il semble que, dans ce cas
aussi, la réduction ne s'applique pas là où il
faut. L'esprit ne réside pas dans la question
mais bien dans la réplique, ou plutôt dans la
question posée en manière de réponse : « Comment? En. manquerait-il donc un? » Et aucune
amplification ni aucune modification, pourvu
qu'elle ne touche point à son sens, ne peut
dépouiller cette réponse de son esprit. Nous
avons aussi l'impression que, dans la réponse
du deuxième Juif, le fait de ne pas comprendre
l'idée de bain importe plus que le malentendu
sur le mot « prendre ». Mais nous ne voyons
pas encore bien clair et nous chercherons un
troisième exemple.

Encore une histoire juive, qui pourtant n'est

juive que par son décor, son fond étant tout
bonnement humain. Certes, ce cas présente
aussi ses complications indésirables mais qui,
heureusement, ne nous empêchent pas —
comme les précédentes — d'y voir clair.

Un malheureux, en pleurant sa misère, emprunte 25 florins à un ami riche. Le jour même
le bienfaiteur le trouve attablé au restaurant
devant une portion de saumon à la mayonnaise.
Il lui en fait reproche : « Comment! vous me
tapez et vous vous offrez du saumon mayonnaise! Voilà l'emploi de mon argent! » —   Je
ne comprends pas, dit l'autre ; sans argent
impossible de manger du saumon mayonnaise ;
j'ai de l'argent, je ne *dois* pas manger du saumon mayonnaise ; *quand donc mangerai-je du
saumon mayonnaise ? »*

Ici, enfin, plus trace de double sens. La répétition de « saumon mayonnaise » ne peut pas
non plus constituer la technique de l'esprit,
comme ce n'est pas un « emploi multiple du
même matériel », mais une répétition effective
de mots identiques, répétition exigée par le
sens même de la phrase. Nous pouvons rester
tout d'abord interdits devant cette analyse,
puis nous tenterons peut-être de contester à
l'anecdote qui nous a fait rire le caractère de
mot d'esprit.

Quelle autre particularité la réponse de ce
malheureux décavé présente-t-elle encore ? C'est

de revêtir d'une façon frappante le caractère
de la logique. A tort, pourtant, puisque la
réponse est certainement illogique. Le pauvre
se défend d'avoir employé l'argent prêté à une
gourmandise et demande, avec un semblant
de raison, *quand* il lui sera permis enfin de
manger du saumon. Mais ce n'est pas là la
réponse exacte à la question ; le bienfaiteur
ne lui reproche pas de s'être offert du saumon
le jour même de son emprunt, mais lui fait
sentir que, dans la situation où il se trouve, il
n'a *pas du tout* le droit de penser aux friandises.
Notre gourmet décavé ne tient aucun compte
du seul sens possible de cette réprimande ;
il répond à côté, comme s'il avait mal compris.

N'est-ce pas précisément cette *déviation*
du sens du reproche dans la réponse qui représente la technique de ce mot d'esprit ? Il serait
alors peut-être possible de surprendre encore
un semblable changement de point de vue, un
tel déplacement de l'accent psychique dans les
deux exemples précédents, qui nous semblaient
très voisins de ce dernier.

La preuve en est facile et révèle, en effet, la
technique de ces mots d'esprit. Soulié fait
observer à Heine que la société du xixe siècle
adore le « veau d'or » exactement comme les
Juifs du désert l'ont fait jadis. La réponse
idoine de Heine eût été : « Oui! c'est la nature
humaine, les siècles ne l'ont point changée »,

ou bien quelque autre réponse approbative. Mais Heine s'écarte de la pensée suggérée, il ne répond pas du tout à la question ; il se sert du double sens créé par le « veau d'or » pour prendre la tangente ; il part sur un des éléments de la phrase, « le veau », et répond à Soulié comme si ce mot eût été le centre même de sa phrase. « Oh, ce n'est plus un veau », etc [1].

Cette déviation est encore plus nette dans le mot du bain. Cet exemple exige une représentation graphique.

Le premier demande : « As-tu pris un *bain ?* » L'accent porte sur l'élément « bain ».

Le second répond comme si la question avait été accentuée ainsi : « As-tu *pris* un bain ? »

La seule intention de ces mots : « pris un bain » est de permettre ce déplacement de l'accent. Avec la formule « t'es-tu baigné ? » tout déplacement eût été impossible. La réponse dénuée de tout esprit eût été : « Me baigner ? y penses-tu ? J'ignore ce que c'est. » La technique de l'esprit consiste donc à déplacer l'accent de « bain » sur « pris » [2].

1. La réponse de Heine est une combinaison de deux procédés de la technique de l'esprit : déviation avec allusion. Il ne dit en effet pas vraiment : c'est un bœuf.

2. Le mot « prendre », en raison de ses acceptions multiples, se prête particulièrement aux jeux de mots dont je veux ajouter ici un exemple typique qui contraste avec le « mot d'esprit par déplacement » suscité : Un boursier, directeur de banque très connu, se promène avec un de ses amis sur la Ringstrasse de Vienne.

Revenons au « saumon mayonnaise » comme à
l'exemple le plus pur. Les éléments nouveaux
qu'il apporte vont nous intéresser à plusieurs
points de vue. Il nous faut avant tout donner
un nom à la technique que nous venons de
découvrir. Je propose celui de « *déplacement* »,
car son élément essentiel consiste dans la déviation du cours de la pensée, dans le déplacement
de l'accent psychique du thème primitif sur un
thème différent. Ensuite il nous faudra examiner quels rapports unissent la technique du
déplacement à l'expression du mot d'esprit.
Notre exemple (saumon mayonnaise) montre
que le mot d'esprit par déplacement reste fort
indépendant de son expression verbale. Il ne
tient pas à la suite des mots, mais à celle des
idées. Pour le faire disparaître, nous essayerons
vainement de remplacer les mots par d'autres
tant que leur sens subsistera. La réduction
n'est possible qu'à condition de modifier le
cours de la pensée et de faire répondre notre
gourmet sur le mode direct au reproche qu'il
élude dans le mot d'esprit tel qu'il est. La version réduite serait alors la suivante : « Je ne
puis me passer de manger ce que j'aime, et peu
m'importe d'où vient l'argent. Voilà pourquoi
c'est aujourd'hui que je mange du saumon

Arrivés devant un café le boursier propose : « Entrons prendre
quelque chose. » L'ami le retient en disant : « Mais, Monsieur le
Conseiller, il y a du monde là-dedans. »

mayonnaise, après que vous m'avez prêté de
l'argent. » Mais ce ne serait plus de l'esprit, ce
serait du cynisme.

Il est fort instructif de comparer ce mot à un
autre mot du même ordre :

Un ivrogne gagne sa vie, dans une petite
ville, à donner des leçons. Avec le temps on
apprend son vice et, de ce fait, il perd une
grande partie de ses élèves. On charge un ami
de l'engager à la sobriété. « Voyez, vous pourriez avoir les meilleures leçons de la ville, si
vous renonciez à la boisson. Faites-le donc. » —
« Comment, répond l'autre indigné, *je donne
des leçons pour boire, et il me faudrait ne plus
boire pour avoir des leçons ?* »

Ce mot joue également la logique, comme le
mot « saumon mayonnaise », mais on ne peut
pas le ranger parmi les mots d'esprit par déplacement. La réponse est directe. Le cynisme
qui se cachait dans le premier éclate ici à tous
les yeux. — « La boisson est mon unique objectif. » La technique de ce mot est au fond assez
inférieure et ne peut nous en expliquer l'effet ;
ce n'est qu'une transposition des mêmes matériaux ou plutôt l'interversion du moyen et du
but représentés respectivement par la boisson
et par le fait de donner des leçons et de trouver
des élèves. La réduction de ce mot en chasse
tout l'esprit, dès que je ne fais plus ressortir
ces conditions dans la manière de m'exprimer,

comme par exemple en disant : « Quelle suggestion absurde! la boisson est tout pour moi,
et non pas les leçons. Les leçons ne sont pour
moi qu'un moyen de pouvoir continuer à boire. »
Ainsi, l'esprit était tout entier dans l'expression.

Dans le mot du « bain », l'esprit dépend
incontestablement des termes mêmes de la
phrase (as-tu pris un bain?) et la moindre
modification en chasse tout l'esprit. Ici la technique est assez compliquée ; c'est une combinaison du double sens (du groupe *f*) avec le
déplacement. Les termes de la question admettent un double sens, et le mot d'esprit résulte
de ce fait que la réponse ne correspond plus
au sens de l'interrogation mais à son sens détourné. Aussi pouvons-nous trouver une réduction, qui, tout en laissant subsister le double
sens dans sa formule verbale, enlève l'esprit
rien qu'en supprimant le déplacement :

« As-tu pris un bain? » — « Que suis-je
censé avoir pris? Un bain? Qu'est-ce donc? »
Ce n'est pas un mot d'esprit, mais une exagération malveillante ou railleuse.

Le double sens joue un rôle analogue dans le
mot du « veau d'or » de Heine. Il permet à la
réponse la déviation de la suite des idées suggérée, déviation qui dans le mot du « saumon
mayonnaise » se passe d'un tel artifice verbal.
La réduction de la parole de Soulié et de la

réplique de Heine donneraient : « Cela me rappelle assez bien le culte du veau d'or de voir
cet homme ainsi fêté pour sa seule richesse. »
Et Heine de répondre : « Le culte rendu à sa
richesse n'est pas ce qui est le pire. Mais à mon
avis, vous ne soulignez pas assez que sa fortune
lui fait pardonner sa sottise. » De la sorte, malgré la conservation du double sens, on aurait
fait disparaître « l'esprit par déplacement ».

On pourra nous objecter que des différencia-
tions si subtiles tendent à dissocier des éléments
qui sont pourtant parfaitement cohérents.
Le double sens ne nous permet-il donc pas, dans
tous les cas, de déplacer, de dévier la suite des
idées de son cours primitif ? Et il nous faudrait
convenir que « double sens » et « déplacement »
représentent deux types différents de la technique de l'esprit ? Certes, ce rapport subsiste
entre le double sens et le déplacement, mais
il n'a rien à voir dans notre distinction des
techniques de l'esprit. Quant au double sens, le
mot d'esprit ne roule que sur un mot qui prête
à plusieurs interprétations et fait pour l'auditeur l'office d'un trait d'union permettant le
passage d'une pensée à l'autre ; ce qui pourrait
passer — à frottement il est vrai — pour l'équivalent du procédé de déplacement. Au contraire, dans le mot par déplacement, le mot
d'esprit lui-même comporte une suite d'idées
qui a déjà subi un tel déplacement ; ce dépla-

cement appartient ici à l'élaboration qui a
réalisé le mot d'esprit, non point à celle qui est
nécessaire à sa compréhension. Au cas où cette
distinction garderait quelque obscurité, les
tentatives de réduction nous fourniraient un
moyen infaillible de faire apparaître cette
différence. Nous ne discuterons pas cependant
la valeur de cette objection. Elle nous empêche
de confondre les processus psychiques qui
président à la production de l'esprit (l'élaboration de l'esprit) avec ceux qui servent à l'enre-
gistrer (travail de compréhension). Ce sont
les premiers [1] seuls que nous envisageons dans
nos investigations actuelles [2].

Y a-t-il encore d'autres exemples de la technique du déplacement ? Ils ne sont certes pas
faciles à trouver. Le mot d'esprit suivant est
un exemple également fondé sur une accentua-
tion de la logique, comme dans notre exemple
type du saumon mayonnaise.

Un maquignon offre à son client un cheval
de selle : « Si vous prenez ce cheval et si vous

---

1. Pour les derniers, voir les chapitres ultérieurs.
2. Il est peut-être opportun de joindre quelques remarques
explicatives : le déplacement joue toujours entre un discours et
une réponse dont la suite des idées prend un cours différent de celui
qu'indiquait le discours initial. La différenciation entre déplacement et double sens trouve sa meilleure justification dans les exemples où tous deux se combinent, où par conséquent les termes du
discours admettent un double sens qui n'est pas dans l'esprit de
l'interlocuteur, mais qui permet le déplacement dans la réponse
(voir les exemples).

partez à quatre heures du matin, vous serez
à six heures et demie à Presbourg. — Et que
ferai-je à Presbourg à six heures et demie du
matin? »

Le déplacement est ici patent. Le maquignon
n'envisage l'arrivée matinale dans cette petite
ville que pour faire valoir les qualités de son
cheval. Le client ne s'inquiète pas de la valeur
de la bête, dont il ne doute pas, il ne fait état
que des données de temps et de lieu alléguées
à titre d'argument. La réduction de ce mot
n'est pas difficile.

En voici un autre dont la technique est
beaucoup plus difficile à démêler mais qui, en
dernière analyse, se réduit à un double sens
avec déplacement. Ce mot d'esprit a pour objet
le subterfuge d'un marieur juif et appartient
à un groupe qui nous occupera encore à plusieurs reprises.

Le marieur avait affirmé au prétendant que le
père de la jeune fille n'était plus en vie. Après
les fiançailles on apprend que celui-ci vit, mais
purge une peine de prison. Le prétendant fait
des reproches au marieur : « Mais, dit ce dernier,
que vous ai-je donc annoncé? Appelez-vous
cela *une vie* ? »

Le double sens réside dans le mot « vie », et
le déplacement consiste en ce fait que le marieur
dérive le mot de son sens habituel — qui est
le contraire de « mort » — pour lui donner celui

qu'il affecte dans la locution « ce n'est pas une
vie ». De la sorte il explique ses paroles antérieures en leur attribuant après coup un double
sens, bien que, dans le cas particulier, ce sens
multiple soit nettement tiré de longueur. En
ceci la technique rappellerait celle du « veau
d'or » et celle du mot du « bain ». Mais il convient
encore de tenir compte ici d'un facteur nouveau
qui, en raison de sa prépondérance, vient bous-
culer toute notre compréhension de la technique.
On pourrait dire que ce mot est « caractérisant »,
qu'il vise à illustrer, par un exemple, ce mélange
de duplicité hardie et d'esprit d'à-propos qui
caractérise les marieurs. Ce n'est là, nous
le verrons, que la surface, la façade du mot ;
son sens, c'est-à-dire ses intentions sont tout
autres. Nous en tenterons plus loin la réduction [1].

Après cette série d'exemples complexes et
difficiles à analyser, nous aurons encore une
fois la satisfaction de retrouver un cas particulièrement clair et limpide du type « déplacement ». Un tapeur juif adresse une requête à
un riche baron afin d'obtenir un secours pécu-
niaire lui permettant d'aller à Ostende ; les
médecins lui auraient recommandé les bains de
mer pour le rétablissement de sa santé. —
« Bien, dit le baron, je vais vous donner quelque

1. Voir chap. III.

chose, mais vous faut-il absolument Ostende,
qui est la station la plus coûteuse? » — « Monsieur le Baron, répond l'autre d'une façon péremptoire, pour ma santé, rien ne me paraît
trop cher. » Assurément, c'est un point de vue
juste, mais qui ne convient pas à un solliciteur.
La réponse adopte le point de vue d'un homme
riche. Le tapeur parle comme s'il s'agissait de
dépenser son propre argent pour sa santé,
comme si l'argent et la santé appartenaient au
même individu.

Reprenons cet exemple si instructif du
« saumon mayonnaise ». Il nous présente, lui
aussi, une façade qui éblouit par un étalage
d'élaboration logique ; or, l'analyse nous a
montré que cette logique cache un sophisme,
en particulier un déplacement du cours de la
pensée. Ce mot peut-être, par simple contraste,
nous aiguille sur d'autres mots d'esprit qui, tout
au contraire, étalent ouvertement le contresens, le non-sens et la sottise. Nous serions
curieux d'en pénétrer la technique.

Je commence par l'exemple le plus net et le
plus pur du groupe entier. C'est encore un mot
juif.

Itzig a été enrôlé dans l'artillerie. C'est
apparemment un garçon intelligent, mais indis-

cipliné et sans goût pour le service militaire.
Un de ses supérieurs, bien disposé en sa faveur,
le prend à part et lui dit : « Itzig, ta place n'est
pas parmi nous. Je te donne un conseil : *achète-
toi un canon et établis-toi à ton propre compte.* »

Ce conseil fort comique est évidemment un
non-sens. Il n'y a pas de canons sur le marché
et un particulier ne peut pas se rendre indépendant et « s'établir » comme force militaire. Cependant à aucun moment nous ne
pouvons penser que ce conseil se borne à un
non-sens pur et simple ; c'est un non-sens spirituel et un mot d'esprit excellent. Comment le
non-sens devient-il un mot d'esprit ?

Il n'est pas besoin de chercher bien loin.
Les explications des auteurs auxquelles nous
avons fait allusion dans notre introduction
nous permettent de deviner qu'un pareil non-
sens spirituel n'est pas dépourvu de sens, et
que ce sens dans le non-sens fait du non-sens
un mot d'esprit. Le sens, dans notre exemple,
est facile à saisir. L'officier qui conseille cette
sottise à Itzig joue le sot pour montrer à Itzig
la sottise de sa conduite. Il copie Itzig : « Je
veux te donner à présent un conseil qui soit à
la mesure de ta sottise. » Il se conforme à la
sottise d'Itzig, la lui fait toucher du doigt ; il
en fait un conseil qu'il juge conforme aux
désirs d'Itzig, car si celui-ci possédait un canon
en toute propriété et s'adonnait au métier des

armes à son propre compte, comme son intelligence et son ambition lui profiteraient! Avec quel soin jaloux il entretiendrait son canon et il s'attacherait à étudier les détails de son mécanisme, afin de pouvoir soutenir la concurrence des autres propriétaires de canons!

Interrompons l'analyse de cet exemple pour faire voir que le même « sens dans le non-sens » existe dans un autre mot du même genre, plus bref et plus simple, bien que moins tranché.

« Ne jamais être nés, voilà l'idéal pour les mortels fils de l'homme! » — « Mais, ajoutent les sages des " Fliegende Blätter " *c'est à peine si cela arrive à un sur cent mille. »*

Cette addition moderne à ce précepte de la sagesse traditionnelle est un non-sens absolu, rendu plus absurde encore par la restriction « à peine » qui veut être prudente. Mais elle cadre fort bien, à titre de restriction évidente, avec la première phrase. Elle démontre que ce précepte universellement respecté ne vaut guère mieux qu'un non-sens. Qui n'est pas né, n'est pas un fils de l'homme, il n'y a donc pour lui ni bien ni meilleur. Le non-sens contenu dans le mot d'esprit révèle et souligne un autre non-sens, tout comme dans l'exemple de l'artilleur Itzig.

Voici un troisième exemple qui, par sa donnée, ne mériterait guère les longues explications qu'il exige, mais qui met particulièrement bien en relief l'emploi dans le mot d'esprit d'un non-sens destiné à faire ressortir un autre non-sens :

Un homme, sur le point de partir en voyage, confie sa fille à un ami en le priant de bien veiller sur sa vertu pendant son absence. Quelques mois après, il retrouve sa fille enceinte. Il adresse naturellement des reproches à son ami. Celui-ci prétend ne pouvoir s'expliquer l'accident. « Mais où donc couchait-elle ? » dit le père. — « Elle a partagé la chambre de mon fils. » — « Mais comment l'as-tu fait coucher dans la chambre de ton fils, quand je t'ai supplié de veiller sur elle ? » — « Il y avait pourtant un paravent ; d'un côté le lit de ta fille, de l'autre celui de mon fils, et entre les deux un paravent. » — « Bien ! et si ton fils a fait le tour du paravent ? » — « Toute réflexion faite, reprend l'autre gravement : il est vrai que dans ce cas la chose aurait pu se produire. »

Ce mot, dont les autres qualités sont d'ailleurs fort douteuses, est bien facile à réduire ; sa réduction serait évidemment la suivante : « Tu n'as aucun droit de me faire des reproches. Comment as-tu été assez *sot* pour confier ta fille à une famille où elle devait vivre constamment en contact avec un jeune homme ? Comment dans ces conditions un étranger pouvait-il veiller à la vertu d'une jeune fille ? » La sottise apparente de l'ami ne fait ici que refléter celle du père. La réduction a fait disparaître la sottise

du mot d'esprit, et par là même tout son esprit.
Toutefois nous n'avons pas éliminé complètement l'élément « sottise » ; dans le contexte de
la phrase, que nous venons de réduire à son sens
propre, cet élément trouve une autre place.

Nous voici maintenant en mesure de réduire le
mot du canon. L'officier devrait dire : « Itzig,
je te sais un commerçant avisé. Mais je te le dis :
c'est de ta part une *grande bêtise* de ne pas
comprendre qu'il est impossible de se conduire
au service militaire comme dans le commerce,
où chacun agit pour soi et contre les autres.
Le service militaire exige la subordination et
la solidarité. »

Or la technique des mots d'esprit par non-
sens, que nous avons envisagés jusqu'ici, consiste dans l'emploi d'une sottise, d'une absurdité, pour mettre en évidence, en vedette, une
autre sottise, une autre absurdité.

L'application du contresens à la technique de
l'esprit a-t-elle dans tous les cas cette signification ? En voici un autre exemple qui tend à
l'affirmer :

Phocion, voyant le peuple applaudir à un de
ses discours, demanda à un ami : « *Quelle sottise
ai-je donc dite ?* »

Cette question apparaît comme un contresens. Mais nous en saisissons rapidement le sel.
« Qu'ai-je donc dit qui ait pu plaire autant à ce
peuple stupide ? Au fond, je devrais rougir de

ce succès ; si cela a plu aux imbéciles, cela n'a pas dû être bien fort. »

D'autres exemples prouvent cependant que le contresens est souvent employé, dans la technique de l'esprit, sans viser à mettre en valeur un autre non-sens.

Un maître connu de l'Université, qui savait assaisonner de mots d'esprit des cours qui traitaient de sujets peu captivants, recevait des félicitations à l'occasion de la naissance de son plus jeune enfant. « *Oui*, répondit-il, faisant allusion à son âge très avancé, *c'est étonnant ce que peut faire la main de l'homme.* » — Cette réponse semble particulièrement absurde, hors de propos. N'appelle-t-on pas les enfants la bénédiction, l'œuvre de Dieu, par opposition aux œuvres humaines ? Mais bientôt nous nous apercevons que cette réplique a néanmoins un sens, voire même un sens obscène. Il n'est pas question pour le père heureux de faire le sot afin de stigmatiser la sottise d'autrui. Cette réponse, absurde en apparence, nous étonne, nous sidère, comme diraient les auteurs. Les auteurs, nous l'avons vu, rapportent tout l'effet de pareils mots d'esprit à la succession « sidération et lumière ». Nous chercherons plus tard à nous former une opinion sur la question ; il doit nous suffire, pour l'instant, de faire observer que la technique de ce mot d'esprit consiste dans l'emploi d'un effet déconcertant, absurde.

Un exemple remarquable de cet esprit par sottise est fourni par un mot de Lichtenberg :
« *Il s'étonnait de ce que les chats aient, juste à la place des yeux, deux trous taillés à même la peau.* » S'étonner de l'évident, formuler cet incontestable truisme est en effet une sottise. Cela rappelle une exclamation de Michelet, d'intention sérieuse (*La femme*), que je cite de mémoire : « Que la nature est donc prévoyante d'avoir fait que l'enfant, aussitôt sa naissance, trouve une mère prête à l'accueillir ! » La phrase de Michelet est une vraie sottise, celle de Lichtenberg, par contre, est un mot d'esprit qui utilise la sottise de propos délibéré et cache quelque chose. Quoi ? c'est ce que nous ne pouvons dire encore.

Ces deux groupes d'exemples nous ont appris que, pour produire l'expression spirituelle, l'élaboration de l'esprit use, dans sa technique, des déviations de la pensée normale, c'est-à-dire du *déplacement* et du *contresens*. Il y a tout lieu de croire que d'autres *fautes de raisonnement* peuvent être utilisées de même. Et, en effet, nous pouvons citer quelques exemples de ce genre.

Un monsieur entre dans une confiserie et demande un gâteau ; il l'échange ensuite contre

un petit verre de liqueur. Il le boit et veut sortir
sans payer. Le patron le retient. « Que voulez-
vous ? » — « Payez votre liqueur. » — « Mais je
vous ai donné un gâteau en échange. » — « Vous
ne l'avez pas payé non plus. » — « *Mais je ne
l'ai pas mangé.* »

Cette histoire joue encore la logique, façade
qui nous est déjà familière et qui est particulièrement apte à travestir une faute de raisonnement. Évidemment, l'erreur tient à ce que
le client roublard établit, entre la restitution du
gâteau et l'échange avec le petit verre, un rapport inexistant. L'incident comporte en réalité
deux actes, qui, pour le vendeur, sont indépen-
dants l'un de l'autre, et ce n'est que dans l'esprit
de l'acheteur qu'un des deux peut suppléer
l'autre. D'abord il a pris, puis rendu le gâteau,
il ne doit donc rien ; il prend ensuite un verre
de liqueur dont il est redevable et qu'il lui faut
payer. On peut dire que le client donne un
double sens à « en échange de » ou plutôt que,
par l'artifice d'un double sens, il crée une relation inexistante dans la réalité [1].

Voici le moment venu de faire un aveu qui

1. Une semblable technique de non-sens apparaît dans les cas
où le mot d'esprit tient à conserver un sens qui, par les conditions
spéciales du thème, se trouve supprimé. De ce genre est le mot de
Lichtenberg du « *couteau sans lame qui manque de manche* ». De
même celui du J. Falke (*loc. cit.*) : « Est-ce l'endroit où le Duc de
Wellington a prononcé ces paroles ? » — « *Oui, c'est bien l'endroit,
mais les paroles, il ne les a jamais prononcées.* »

n'est pas dénué d'intérêt. Nous étudions la
technique de l'esprit par des exemples ; il nous
faudrait donc être sûrs de ce que les exemples
choisis par nous soient réellement des mots
d'esprit. Or, en réalité, dans une série de cas
nous restons indécis ; l'exemple en question
peut-il vraiment être considéré ou non comme
un mot d'esprit ? Mais nous ne possédons aucun
critérium tant que nos recherches ne nous
l'auront pas fourni ; nous ne pouvons nous fier
au langage courant, qui lui aussi a besoin de
se justifier ; nous ne pouvons, pour trancher la
question, que nous appuyer sur une certaine
« intuition », intuition qu'il est permis d'interpréter ainsi : notre jugement pour arriver à la
décision fait appel à des critères déterminés,
mais inaccessibles encore à notre compréhension.
Nous ne devons pas faire appel à cette « intuition » comme à un argument péremptoire. Aussi
nous demanderons-nous si le dernier exemple
peut être considéré comme un mot d'esprit,
comme un trait d'esprit sophistique, ou tout
simplement comme un sophisme. C'est que
nous ne savons pas encore en quoi consiste le
caractère distinctif de l'esprit.

Par contre, l'exemple suivant, qui offre une
faute de raisonnement complémentaire, est à
coup sûr un mot d'esprit. C'est encore une
histoire de marieur juif :

Un marieur défend contre les critiques du

jeune homme la jeune fille qu'il lui propose.
« La belle-mère, dit celui-ci, ne me plaît pas,
c'est une personne méchante et bête. » — « Vous
n'épousez pas la belle-mère, mais la fille. » —
« Mais elle n'est plus jeune ni belle non plus. » —
« Peu importe, moins elle sera jeune et belle,
plus elle vous sera fidèle. » — « Il y a bien peu
d'argent. » — « Qui parle d'argent! Est-ce
l'argent que vous épousez? C'est bien une
femme que vous voulez! » — « Mais elle est
bossue! » — « Que voulez-vous! *Il vous faut
donc une femme sans défauts ?* »

Il s'agit, en réalité, d'une demoiselle plus
très jeune, sans argent ni beauté, nantie d'une
mère repoussante et gratifiée au surplus d'une
grave difformité. Ce ne sont pas là des conditions attrayantes pour un épouseur. A chaque
défaut, le marieur trouve des arguments qui
permettent de s'en accommoder : il ne concède
comme seul défaut que la bosse, défaut dont
tout le monde doit convenir. Voilà encore
l'apparence de logique, caractéristique du
sophisme, et destinée à couvrir la faute de
raisonnement. La demoiselle n'a évidemment
que des défauts, les uns sur lesquels on pourrait
passer, et un dernier qui crève les yeux. Il est
donc impossible de l'épouser. Le marieur feint
d'avoir éliminé chacun des défauts par l'excuse
qu'il leur trouve, bien que, malgré ses efforts,
il reste que chacun d'eux équivaille à une

dévalorisation qui s'ajoute à la suivante. Il s'attache à chaque facteur isolément et refuse d'envisager leur somme.

Cette même omission est le nœud d'un autre sophisme, dont on a beaucoup ri, bien que l'on puisse douter de son caractère de mot d'esprit.

A. a emprunté à B. un chaudron de cuivre ; lorsqu'il le rend, B. se plaint de ce que le chaudron a un grand trou qui le met hors d'usage. Voici la défense de A. : « *Primo, je n'ai jamais emprunté de chaudron à B. ; secundo, le chaudron avait un trou lorsque je l'ai emprunté à B. ; tertio, j'ai rendu le chaudron intact.* » Chacune de ces objections en soi est valable, mais rassemblées en faisceau, elles s'excluent l'une l'autre. A. isole ce qui doit faire bloc, tout comme le marieur les défauts de la prétendue. On peut dire aussi que A. met un « et » là où seule l'alternative « ou — ou bien » serait de mise.

L'histoire suivante repose également sur un sophisme. C'est encore une histoire de marieur.

Le prétendant objecte que la demoiselle a une jambe trop courte et qu'elle boite. Le marieur répond : « Vous avez tort. Supposez que vous épousiez une femme aux jambes droites et égales. Qu'en aurez-vous ? Vous ne pouvez être sûr qu'elle ne tombera pas un jour et ne se brisera pas une jambe et ne restera pas estropiée pour le restant de sa vie ; d'où douleur, agitation, honoraires médicaux ! Si vous

prenez *cette femme*, vous serez à l'abri de ce
tintouin ; *c'est chose faite.* »

L'apparence de logique est ici bien maigre et
personne ne préférerait un « malheur accompli »
à un malheur éventuel. Le défaut du raisonnement sera plus saillant encore dans un autre
exemple, difficile à traduire du jargon avec tout
son sel.

Dans le temple de Cracovie, le grand rabbin N.
prie au milieu de ses disciples. Soudain il laisse
échapper un cri ; ses fidèles lui en demandent
la cause. « Le grand rabbin de Lemberg vient
de mourir. » La communauté se met en deuil.
Les jours suivants on interroge tous ceux qui
arrivent de Lemberg sur la mort du rabbin et
sur sa maladie. Nul ne peut répondre, ils l'ont
tous laissé en fort bonne santé. Enfin il demeure
avéré que le rabbin de Lemberg n'était pas
mort au moment où le rabbin de Cracovie en
recevait la nouvelle télépathique, puisqu'il est
encore en vie. Un étranger, profitant de l'occasion, raille un fidèle du rabbin de Cracovie :
« Ce fut une magistrale gaffe de la part de votre
rabbin que de voir mourir le rabbin L. à Lemberg, puisque celui-ci est toujours en vie. » —
« Peu importe, dit le fidèle, *zyeuter de Cracovie
à Lemberg, voilà qui fut sublime.* »

Ici on voit que la faute de raisonnement —
qui se retrouve dans les deux derniers exemples
— est franchement avouée. La valeur de la

représentation imaginative est à tort élevée
au-dessus de la réalité, le possible est mis presque sur le plan du réel. Voir de Cracovie à
Lemberg serait une imposante manifestation
télépathique, si seulement elle eût comporté
une part de vérité ; mais le disciple ne s'embar-
rasse pas pour si peu. Il eût été possible que le
grand rabbin de Lemberg succombât au moment
même où son collègue en annonçait la nouvelle
à Cracovie ; mais le disciple, sans avoir égard
à la condition sous laquelle la prouesse du
rabbin eût été admirable, admire son maître
sans conditions. Le proverbe : « *In magnis rebus
voluisse sat est* » se place au même point de
vue. Tout comme, dans cet exemple, abstraction est faite de la réalité en faveur de la possibilité, de même, dans l'exemple précédent, le
marieur tâche de présenter au prétendant
l'éventualité d'un accident rendant sa femme
infirme comme bien plus grave que la question
de savoir si la femme est ou non réellement
infirme.

A côté de ce groupe de fautes de raisonnement *sophistiques*, il y a place pour un autre
groupe, bien intéressant, où le raisonnement
erroné peut être qualifié d'*automatique*. C'est
peut-être par un caprice du hasard que les
exemples que je citerai dans ce nouveau groupe
sont tous encore des histoires de marieur.

Un marieur a emmené un compère chargé de

faire chorus avec lui lorsqu'il s'agira de la prétendue et de confirmer ses allégations. « Elle a poussé comme un sapin », dit le marieur. — « Comme un sapin », reprend l'écho. — « Elle a des yeux qu'il faut avoir vus. » — « Pour des yeux, ce sont des yeux », ajoute l'écho. — « Et cultivée comme personne ! » — « Quelle culture ! » — « Mais, il est vrai, avoue le marieur, elle a une petite bosse. » — « Et encore quelle bosse ! » d'affirmer l'écho. — Les autres histoires, quoique d'un sens plus riche, sont taillées sur le même modèle.

Un prétendant, fort désagréablement surpris de la fiancée qu'on lui présente, prend le marieur à part et se plaint à son oreille. « Pourquoi m'avoir amené ici, lui dit-il sur un ton de reproche, elle est laide, vieille, elle louche, a de vilaines dents et les yeux chassieux... » — « Vous pouvez parler à haute voix, interrompt le marieur, *elle est, de plus, sourde.* »

Un prétendant fait, en compagnie du marieur, la première visite à sa fiancée éventuelle ; en attendant la famille au salon, ce dernier fait admirer au jeune homme une vitrine qui renferme une fort belle argenterie. « Voyez, lui dit-il, quelle fortune dénote cette argenterie. » — « Mais, dit le jeune homme sceptique, ces objets de prix n'auraient-ils pas été empruntés pour la circonstance, afin de nous jeter de la poudre aux yeux ? » — « Quelle idée ! reprend

le marieur avec dédain, *qui prêterait à ces gens
quoi que ce soit!* »

Ces trois cas sont calqués l'un sur l'autre.
Une personne a réagi plusieurs fois de suite
suivant le même mode ; une dernière fois cette
même réaction se montre inadéquate à la situation et en opposition avec les intentions mêmes
du sujet. Elle néglige de s'adapter à la situation,
elle se laisse aller à l'automatisme de l'habitude.
Ainsi l'acolyte de la première histoire oublie
qu'il a été emmené pour disposer le prétendant
en faveur de la prétendue, et il s'est montré
tout d'abord fidèle à sa consigne en soulignant
les avantages de la fiancée par ses réitérations,
il appuie avec insistance sur le chapitre de la
bosse timidement avouée — qu'il eût fallu
escamoter en douce. Le marieur de la seconde
histoire est fasciné par la liste des défauts
de la prétendue au point qu'il en complète
l'inventaire au mépris de sa fonction et de ses
intentions. Dans la troisième histoire enfin,
l'excès de zèle du marieur, qui veut convaincre
le jeune homme de la richesse de la famille,
le pousse, pour appuyer ses dires, à un aveu qui
ruine tout son édifice. Partout c'est le triomphe
de l'automatisme sur l'adaptation opportune
de la pensée et de l'expression.

Tout cela est facile à comprendre, mais susceptible de nous embrouiller dès que nous nous
apercevons que ces trois histoires, que nous

venons de présenter comme spirituelles, peuvent
être, à aussi juste titre, qualifiées de «comiques».
La révélation de l'automatisme psychique
appartient à la technique du comique, comme
tout démasquage, toute trahison de soi-même.
Nous voilà tout d'un coup ramenés au problème des rapports de l'esprit et du comique
que nous voulions éviter (voir l'Introduction).
Ces histoires ne sont-elles que « comiques »?
Ne sont-elles pas également « spirituelles »?
Le comique use-t-il ici des mêmes moyens
que l'esprit? Et, encore une fois, quel est le
caractère particulier du spirituel?

Il faut retenir que la technique du dernier
groupe que nous venons d'envisager ne consiste
que dans l'emploi de « *fautes de raisonnement* »;
mais il nous faut avouer que leur étude nous a
apporté l'obscurité plutôt que la lumière. Toutefois nous ne perdrons pas l'espoir d'obtenir, par
la connaissance plus complète des techniques
de l'esprit, un résultat qui pourra nous orienter
vers une intelligence nouvelle des choses.

Les mots d'esprit suivants, qui nous serviront de thème, nous seront d'une étude plus
facile. En premier lieu, leur technique nous
ramène à des éléments déjà connus.

Voici un mot de Lichtenberg :

« *Le mois de janvier est celui au cours duquel on formule des vœux pour ses bons amis, et les autres mois sont ceux au cours desquels aucun de ces vœux ne se réalise.* »

Comme ces mots sont plus fins que forts et que leur technique ne s'impose pas d'emblée, nous renforcerons notre impression en multipliant les exemples.

« *La vie humaine se compose de deux parties: la première se passe à désirer la seconde, la seconde à désirer le retour de la première.* »
« *Die Erfahrung besteht darin, dass man erfährt, was man nicht zu erfahren wünscht* » (L'expérience consiste à acquérir l'expérience de ce dont l'on ne désirerait pas faire l'expérience.) (Ces deux derniers de K. Fischer.)

Inévitablement ces exemples nous orientent vers le groupe envisagé plus haut et caractérisé par « l'emploi multiple du même matériel ». Nous pourrions, surtout à l'occasion du dernier exemple, nous demander pourquoi nous ne l'avons pas classé dans le groupe susnommé au lieu de le ranger ici sous une rubrique nouvelle. L'expérience (« Erfahrung ») y est décrite par ses propres syllabes, comme plus haut la « Eifersucht jalousie » (voir p. 55). Je ne m'insurgerai donc guère contre une telle initiative. En revanche les deux autres exemples, dont les caractéristiques se ressemblent, com-

portent d'après moi un facteur plus frappant
et plus important que l'emploi multiple des
mêmes mots, emploi qui manque totalement
ici de tout ce qui peut suggérer le double sens.
Je dirais même qu'ici se constituent des unités
nouvelles et inattendues, des rapports réciproques entre des représentations, et des définitions l'une par l'autre ou par leur relation
avec un troisième facteur commun. Je proposerais pour ce processus le nom d'« *unification* » ;
il est évidemment analogue à la condensation par compression des mêmes termes.
Ainsi les deux moitiés de la vie se définissent
en fonction d'une relation de réciprocité découverte entre elles : dans la première on désire
l'avènement de l'autre, dans la seconde le retour
de la première. Pour mieux dire, on a choisi,
pour la représentation, deux propositions qui se
ressemblent beaucoup. A l'identité des rapports
correspond alors l'identité de l'expression, qui
pouvait nous orienter vers l'idée de l'emploi
multiple du même matériel (désirer la seconde —
désirer le retour de la première). Dans le mot
de Lichtenberg, janvier et les autres mois qu'il
lui oppose sont définis par une relation inverse
en fonction d'un troisième facteur, en l'espèce
les vœux que l'on formule en janvier et qui ne se
réalisent point au cours des autres mois. La
différence entre ce processus et l'emploi multiple du même matériel verbal qui, lui-même,

se rapproche du double sens, nous apparaît
ainsi avec une grande netteté [1].

1. Pour décrire l'unification mieux que les exemples sus-cités
ne le permettent, je veux me servir de la relation négative, très
caractéristique, qui existe entre le mot d'esprit et l'énigme, relation
que j'ai mentionnée plus haut et qui consiste en ce que l'une cache
ce que l'autre révèle. Nombre d'énigmes que le philosophe
G. Th. Fechner, après avoir perdu la vue, a composées pour passer le temps, se distinguent par un haut degré d'unification qui leur
donne un charme tout particulier. Prenons p. ex. la belle énigme
N° 203 (*Rätselbüchlein von Dr Mises*, 4ᵉ éd. augmentée, sans indication de l'année) :

   « Die beiden ersten finden ihre Ruhestätte
   Im Paar des andern, und das Ganze macht ihr Bette. »
   (Mes deux premiers trouvent leur lieu de repos
   Dans le couple du tiers et le tout fait leur lit.)

Des deux paires de syllabes qui sont à deviner, rien n'est indiqué
sauf une relation entre elles, et du mot entier rien qu'une relation
avec la première paire. (Le mot de l'énigme est : *Totengräber* =
fossoyeur. *Toten* = morts, *Gräber* = tombes.) Ou les deux exemples
suivants de définition par relation avec le troisième identique ou
peu modifié :

N° 170 « Die erste Silb' hat Zähn' und Haare,
     Die zweite Zähne in den Haaren.
     Wer auf den Zähnen nicht hat Haare,
     Vom Ganzen kaufe keine Waare. »
     (Mon premier a dents et cheveux [*Ross* = cheval.]
     Mon second, des cheveux dans les dents [*Kamm* = peigne.[
     Qui n'a pas de cheveux sur les dents
     De mon tout achète néant.) [*Rosskamm* = maquignon.]

N° 168 « Die erste Silbe frisst,
     Die andere Silbe isst,
     Die dritte wird gefressen,
     Das Ganze wird gegessen. »
     (Mon premier dévore [*Sau* = truie]
     Mon second mange [*Er* = lui]
     Mon troisième est dévoré [*Kraut* = herbe]
     Mon tout est mangé.) [*Sauerkraut* = choucroute.]

L'unification la plus parfaite se retrouve dans une énigme de
Schleiermacher qu'on ne peut qualifier que de spirituelle:

Voici un bel exemple de mot d'esprit par unification qui se passe de tout commentaire :

Le poète lyrique français J.-B. Rousseau avait écrit une ode à la postérité ; Voltaire, jugeant que cette ode ne méritait pas de passer à la postérité, déclara spirituellement : « *Ce poème n'arrivera pas à son adresse.* » (D'après K. Fischer.)

Ce dernier exemple nous révèle le rôle fondamental de l'unification dans les mots qui visent à l'esprit d'à-propos. Or la repartie réside dans une riposte du tac au tac à l'agression, dans le fait de savoir retourner le trait contre quelqu'un, « le payer de la même monnaie » ; en un mot elle produit une unification inattendue entre l'attaque et la contre-attaque.

Par exemple : Le boulanger dit au traiteur dont le doigt suppure : « *Tu l'auras trempé dans la bière ?* » — « *Non, c'est un de tes petits pains qui me sera rentré sous l'ongle.* » (D'après Ueberhorst, *Das Komische,* II, 1900.)

« Von der letzten umschlungen
Schwebt das vollendete Ganze
Zu den zwei ersten empor. » (*Galgenstrick* = corde de gibet, gibier de potence.)
(Entouré par mon dernier [*Strick* = corde]
mon tout balance [*Galgenstrick* = pendu]
accroché par mes deux premiers.) [*Galgen* = potence.]

La plupart des charades manquent d'unification, c'est-à-dire, que le trait caractéristique, qui doit faire deviner la première syllabe, est complètement indépendant de celui qui doit faire deviner la deuxième et la troisième syllabe, et est également indépendant de ce qui doit faire deviner le tout.

Serenissimus, voyageant dans ses États, remarque dans la foule un homme qui ressemble étonnamment à sa haute personnalité. Il lui fait signe d'approcher et lui demande : « *Ta mère n'a-t-elle jamais servi au palais ?* » — « *Non, Altesse*, répond celui-ci, *c'était mon père.* »

Le duc Charles de Würtemberg, au cours d'une promenade à cheval, tombe sur un teinturier qu'il trouve fort appliqué à son travail. « *Peux-tu me teindre mon cheval blanc en bleu ?* » s'écrie le duc. — « *Parfaitement, Monseigneur*, répond l'autre, *à condition qu'il supporte l'ébullition!* »

Cette réponse du « berger à la bergère », qui réplique à une question absurde par une condition aussi impossible que la question était absurde, met encore en œuvre un autre procédé technique qui n'aurait pu trouver son emploi si la réponse du teinturier avait été : « Non, Monseigneur, je crains que le cheval ne supporte pas l'ébullition. »

L'unification fait encore usage d'un autre procédé technique fort curieux, la juxtaposition par la conjonction *et*. Celle-ci implique le rapport, nous ne pouvons l'entendre autrement. Lorsque, dans son *Voyage dans le Harz*, Heine nous dépeint la ville de Göttingen dans ces termes : « En général les habitants de Göttingen se divisent en étudiants, professeurs, philistins et bétail », nous comprenons cette juxta-

position dans le sens précis que Heine souligne
en ajoutant cette phrase : « *Ces quatre types
ne sont rien moins que nettement différenciés.* »
De même, à propos de l'école où, disait-il, il
avait « *subi également le latin, les corrections
et la géographie* », la place d'honneur des corrections parmi les matières d'enseignement
montre évidemment que l'écolier a gardé le
même souvenir des corrections que du latin
et de la géographie.

Lipps, parmi les exemples d'énumérations
spirituelles (« coordination ») proches parentes
de « étudiants, professeurs, philistins et bétail »
de Heine, cite le vers suivant :

« *Mit einer Gabel und mit Müh'zog ihn die Mutter
[aus der Brüh'* » ;

(Avec la fourchette et mille maux, sa mère le
retira du pot.) Comme si la peine était un usten-
sile pareil à la fourchette, ajoute Lipps. Nous
avons toutefois l'impression que ce vers est
très comique mais nullement spirituel, tandis
que l'énumération de Heine l'est de toute
évidence. Nous reviendrons peut-être plus tard
sur ces exemples, lorsque nous serons à même
de ne plus éluder le problème des relations
entre le comique et l'esprit.

L'exemple du duc et du teinturier nous a montré que la réponse serait demeurée un mot d'esprit par unification si elle eût été formulée ainsi : *Non*, je crains que le cheval blanc ne supporte pas l'ébullition. » Mais la réponse a été : « *Oui*, Monseigneur, à condition qu'il supporte l'ébullition. » La transposition du « non », qui s'imposait, en « oui » représente une nouvelle ressource technique de l'esprit, dont nous allons étudier l'emploi dans d'autres mots d'esprit.

Un mot d'esprit très voisin de celui de K. Fischer que nous venons de citer, mais plus simple, est le suivant : Frédéric le Grand entend parler d'un prédicateur de Silésie, qui a la réputation d'être en rapport avec les esprits. Il le fait mander et lui adresse cette question : « *Savez-vous conjurer les esprits ? — A vos ordres, Majesté, mais ils ne viennent pas.* » Il apparaît clairement que la technique de ce mot d'esprit se borne à remplacer le « non », seul idoine, par son contraire. Pour aller jusqu'au bout de cette substitution, il fallait associer ce « oui » à un « mais » dont l'addition à ce « oui » (= « oui, mais... ») équivaut à « non ».

La *représentation par le contraire*, comme nous la voulons dénommer, se prête de différentes manières à l'élaboration de l'esprit. Voici, pour la faire voir à l'état presque pur, deux exemples empruntés à Heine et à Lichtenberg :

Heine : « *Cette femme offre plus d'une ressemblance avec la Vénus de Milo ; elle est extrêmement vieille comme elle, elle est également édentée et présente sur la surface jaunâtre de son corps quelques taches blanches.* »

C'est représenter la laideur par analogie avec la beauté parfaite ; il est vrai que ces analogies ne peuvent consister qu'en qualités formulées de façon ambiguë ou en considérations accessoires. Nous retrouvons cette dernière technique dans le second exemple :

Lichtenberg : Le Grand Esprit.

« *Il réunissait en lui les traits caractéristiques des grands hommes : il avait la tête de travers comme Alexandre, farfouillait tout le temps dans ses cheveux comme César, pouvait boire du café comme Leibnitz ; comme Newton, il oubliait le boire et le manger lorsqu'il était carré dans son fauteuil et qu'il fallait comme celui-ci le réveiller ; il portait sa perruque comme le docteur Johnson et, comme Cervantès, avait toujours un bouton de sa culotte ouvert.* »

Voici un exemple particulièrement pur de représentation par le contraire, en dehors de tout mot à double sens ; J. v. Falke l'a recueilli au cours d'un voyage en Irlande. La scène se passe dans un musée de figures de cire, disons de Mme Tussaud. Un guide conduit vieux et jeunes, et leur fait les honneurs de chaque groupe en débitant un boniment : « *This is the Duke of Wellington and his horse* » (Voici le duc de Wellington et son cheval), sur quoi une

jeune fille pose la question : *Which is the Duke
of Wellington and which is his horse ?* » (Où
est le Duc et où est le cheval ?) — « *Just as you
like, my pretty child, you pay the money and
you have the choice.* » (Comme vous voudrez, ma
belle, vous payez, donc vous avez le choix.)
(*Lebenserinnerungen* [Souvenirs], p. 271).

On peut ainsi réduire ce mot d'esprit irlan-
dais : « C'est outrageant ce que ces gens osent
offrir au public! Pas moyen de distinguer le
cheval du cavalier! (Hyperbole plaisante.) Et
c'est cela que l'on paie argent comptant! »
L'indignation est figurée par un petit incident ;
le public tout entier est représenté par une
seule dame ; le cavalier est individuellement
déterminé ; ce doit être de toute évidence le
Duc de Wellington si populaire en Irlande.
Mais l'impudence du propriétaire ou du guide,
qui tire aux gens l'argent de la poche sans rien
leur donner en échange — cette impudence est
représentée par le contraire, par le discours du
guide qui se pose en homme d'affaires conscien-
cieux, uniquement préoccupé des droits que le
public a acquis en payant. Nous observons
maintenant que cette technique est loin d'être
simple. Le fait qu'on a trouvé un moyen de
faire protester le roublard de sa conscience
range ce mot d'esprit parmi ceux qui s'appuient
sur la représentation par le contraire ; d'autre
part, le fait que cette protestation soit une

8

réplique à une question d'un tout autre ordre,
que notre homme se drape dans sa dignité
de commerçant, tandis qu'on s'attend à la
ressemblance de ses figures de cire, ce fait,
disons-le, relève du déplacement. La technique
de ce mot représente donc une combinaison
de ces deux procédés.

Cet exemple se rapproche d'un petit groupe
de mots d'esprit dits « par surenchère ». Le
« *oui* » qu'exigerait la réduction est remplacé
dans ces mots d'esprit par un « *non* » qui équivaut lui-même, en vertu de son contenu, à un
« *oui* » renforcé, et réciproquement. La contradiction remplace une affirmation avec surenchère ; p. ex. cette épigramme de Lessing [1] :

« Die gute Galathee! Man sagt, sie schwärz'ihr Haar ;
Da doch ihr Haar schon schwarz, als sie es kaufte,
                                                  [war. »
(La bonne Galathée! on l'accuse de teindre ses che-
                                        [veux en noir ;
Mais ses cheveux étaient déjà noirs quand elle les
                                              [acheta.)

De même la maligne et fallacieuse défense
de la sagesse universitaire par Lichtenberg :
« *Il y a plus de choses sur la terre et au ciel
que ne le soupçonne toute votre scolastique!* »
disait avec mépris le Prince Hamlet. Lichtenberg sait bien que cette critique est loin d'être

---

1. D'après un exemple de l'*Anthologie grecque*.

assez sévère, puisqu'elle n'épuise pas les
reproches que l'on peut faire à la scolastique.
Aussi ajoute-t-il ce qui manque : « *Mais il y a
bien des choses dans la scolastique qui ne se
trouvent ni au ciel ni sur terre.* » Bien que sa
représentation fasse ressortir de quelle manière
la scolastique nous dédommage de la carence
signalée par Hamlet, ce dédommagement implique un autre grief beaucoup plus sérieux.

Le procédé apparaît plus nettement encore,
du fait de l'absence de toute trace de déplacement, dans deux anecdotes juives, du reste
assez lourdes.

Deux Juifs parlent de bains. « *Je prends*, dit
l'un, *un bain tous les ans, que ce soit utile ou
non.* »

Il est clair que ce Juif, par son affirmation
hyperbolique de propreté, proclame justement
sa malpropreté.

Un Juif remarque, dans la barbe d'un de ses
pairs, des débris alimentaires. « *Je puis te dire
ce que tu as mangé hier.* » — « *Dis toujours.* » —
« *Des lentilles.* » — « *Erreur ! j'en ai mangé
avant-hier.* »

Voici un superbe mot d'esprit à surenchère,
facile à réduire à la représentation par le contraire :

Le roi, dans sa condescendance, visite la
clinique chirurgicale et trouve le professeur
en train d'amputer une jambe ; le roi suit tous

les temps de l'opération, qu'il applaudit en toute
bienveillance royale : « *Bravo, bravo, cher
Conseiller.* » Son opération terminée, le professeur s'avance et demande au roi avec une profonde révérence : « *Votre Majesté m'ordonne-
t-elle de couper aussi l'autre jambe ?* »

Ce que le professeur pensait de l'approbation
royale il n'aurait pu, à coup sûr, l'exprimer tel
quel : « Il semble que ce soit par ordre du roi
et pour son bon plaisir que j'ampute la mau-
vaise jambe de ce pauvre diable. J'ai assurément
bien d'autres raisons de pratiquer cette
opération. » Mais malgré cela, s'approchant
du roi il lui dit : « Je n'ai pas d'autres motifs
d'opérer que l'agrément de Votre Majesté. J'ai
été tellement charmé de Son approbation, que
j'attends Ses ordres pour amputer également
la jambe saine. » Il arrive ainsi à se faire comprendre en exprimant le contraire de sa pensée,
qu'il est obligé de garder pour lui. Ce contraire
est une surenchère, indigne de créance.

La représentation par le contraire est, comme
le démontrent ces exemples, un bon procédé
fréquemment employé par la technique de
l'esprit. Mais il ne faut pas oublier que cette
technique n'appartient pas en propre à l'esprit.
Marc-Antoine, après avoir par son long discours
au forum, transformé les sentiments du peuple
assemblé autour du corps de César, lance à
nouveau :

« Car Brutus est un homme d'*honneur !* »

Il sait cependant fort bien que le peuple, prenant ses paroles dans leur sens véritable, s'écriera :

« Ils étaient des *traîtres :* hommes d'honneur! »

De même, lorsque « Simplicissimus » met dans la bouche de ses « hommes à sentiment » des mots d'une brutalité et d'un cynisme inouïs, il réalise aussi une représentation par le contraire. Mais cela s'appelle « ironie », non plus esprit. L'ironie ne comporte aucune autre technique que la représentation par le contraire. On écrit, du reste, et on dit « *esprit ironique* ». Il n'y a donc plus à douter de ce que la technique ne suffit pas à elle seule à caractériser l'esprit. Il intervient encore un autre facteur, que nous n'avons pas encore réussi à découvrir. D'autre part, il reste toujours avéré qu'en supprimant la technique, l'esprit disparaît. Pour le moment, il nous semble fort difficile de voir le lien qui unit les deux points fixes que nous avons acquis en cherchant à élucider l'essence de l'esprit.

Si la représentation par le contraire figure parmi les procédés techniques de l'esprit, on peut présumer que son contraire, c'est-à-dire la représentation par le *semblable* ou par l'« apparenté », y figure également. Effectivement, en poursuivant nos recherches, nous nous apercevons que ce procédé caractérise la technique d'un nouveau groupe, fort étendu, de « l'esprit de la pensée ». Le caractère spécifique de cette technique se dégage d'autant mieux que nous remplaçons l'expression « apparenté » par la locution « qui touche » ou « qui appartient à ». Aussi nous attacherons-nous tout d'abord à ce dernier caractère en l'éclairant par un exemple.

Il s'agit d'une anecdote américaine : Deux négociants peu scrupuleux avaient réussi, grâce à des entreprises fort risquées, à réaliser une fortune considérable ; tous leurs efforts tendirent alors à s'imposer à la bonne société. Il leur parut, entre autres, fort expédient de commander leurs portraits au peintre le plus cher et le plus coté de la ville, dont chaque toile était attendue comme un événement. L'inauguration de ces portraits fut l'occasion d'une grande soirée; les deux hôtes firent eux-mêmes au plus grand maître du goût et de la critique les honneurs de la muraille sur laquelle leurs portraits s'étalaient côte à côte ; ils espéraient bien tirer de lui un verdict admiratif. Celui-ci regarda longuement les tableaux, puis secoua la tête comme s'il n'avait pas trouvé ce qu'il cherchait, et montrant l'espace vide entre les deux portraits : « *And where is the Saviour ?* » (Et où est le Sauveur ? ou : Il manque là l'image du Sauveur.)

Le sens de ce discours est clair. — Il s'agit
toujours de suggérer quelque chose que l'on
ne peut exprimer directement. Par quelle voie
s'opère cette « *représentation indirecte* » ? Une
série d'associations simples et de conclusions
nous permettra de suivre, à rebours, l'évolution
de ce mot d'esprit.

La question : « où est le Sauveur, l'image du
Sauveur ? » nous fait deviner que, pour le
critique, la vue des deux portraits évoque une
vision analogue, qui lui est tout aussi familière
qu'à nous, mais à laquelle pourtant il manque
quelque chose : la vision de l'image du Sauveur
entre deux autres portraits. Le cas est unique :
c'est celui du Christ entre les deux larrons.
L'esprit rétablit ce qui manque, l'analogie
s'applique aux deux portraits qui sont à droite
et à gauche de l'image du Christ et que le mot
d'esprit enjambe. L'analogie ne peut résider
qu'en ce que les deux portraits exposés sur le
mur du salon figurent également des larrons.
Voici donc ce que le critique voulait mais ne
pouvait dire : « Vous êtes une paire de canailles »;
ou plus explicitement : « Que m'importent vos
portraits ? Ce que je sais, c'est que vous êtes
une paire de canailles. » Et il est parvenu à le
dire à la faveur de quelques associations et de
quelques déductions, par la voie, dirons-nous,
de l'*allusion*.

Nous avons déjà, rappelons-le, rencontré l'allusion : dans le double sens en particulier. Lorsque, de deux sens possibles d'un même mot, l'un s'imposait comme le plus fréquent et le plus usuel, de façon à être forcément le premier évoqué, tandis que l'autre semblait beaucoup plus lointain, dans ces conditions nous avons proposé le terme de *double sens avec allusion*. Nous avons noté que la technique de toute une série de mots d'esprit, déjà envisagés, n'était point simple, et nous comprenons maintenant que c'est l'allusion qui est l'agent de cette complexité (p. ex. le mot d'esprit par interversion de la femme qui s'est mise sur le velours et le mot par contresens de la réponse aux félicitations à l'occasion de la naissance du tardillon : « c'est étonnant ce que peut faire la main de l'homme » [p. 94]).

L'anecdote américaine nous livre l'allusion vierge de tout double sens ; nous trouvons que son trait caractéristique réside dans le remplacement par un élément lié à l'association des idées. Il est facile de deviner que les connexions utilisables sont variées. Pour ne pas nous perdre dans l'abondance des exemples, nous n'en prendrons qu'un nombre restreint, représentatifs des variantes les plus tranchées.

Le rapport utilisé par la substitution peut se borner à l'*assonance*, de sorte que cette sous-variété correspond dans le groupe de l'« esprit des mots » au genre calembour. Toutefois cette

assonance ne porte plus seulement sur des
mots, mais sur des phrases entières, des alliances de mots caractéristiques, etc.

Par exemple, Lichtenberg a créé cet aphorisme : « *Neue Bäder heilen gut* » (Les nouveaux
bains guérissent bien), qui nous rappelle aussitôt le proverbe : « *Neue Besen kehren gut* » (Les
nouveaux balais balaient bien). Dans le texte
allemand les trois premières syllabes sont
consonantes (*Neue Bäder* dans l'un, *Neue
Besen*, dans l'autre) ; le dernier mot et toute la
structure de la phrase sont identiques. L'intention du spirituel penseur a certainement été
de parodier le proverbe populaire. L'aphorisme
de Lichtenberg constitue donc une allusion
au proverbe. Cette allusion insinue une idée
qui n'est pas exprimée explicitement, à savoir
que l'effet des bains résulte encore d'un facteur
autre que de leurs propriétés thermales constantes.

On pourrait analyser de façon analogue la
technique d'une autre plaisanterie ou mot
d'esprit de Lichtenberg : « *Ein Mädchen kaum
zwölf Moden alt* » (Une jeune fille à peine âgée
de douze modes). En allemand ce mot sonne
comme douze « Monde » (douze lunes, c'est-à-
dire douze mois) [1]. C'était peut-être à l'ori-

---

1. *Moden* = modes, et *Monden* = lunes, en allemand ont
presque même consonance. (N. d. T.)

gine une altération graphique de la dernière
expression, qui appartient au langage poétique.
Mais c'est une trouvaille de compter l'âge d'une
femme par changements de modes au lieu de
le compter par changements de lune.

Les rapports peuvent aboutir à l'identité
sous la réserve d'une *modification légère*. Cette
technique, on le voit une fois de plus, est parallèle à celle de l'esprit des mots. Ces deux formes
d'esprit produisent presque les mêmes effets,
mais au cours de l'élaboration de l'esprit elles
se distinguent plus nettement dans leurs processus.

Voilà un exemple d'un mot d'esprit ou calembour de ce genre : La grande cantatrice Marie
Wilt, dont la personne était aussi étoffée que la
voix, connut l'affront de voir appliquer à sa
difformité le titre d'une pièce célèbre tirée d'un
roman de Jules Verne : « *Die Reise um die Wilt
in 80 Tagen* » (Le tour de Wilt [*Welt* = monde
en allemand] en 80 jours).

De même : « *Jeder Klafter eine Königin* »
(A chaque brasse une reine) représente une
modification de la célèbre formule de Shakespeare : « *Jeder Zoll ein König* » (A chaque
coudée un roi), et de plus une allusion à la taille
démesurée d'une dame du monde. Il n'y aurait
pas grand-chose à objecter à qui rangerait ce
mot d'esprit parmi les mots par condensation
avec modification plutôt que parmi les mots à

formation substitutive (cf. tête-à-tête, p. 40).

Un ami disait d'un personnage doué des plus nobles aspirations mais qui était têtu comme un mulet : « *Er hat ein Ideal vor dem Kopf* » (Il a un idéal devant la tête). « *Ein Brett vor dem Kopf haben* » (avoir une planche devant la tête = ne rien voir), est une expression allemande courante à laquelle cette modification fait allusion et dont elle accapare le sens. Là encore, il s'agit de condensation avec modification.

On distingue à peine, de la condensation avec substitution, l'allusion avec modification, lorsque la modification se borne à quelques lettres, p. ex. « Di*ch*teritis ». Cette allusion compare le danger des épidémies de di*ph*térie à celui des efflorescences de poètes sans inspiration [1].

Les particules négatives réalisent à peu de frais de fort belles allusions :

« Mein *Un*glaudensgenosse Spinoza » (Mon coreligionnaire en incroyance Spinoza) [2], dit Heine. « Nous, par la *dis*grâce de Dieu, journaliers, serfs, nègres, corvéables, etc. » Ainsi commence, sous la plume de Lichtenberg, le fragment d'un manifeste de ces malheureux qui certainement parlent à plus juste titre de la

1. *Diphteritis,* diphtérie et le mot Dichter qui signifie poète. (N. d. T.)

2. *Glaubensgenosse* = coreligionnaire ; *un* = particule négative. (N. d. T.)

disgrâce divine que les rois et les princes de sa grâce.

En fin de compte, l'*omission* représente encore une allusion comparable à la condensation sans substitution. Au fond, toute allusion comporte une omission, à savoir celle de la suite des pensées qui aboutit à l'allusion. Il ne s'agit que de savoir ce qui saute d'emblée aux yeux, la lacune elle-même ou les matériaux de substitution qui la comblent partiellement et constituent les termes de l'allusion. Toute une série d'exemples nous ramèneraient ainsi de l'omission la plus frappante à l'allusion proprement dite.

L'omission sans substitution se retrouve dans l'exemple suivant : Il existe à Vienne un Monsieur X., auteur à l'esprit caustique et combatif, que ses brocards mordants exposèrent à plusieurs reprises aux sévices de ses victimes. A la suite d'une nouvelle incartade de la part d'un de ses adversaires habituels, une tierce personne s'écria : « *Si X. l'entend, il recevra encore une gifle.* » En premier lieu c'est de la sidération, provoquée par ce non-sens apparent, que relève la technique de ce mot d'esprit : recevoir une gifle n'est pas le corollaire habituel du fait d'avoir entendu quelque chose. L'interpolation suivante fait disparaître le contresens : *il écrira alors sur son adversaire un article si virulent que*, etc. Allusion par omission et con-

tresens, voilà les procédés techniques de ce
mot d'esprit.

Heine écrit : « *Il se vante à tel point que le
prix des pastilles fumantes va monter.* » La lacune
est facile à combler. Ce qui est omis est remplacé
par une conclusion qui ramène par voie d'allusion à la locution allemande : « *Eigenlob stinkt* »
(= On est puant à se vanter soi-même) [1].

Nous retrouvons nos deux Juifs devant l'établissement de bains :

L'un d'eux soupire : « *Voilà déjà un an de
passé!* »

Ces exemples prouvent indiscutablement que
l'omission est une des formes de l'allusion.

On retrouve encore une ellipse nette dans
cet exemple qui est un mot d'esprit typique à
base d'allusion. Après une fête d'artistes qui
eut lieu à Vienne, parut un livre humoristique
dans lequel figurait entre autres mots cette
singulière réflexion :

« *Une épouse est comme un parapluie. On prend
malgré tout un fiacre.* »

Un parapluie ne suffit pas à protéger de la
pluie ; le « malgré tout » signifie « lorsqu'il pleut
bien fort » ; n'oublions pas que le fiacre est
une voiture publique. Mais comme il est ici

---

1. *Stinken* = puer. Qui se loue s'emboue, dit-on en français.
(N. d. T.)

question d'une autre forme : la comparaison,
nous remettrons à plus tard l'étude plus approfondie de ce mot d'esprit.

C'est un véritable guêpier d'allusions pi-
quantes que *Les Bains de Lucques* de Heine, qui
utilise au mieux cette forme de mot d'esprit
dans sa polémique contre le comte Platen.
Bien avant que le lecteur ait pu se douter de
qui il s'agit, Heine prélude par des allusions,
empruntées aux domaines les plus divers, à un
certain thème qui se prête particulièrement
mal à être abordé de front. Voici p. ex. la série
des cocasseries de Hirsch-Hyacinthe : « Vous
êtes trop corpulent et moi trop maigre, vous
avez beaucoup d'imagination et moi j'ai d'autant plus le sens des affaires, je suis un homme
pratique et vous un *diarrhétique* (Diarrhetikus,
Theoretiker), en un mot vous êtes en tout mon
" Anti*podex* " (antipodicul). » — « Venus *Urinia* ».
— La grosse maritorne du *Dreckwall* (rempart
de crotte) à Hambourg, etc. ; tous les événements que le poète raconte semblent tout
d'abord des jeux espiègles, mais leur relation
symbolique avec une intention polémique se
révèle bientôt et ils se comportent pour ainsi
dire à la façon d'allusions. Enfin l'attaque
contre Platen se précise, c'est une cascade, c'est
un feu roulant d'allusions au thème déjà connu
des amours masculines du comte, qui éclate
dans chaque phrase et prend à partie le

talent et le caractère de l'adversaire, p. ex. :

« Bien que les Muses ne lui accordent pas
leurs faveurs, il tient quand même sous sa férule
le génie de la langue, ou plutôt il s'entend à le
violenter ; le génie ne se prête pas volontairement à son amour; il doit se mettre à la pour-
suite du petit coquin ; aussi n'en peut-il étrein-
dre que les formes extérieures qui, malgré leurs
belles rondeurs, s'accommodent mal du langage académique. »

« Il rappelle l'autruche, qui se croit bien
cachée lorsqu'elle plonge la tête dans le sable
et ne montre que le croupion. Le noble oiseau
ferait mieux de cacher son croupion et de montrer sa tête. »

L'allusion est peut-être le procédé le plus
courant et le plus commode de la technique du
mot d'esprit ; nous y avons recours dans la
plupart des productions spirituelles éphémères
dont nous nous plaisons à émailler notre conversation, mais qui ne supportent ni la transplan-
tation hors de ce terrain nourricier ni la vie
indépendante. Et nous voilà justement ramenés
par l'allusion à cette particularité qui nous avait
tout d'abord égarés dans l'appréciation de la
technique de l'esprit. L'allusion n'est pas par
elle-même spirituelle : bien des allusions fort
correctes ne possèdent point ce caractère. C'est
l'allusion « spirituelle » qui seule est spirituelle,
et ainsi le critérium de l'esprit, que nous avons

pourchassé jusque dans la technique, nous
échappe à nouveau.

J'ai défini, chemin faisant, l'allusion comme
une « *représentation indirecte* » et je viens de
m'apercevoir que les différents modes d'allusions, ainsi que la représentation par le contraire
ou par d'autres techniques encore à l'étude,
peuvent rentrer dans un seul grand groupe pour
lequel le nom de « *représentation indirecte* » me
paraîtrait le plus compréhensif. *Fautes de
raisonnement — Unification — Représentation
indirecte* seraient donc les rubriques essentielles
auxquelles se ramèneraient les techniques, de
nous connues, de l'esprit de la pensée.

Or l'investigation plus approfondie de nos
matériaux nous autorise, croyons-nous, à isoler
dans la représentation indirecte un nouveau
sous-groupe dont les caractères sont bien tran-
chés mais dont les applications sont rares. C'est
la représentation *par le détail* ou *par le menu*
qui arrive à suggérer, avec une clarté absolue,
à la faveur d'un détail insignifiant, une caractéristique frappante. L'intégration de ce groupe
à l'allusion peut se défendre en raison de l'étroite
solidarité qui existe entre ce détail minuscule
et le sujet à représenter, solidarité qui permet
de conclure de celui-là à celui-ci, par exemple :

Un Juif de Galicie voyageait en chemin de
fer et prenait ses aises, ouvrant son vêtement et
posant ses pieds sur la banquette. Un monsieur

bien mis entre dans le même compartiment.
Le Juif se reprend et se tient correctement.
L'étranger feuillette un livre, calcule, médite,
puis demande subitement au Juif : « Quand est,
s'il vous plaît, le Yomkippour ? » (le grand
pardon). « Aesoi » [1], s'écrie le Juif en remettant
ses pieds sur la banquette avant de répondre.

On ne peut nier que cette représentation par
un détail ne se rattache à cette tendance à
l'épargne, seul et ultime facteur commun que
laissent subsister nos investigations relatives
à la technique de l'esprit des mots.

Voici un exemple très voisin :

Le médecin qui doit assister à l'accouche-
ment de la baronne déclare que le moment n'est
pas encore venu et propose au baron une partie
de cartes dans la chambre voisine. Quelque temps
après, un appel de la baronne, en français,
retentit à l'oreille des deux messieurs : « *Ah!
mon Dieu, que je souffre!* » Le mari sursaute,
mais le médecin demeure calme : « Ce n'est
rien, jouons toujours. » Un peu plus tard un
gémissement, cette fois en allemand : « *Dieu,
Dieu, que je souffre!* » — « Voulez-vous entrer,
monsieur le professeur ? » dit le baron. — « Ce
n'est pas encore le moment. » Enfin on entend
dans la chambre voisine un cri inarticulé en
yiddish : « *Ai, ai waih* » ; alors le médecin

1. En yiddish : c'est ainsi. (N. d. T.)

jette ses cartes et dit : « C'est le moment! »

Pour montrer que la douleur fait surgir la
nature primitive en dépit des entraves de l'éducation et qu'à juste titre un fait en apparence
insignifiant emporte une décision importante,
ce mot d'esprit excellent s'appuie sur les modalités successives des plaintes d'une femme du
monde qui accouche.

Un autre mode de représentation indirecte
dont use le mot d'esprit est la *comparaison ;*
nous avons tardé à nous en occuper parce que
non seulement son appréciation soulève des
difficultés nouvelles, mais encore nous remet aux
prises avec des difficultés que nous avions déjà
rencontrées précédemment. A propos de certains exemples que nous apportions à l'appui
de nos recherches, nous avons déjà admis qu'il
est difficile de déterminer si l'on peut, après
tout, les classer parmi les mots d'esprit, et nous
avons reconnu que cette incertitude était de
nature à ébranler les bases mêmes de notre
étude. Mais aucun autre point de notre travail
ne m'a donné plus nettement et plus souvent ce
sentiment d'incertitude que les mots d'esprit
par métaphore. Ce sentiment qui, dans les
mêmes conditions, à moi, comme à bien d'autres
probablement, nous dit d'emblée, avant même

d'avoir découvert l'essence du caractère latent
d'un mot d'esprit : voilà un mot d'esprit, voilà
ce qu'on peut faire passer pour un mot d'esprit,
ce sentiment, dis-je, me laisse le plus souvent
désemparé lorsqu'il s'agit des comparaisons
spirituelles. Si, d'emblée, je n'ai pas hésité à
considérer telle comparaison comme un mot
d'esprit, je crois m'apercevoir, l'instant d'après,
que mon plaisir diffère qualitativement de
celui que me procure en général un mot d'esprit ;
le fait que les comparaisons spirituelles ne sont
que rarement capables de déclencher un éclat
de rire — critérium d'un bon mot — m'empêche
de bannir ce doute même en m'en tenant, comme
je l'ai fait ailleurs, aux exemples les meilleurs
et les plus risibles du groupe.

Il est facile de démontrer que nombre d'exemples excellents et très suggestifs de ce groupe
ne nous donnent point l'impression d'être des
mots d'esprit. La belle comparaison du Journal
d'Ottilie, celle de la tendresse avec le fil rouge
de la marine anglaise, en est un exemple (voir
p. 37). Il en est de même d'une autre comparaison, qui a gardé pour moi son admirable
fraîcheur et son puissant attrait et que je ne
puis m'empêcher de citer dans ce contexte.
C'est la métaphore qui sert de péroraison à
l'une des plus belles défenses de F. Lassalle
(*La Science et les Travailleurs*) : « Celui qui a
subordonné, comme je vous l'ai dit, sa vie à

cette devise : " La Science et les Travailleurs ",
ne sera pas plus impressionné par une condamnation qu'il pourrait encourir *qu'un chimiste
plongé dans ses expériences par l'explosion
d'une cornue. La résistance de la matière lui fait
un instant froncer les sourcils, puis l'incident
est clos et il poursuit ses recherches et ses travaux.* »

Les écrits de Lichtenberg renferment un
grand nombre d'exemples de métaphores justes
et spirituelles (t. II de l'édition de Gœttingen,
1853) ; c'est d'eux que je vais tirer les matériaux de notre étude.

*« Il est presque impossible de promener, dans une
foule, le flambeau de la Vérité sans brûler la barbe à
quelqu'un. »*

Voilà qui semble spirituel et pourtant, à y
regarder de plus près, l'effet spirituel ne résulte
pas de la comparaison elle-même, mais d'une
qualité accessoire. En réalité, « le flambeau de
la Vérité » n'est pas une comparaison neuve ;
elle est au contraire une expression toute faite,
fort usuelle, devenue lieu commun, suivant le
sort habituel des comparaisons heureuses : elles
tombent dans le domaine public. Mais cette
comparaison « le flambeau de la Vérité » qui,
dans les circonstances ordinaires, passerait
inaperçue, retrouve sa vigueur originelle du
fait que Lichtenberg en fait jaillir une conclusion nouvelle. Cette réédition d'expressions

pâlies avec *restauration de leur plein sens* nous
est déjà connue comme étant une des techniques de l'esprit ; elle se range dans le groupe
de l'emploi multiple du même matériel (voir
p. 54). Il serait fort possible que l'impression
spirituelle produite par le mot de Lichtenberg ne fût due qu'à la participation de ce mot
à cette technique de l'esprit.

Ces remarques s'appliquent sans doute à une
autre comparaison spirituelle du même auteur :

« Cet homme n'était pas à proprement parler une
vive lumière, mais un grand *chandelier*... il était professeur de philosophie. »

Appeler un grand savant une vive lumière
ou *lumen mundi* n'est plus, depuis longtemps,
une comparaison ingénieuse ; qu'elle ait connu
ou non, à l'origine, la fortune d'un mot spirituel, peu importe. Mais on rafraîchit la comparaison, on lui rend sa pleine vigueur en lui faisant
subir une modification et de la sorte on en tire
une seconde, une nouvelle comparaison. La
façon dont cette seconde comparaison dérive
de la première semble la condition du mot
d'esprit, mais non point par elle-même chacune
des deux comparaisons. Elle relèverait de la
même technique spirituelle que l'exemple du
flambeau.

Pour une raison différente, que l'on peut
pourtant apprécier à peu près de même, la

comparaison suivante nous semble spirituelle.

« Les *comptes rendus* m'apparaissent comme
une sorte de *maladie d'enfants* qui sévit plus
ou moins sur les livres nouveau-nés. L'expérience nous montre que les plus viables parfois
succombent et que bien des faiblards en réchap-
pent. Quelques-uns ne la contractent même
pas. On a cherché bien souvent à les préserver
par les *amulettes de l'avant-propos* et de la
dédicace ou même à les *maculer par l'autocritique ;* mais cela ne réussit pas toujours. »

La comparaison des comptes rendus aux
maladies d'enfants ne s'appuie d'abord que sur
la contamination qui suit immédiatement la
naissance. Est-elle spirituelle, je n'oserais l'affirmer. Mais la comparaison est poussée plus loin :
il se trouve que les destins ultérieurs des livres
nouveaux peuvent être représentés dans le
cadre de la même métaphore ou par des métaphores adjacentes. Cette filiation d'une comparaison est certes spirituelle ; mais nous savons
quelle technique la fait paraître telle : c'est un
cas d'*unification*, d'établissement d'un rapport
inattendu. Cependant le caractère de l'unification n'est pas modifié par l'appui qu'elle
prend sur une métaphore initiale.

On est tenté, en présence d'autres comparaisons, de rapporter l'impression incontestablement spirituelle à un facteur différent qui,
à son tour, est indépendant de la nature même

de la métaphore. Ce sont des comparaisons qui
portent en elles une synthèse frappante, souvent
une unification qui sonne l'absurde, ou qui sont
remplacées par une unification de ce genre
dérivée de la comparaison. La plupart des mots
de Lichtenberg appartiennent à ce groupe.

« C'est grand dommage de ne pouvoir, chez
les écrivains, explorer les *doctes boyaux*, on
saurait ainsi ce qu'ils ont mangé. » « Les doctes
boyaux », voilà une épithète qui sidère, qui est
au fond absurde et ne s'explique ensuite que
par une comparaison. Ne serait-il pas possible
que l'effet spirituel de cette comparaison se
réduisît intégralement au caractère déconcertant de cet assemblage ? Ce serait alors un
nouvel exemple de ce procédé de l'esprit, bien
connu de nous, la représentation par le *contresens*.

Lichtenberg, dans un autre mot d'esprit, a
usé de la même comparaison de l'absorption
de la lecture et de l'érudition avec l'absorption
de la nourriture matérielle.

« Il était féru de l'*instruction en chambre*, était
donc pleinement partisan de l'*affouragement savant
à l'écurie.* »

D'autres métaphores du même auteur présentent ces mêmes épithètes absurdes ou du
moins frappantes qui, comme nous commençons
à nous en apercevoir, sont les véritables agents
vecteurs de l'esprit :

« Voici la *façade exposée de ma constitution morale*, c'est elle qui peut supporter le choc. »

« Chaque homme possède un " *backside* " (*verso*) *moral*, qu'il ne montre pas *sans nécessité* et qu'il cache, autant que possible, sous la *culotte des bienséances*. »

Le « backside moral », voilà une épithète bien suggestive résultant d'une comparaison. La comparaison se poursuit par un jeu de mots en bonne et due forme (« nécessité »), puis surgit une seconde alliance de mots encore plus insolite (« la culotte des bienséances ») qui est peut-être spirituelle par elle-même, car les culottes deviennent spirituelles à être, pour ainsi dire, celles de la bienséance. Aussi ne faut-il pas s'étonner de ce que l'ensemble donne l'impression d'une comparaison fort spirituelle ; nous nous en apercevons peu à peu ; nous sommes en général disposés à étendre à un ensemble un caractère qui n'appartient qu'à l'une de ses parties. La « culotte des bienséances » rappelle du reste ce vers sidérant de Heine :

> « *Bis mir endlich alle Knöpfe rissen*
> *an der Hose der Geduld.* »

(« Jusqu'à ce que tous les boutons me soient sautés du pantalon de la patience. »)

Incontestablement ces deux dernières comparaisons offrent un caractère qui n'est pas commun à toutes les métaphores bonnes et justes. Elles sont, pourrait-on dire, éminem-

ment « *rabaissantes* » associant le noble, l'abstrait
(ici : la bienséance, la patience) au concret le
plus trivial (la culotte). Nous aurons encore à
nous demander ailleurs, à l'occasion d'autres
associations, si cette particularité offre quelque
rapport avec le mot d'esprit. Essayons d'analyser ici un autre exemple dans lequel ce caractère ravalant est tout particulièrement accusé.
Le commis Weinberl, dans la farce de Nestroy
« *Einen Jux vill er sich machen* » (« Il veut s'offrir
une plaisanterie ») , se décrit tel qu'il se retrou-
vera lorsqu'il sera devenu un vieux commerçant
rassis, évoquant ses souvenirs de jeunesse :
« Lorsqu'au feu des confidences, *la glace se
rompra devant le magasin du souvenir, lorsque le
portail de la cave du passé s'ouvrira à nouveau et
que le comptoir de l'imagination s'encombrera
des marchandises d'autrefois...* » Ce sont certainement des comparaisons entre des idées abstraites et des réalités fort concrètes et banales,
mais l'esprit est dû, totalement ou partiellement, à ce que ces comparaisons sont mises
dans la bouche d'un commis et empruntées à
ses occupations journalières. Cependant rapporter ces abstractions au cadre de l'activité
professionnelle de sa vie est un acte d'*unification*.

Revenons aux comparaisons de Lichtenberg.
« *Die Bewegungsgrunde* [1], *woraus man etwas*

---

1. On dirait aujourd'hui : « Beweggründe » = mobiles.

tut, könnten so wie die 32 Winde geordnet und ihre Namen auf eine ähnliche Art formiert werden, z. B. Brot-Brot-Ruhm oder Ruhn-Ruhm-Brot. » (« Les mobiles de nos actions pourraient, à l'exemple des 32 vents, être ordonnés et dénommés, suivant une terminologie analogue, pain-pain-gloire, ou gloire-gloire-pain. »)

Comme il arrive si souvent en présence des mots d'esprit de Lichtenberg, l'impression du topique, du tranchant, du sagace domine au point d'égarer le jugement que nous portons sur le caractère du spirituel. Si, dans une telle phrase, un élément d'esprit s'ajoute à un fond si judicieux, nous serons probablement disposés à considérer l'ensemble comme un mot d'esprit excellent. J'avancerai plutôt que tout l'effet spirituel résulte de l'étonnement causé par l'étrange assemblage « pain-pain-gloire ». Donc, ce mot d'esprit se ramène encore à la représentation par contresens.

L'association bizarre ou l'épithète absurde peuvent encore être considérées comme le résultat propre d'une comparaison qui se suffit à elle-même :

Lichtenberg : *Eine zweischläfrige Frau — Ein einschläfriger Kirchenstuhl.* (Une femme endormie à deux — Un siège d'église endormant [1].)

---

1. En allemand le préfixe « ein » de « einschläfern » signifie à la fois *en* et *un*. (N. d. T.)

Sous ces deux comparaisons se retrouve celle
d'un lit ; dans les deux, outre la sidération, joue
le facteur technique de *l'allusion*, la première
fois à la vertu endormante des sermons, la
seconde fois au thème inépuisable des rapports
sexuels.

Si nous avons pu constater jusqu'ici que l'effet
spirituel d'une comparaison était dû à l'intervention d'une des techniques de l'esprit, bien
connues de nous, quelques autres exemples
semblent prouver, en dernier ressort, que la
comparaison peut être spirituelle par elle-
même.

Voici comment Lichtenberg caractérise certaines odes :

« Elles sont en poésie l'équivalent de ce que sont,
en prose, les œuvres immortelles de Jakob Boehme,
*une sorte de pique-nique dans lequel l'auteur fournit
les mots et le lecteur le sens.* »

« Quand il se met à *philosopher*, il répand
d'habitude sur les objets *un agréable clair de
lune* qui plaît dans l'ensemble, mais n'éclaire
nettement aucun objet. »

Ou ce mot de Heine : « *Le visage de cette femme
rappelait un palimpseste : sous l'écriture mona-
cale, noire et récente d'un texte des pères de
l'Église, apparaissaient à demi effacés les vers
d'un poète érotique de la Grèce antique.* »

Ou bien encore la comparaison fort déve-

loppée, à tendance fort dénigrante, qui figure
dans *Les Bains de Lucques* :

« Le *ministre catholique* se conduit plutôt
comme le commis d'une *maison de gros ;*
l'Église, la grande maison dont le pape est le
chef, lui assigne des occupations déterminées
pour lesquelles on lui fixe un salaire donné ; il
travaille à la douce, comme quelqu'un qui ne
travaille pas à son compte, il a de nombreux
collègues et passe aisément inaperçu dans le
grand mouvement des affaires — seul le crédit
de la maison, et surtout sa sauvegarde, lui
importent, car la faillite éventuelle le laisserait
sans ressources. Le *pasteur protestant,* au contraire, est en tout et pour tout le chef et gère
à son compte les intérêts de la religion. Il n'est
pas grossiste, comme son collègue catholique,
mais *détaillant ;* et comme il doit veiller à tout,
aucune négligence ne lui est permise, il lui faut
exalter aux gens ses *articles de foi,* déprécier
ceux des concurrents ; comme un véritable
détaillant, il demeure dans sa boutique très
envieux des grandes maisons, et principalement
de la grande mais n de Rome qui occupe des
milliers de comptables et d'emballeurs et possède
des succursales dans les quatre parties du
monde. »

Sur la foi de ces exemples et d'autres encore,
assez nombreux, nous ne pouvons plus nier
qu'une comparaison puisse être spirituelle par

elle-même sans que cet effet soit attribuable à
son affiliation à l'une des techniques de l'esprit
déjà connues. Mais alors nous ignorons absolument ce qui détermine le caractère spirituel
d'une comparaison, ce caractère n'étant certes
pas inhérent à la comparaison en tant que
moyen d'expression de la pensée, ni au processus
de la comparaison. Il ne nous reste ainsi qu'à
ranger la métaphore parmi les formes de la
« représentation indirecte » auxquelles la technique de l'esprit a recours, et à laisser en suspens ce problème, que la métaphore nous a posé
beaucoup plus nettement encore que les autres
procédés de l'esprit précédemment envisagés.
Aussi doit-il exister une raison spéciale qui fait
qu'il nous est plus difficile, pour la métaphore
que pour tout autre mode d'expression, de
décider si nous sommes ou non en présence d'un
mot d'esprit.

Mais cette lacune dans notre compréhension
ne nous autorise pas à nous plaindre de ce que
nos premières recherches soient demeurées
stériles. En raison des rapports intimes qui
s'imposaient à nous entre les diverses qualités
de l'esprit, il eût été imprudent de compter
éclairer totalement une des faces du problème
avant d'avoir jeté un coup d'œil sur les autres.
Il va nous falloir à présent aborder le problème
par un autre côté.

Sommes-nous sûrs de ne pas avoir, dans nos

recherches, laissé échapper une quelconque des
techniques de l'esprit ? Pas tout à fait ; mais
en poursuivant nos études sur des matériaux
nouveaux, nous pourrons nous convaincre de ce
que nous avons passé en revue les techniques
les plus usuelles et les plus importantes de
l'élaboration de l'esprit, tout au moins dans la
mesure où elles permettent de se former une
opinion sur la nature de ce processus psychique.
Jusqu'ici nous ne sommes pas encore parvenus
à nous former cette opinion, mais en revanche
nous avons trouvé un indice important qui nous
montre de quel côté nous pouvons espérer
acquérir quelques nouvelles clartés sur le problème. Les processus si intéressants de la condensation avec formation substitutive qui,
comme nous l'avons appris, forment la base
de la technique de l'esprit des mots, nous ont
rappelé le formation du rêve, dans le mécanisme duquel nous avons découvert les mêmes
processus psychiques. Mais la formation du
rêve nous est aussi rappelée par les techniques
de l'esprit de la pensée : le déplacement, les
fautes de raisonnement, le contresens, la représentation indirecte, la représentation par le
contraire qui, solidairement ou isolément,
trouvent leur place dans la technique de l'élaboration du rêve. Le déplacement donne au
rêve cet aspect étrange qui empêche de le
considérer comme faisant suite aux pensées de

l'état de veille ; l'emploi du contresens et de l'absurde a coûté au songe sa dignité de production psychique ; il a induit les auteurs à assigner, comme condition à la formation du rêve, la déchéance de l'activité intellectuelle, la trêve de la critique, de la morale et de la logique. La représentation par le contraire est si courante dans le rêve que, tout erronées qu'elles soient, les populaires clefs des songes en ont tenu compte. Représentation indirecte, remplacement de la pensée onirique par une allusion, par un détail, procédé symbolique équivalent à la métaphore, voilà justement ce qui distingue le langage onirique de la pensée de l'homme éveillé [1]. Un parallélisme aussi complet entre les processus de l'élaboration de l'esprit et ceux de l'élaboration du rêve ne peut guère être fortuit. Nous nous attacherons plus loin à étudier ces concordances et à en démêler les causes.

1. Cf. ma *Science des Rêves*, chap. vi, « Élaboration du rêve ».

CHAPITRE II

LES TENDANCES DE L'ESPRIT

En rapportant, à la fin du dernier chapitre, la comparaison établie par Heine entre le prêtre catholique considéré comme le commis d'une maison de gros et le pasteur protestant considéré comme le patron d'une maison de détail, j'avais senti une inhibition qui m'inclinait à ne pas utiliser ce parallèle. Je me disais qu'il se trouverait probablement, parmi mes lecteurs, quelques personnes aussi respectueuses de la discipline et du sacerdoce que de la religion elle-même ; je pensais qu'elles tomberaient dans un état affectif tel que peu leur importerait alors de décider si le parallèle était spirituel par lui-même ou seulement par l'addition de quelques éléments étrangers. Pour tout autre parallèle, comme par exemple pour celui qui compare certaine philosophie à une douce clarté lunaire profilée sur les objets, je n'avais pas à me soucier de produire sur une partie de mes lecteurs pareille impression, susceptible de contrarier nos recherches. L'homme le plus dévot resterait capable de se former une opinion sur le problème qui nous occupe.

On peut aisément deviner à quel trait caractéristique du mot d'esprit il faut attribuer la diversité des réactions de l'auditeur dudit mot. Tantôt l'esprit se suffit à lui-même en dehors de toute arrière-pensée ; tantôt il relève d'une intention et de ce fait devient *tendancieux*. Seul le mot d'esprit tendancieux risque de choquer certaines personnes qui se refusent alors à l'entendre.

Th. Vischer qualifie d' « *abstrait* » l'esprit non tendancieux ; je préfère le terme d' « *inoffensif* ».

Selon les matériaux utilisés par la technique du mot d'esprit nous avons distingué plus haut l'esprit des mots et l'esprit de la pensée ; aussi devons-nous examiner les rapports qui existent entre cette distinction et celle que nous venons d'établir. Esprit des mots et esprit de la pensée d'une part, esprit abstrait et esprit tendancieux de l'autre, ne sont pas en relation d'influence réciproque ; ce sont deux subdivisions de la production spirituelle, entièrement indépendantes l'une de l'autre. On a peut-être eu l'impression que les mots d'esprit inoffensifs procèdent plutôt de l'esprit des mots, tandis que la technique plus compliquée de l'esprit de la pensée se mettrait au service de tendances nettement caractérisées ; mais certains mots

10

d'esprit inoffensifs usent du jeu de mots et de
l'assonance et d'autres — tout aussi inoffensifs
— font appel à toutes les ressources de l'esprit
de la pensée. Il n'est pas plus difficile de montrer que, dans sa technique, l'esprit tendancieux
peut n'être rien autre que de l'esprit des mots.
Souvent par exemple les mots d'esprit qui
« jouent » sur les noms propres ont une tendance
fort offensante et fort injurieuse ; il va de soi
qu'ils sont à ranger dans l'esprit des mots.
Cependant les mots d'esprit les plus inoffensifs
relèvent, eux aussi, de l'esprit des mots : telles
sont p. ex. les rimes en cascade si en vogue dans
ces derniers temps ; leur technique consiste
dans l'emploi du même matériel avec une modification tout à fait particulière.

> « Und weil er Geld in *M*enge *h*atte,
> Lag stets er in der *H*ängematte. »
> (Et comme il avait de l'or en amas
> Il se prélassait dans son hamac.)

Personne ne niera, espérons-le, que le plaisir
que nous procure ce genre de rimes, par ailleurs
sans prétention, ne soit pareil à celui qui nous
signale le mot d'esprit.

De bons exemples de mots d'esprit abstraits
ou inoffensifs, tributaires de l'esprit de la
pensée, fourmillent dans les comparaisons de
Lichtenberg. Plusieurs ont déjà été cités ; en
voici d'autres :

« *Sie hatten ein Oktavbändchen nach Göttingen*

geschickt und an Leib und Seele einen Quar-
tanten bekommen » (Ils avaient envoyé à
Göttingen [1] un octavaire, ils ont reçu en retour
un in-quarto, corps et âme).

« *Um dieses Gebäude gehörig aufzuführen,*
muss vor allen Dingen ein guter Grund gelegt
werden, und da weiss ich keinen festeren, als
wenn man über jede Schicht pro gleich eine
Schicht kontra aufträgt » (Un tel édifice ne peut
se passer d'une base — ou raison — solide ;
or, rien ne résiste mieux qu'un nombre égal de
couches — ou arguments pour et contre).

« *Einer zeugt den Gedanken, der andere hebt*
ihn aus der Taufe, der dritte zeugt Kinder mit
ihm, der vierte besucht ihn auf dem Sterbebette
und der fünfte begräbt ihn » (Le premier crée la
pensée, le second la tient sur les fonts baptis-
maux, le troisième lui fait des enfants, le quatrième la visite à son lit de mort et le cinquième
l'enterre). Métaphore avec unification.

« *Er glaubte nicht allein keine Gespenster,*
sondern er fürchtete sich nicht einmal davor »
(Il ne se contentait pas de ne pas croire aux
revenants, il allait jusqu'à ne pas les redouter).
Ici l'esprit réside exclusivement dans la représentation par le contresens qui met au compa-
ratif ce qui d'habitude semble le plus insignifiant et au positif ce qui apparaît comme le

---

1. Un jeune étudiant à l'Université de Göttingen. (N. d. T.)

plus important. Dépouillé de son attirail spirituel ceci signifie : il est plus facile de se mettre,
par la raison, au-dessus de la crainte des revenants que de s'en défendre le cas échéant. Sous
cette forme le mot perd complètement son
esprit, mais il garde une portée psychologique
incontestable, à laquelle on n'a pas suffisamment rendu hommage. Il se rapproche de la
phrase bien connue de Lessing :

« Es sind nicht alle frei, die ihrer Ketten spotten. »
(Ils ne sont pas tous libres, ceux qui rient de leurs
chaînes.)

Je mettrai en garde, à cette occasion, contre
un malentendu toujours possible. Esprit « inoffensif » ou « abstrait » ne signifie pas esprit dénué
de fond, mais implique seulement le contraire
de l'esprit « tendancieux », dont il sera question
plus loin. Comme le démontre l'exemple précédent, l'esprit inoffensif, c'est-à-dire non tendancieux, peut être fort suggestif et fort pertinent. Cependant le fond d'un mot d'esprit est
indépendant de l'esprit considéré en soi ; c'est
la pensée foncière qui, en vertu d'un artifice
spécial d'expression, parvient à s'exprimer avec
esprit. Mais, de même que les horloges ont coutume de renfermer un mécanisme de précision
dans un boîtier précieux, de même il peut arriver que les productions les plus spirituelles
recèlent justement les pensées les plus profondes.

Établissons, à propos de l'esprit de la pensée, une distinction nette entre le fond de la pensée et son revêtement spirituel ; sous cet angle, nous verrons s'éclairer, dans notre appréciation des mots d'esprit, bien des points obscurs. A notre grande surprise, nous constaterons alors que le plaisir que nous prenons à un mot d'esprit dépend de l'impression d'ensemble qui résulte et de son fond et de sa forme spirituelle, et que nous nous laissons duper par un de ces facteurs sur la valeur de l'autre. La réduction seule du mot d'esprit nous fait saisir l'erreur de notre jugement.

C'est ce qui d'ailleurs se passe aussi pour l'esprit des mots. Cette phrase : « *Die Erfahrung besteht darin, dass man erfährt, wass man nicht wünscht erfahren zu haben* » (L'expérience consiste à acquérir l'expérience de ce dont l'on ne désirerait pas faire l'expérience) — nous sidère ; nous croyons y découvrir une vérité nouvelle, et ce n'est qu'au bout d'un certain temps que nous reconnaissons dans cette assertion une variante du truisme : « Nous nous instruisons à nos dépens. » (K. Fischer.) L'excellente formule spirituelle, qui met en jeu l'association du mot « Erfahrung » (expérience) et du verbe « erfahren » (apprendre) chargé de définir la « Erfahrung », nous abuse à tel point que nous surestimons le fond même de la phrase. Il en est de même du mot d'esprit par unifica-

tion de Lichtenberg, relatif au mois de janvier (p. 105) ; il ne dit que ce que nous savons depuis toujours, à savoir que les souhaits de nouvel an se réalisent aussi rarement que beaucoup
d'autres ; et nous pourrions citer encore bien
d'autres exemples du même genre.

Il en est tout autrement d'autres mots d'esprit
dans lesquels la pensée juste et pertinente
suffit évidemment à nous captiver ; le propos
nous apparaît comme un mot d'esprit excèl-
lent, alors que seule la pensée est excellente, la
formule spirituelle, par contre, souvent médiocre. Justement les mots de Lichtenberg
brillent, en général, beaucoup plus par la pensée
que par la forme spirituelle, sur laquelle notre
approbation de la première irradie à tort. Par
exemple la réflexion sur « le flambeau de la Vérité » (p. 132) ne constitue guère une comparaison
spirituelle, mais elle est si pertinente que toute
la phrase nous apparaît comme remarquable-
ment spirituelle.

Les mots d'esprit de Lichtenberg sont surtout remarquables par le fond de leur pensée
et par leur pertinence. C'est à juste titre que
Goethe disait de cet auteur que ses saillies si
spirituelles et si plaisantes posent de véritables
problèmes ; mieux encore, en effleurent la solution. Il relève dans cet ordre d'idées :

« Il lisait toujours *Agamemnon* au lieu de
" *angenommen* " (accepté), tant il avait lu

Homère. » La technique est : sottise + assonance;
mais Lichtenberg n'a découvert là rien moins
que le secret même de la faute de lecture [1].

On peut en rapprocher le mot d'esprit suivant
(p. 95), dont la technique ne nous avait que
médiocrement satisfaits :

« *Il s'étonnait de ce que les chats aient, juste
à la place des yeux, deux trous taillés à même
la peau.* » La sottise, malgré son évidence, n'est
qu'apparente ; en réalité sous cette remarque
simpliste se cache le grand problème du rôle
de la téléologie dans la formation des animaux.
Il ne s'impose pas en effet que la fente palpé-
brale s'ouvre justement au contact de la surface libre de la cornée et seule la théorie de
l'évolution explique cette coïncidence.

Retenons-le bien : une phrase spirituelle
nous donne une impression d'ensemble dans
laquelle nous ne pouvons pas dissocier la part
respective du fond de la pensée et celle de
l'élaboration de l'esprit ; peut-être se trouvera-
t-il plus tard, sur ce point, un parallèle encore
plus topique.

Pour élucider du point de vue théorique
l'essence de l'esprit, les mots inoffensifs ont plus

1. Cf. ma *Psychopathologie des Alltagslebens*, 1904, 10ᵉ éd., 1923
(*Gesammelte Schriften*, vol. IV.) *La Psychopathologie de la vie quotidienne*, trad. Jankélévitch. Payot, Paris, 1924.

de prix que les mots d'esprit tendancieux, les
mots superficiels que les mots profonds. Les
jeux de mots inoffensifs et superficiels présentent
le problème de l'esprit sous sa forme la plus
pure, parce qu'ils nous évitent de nous laisser
égarer par la tendance et nous font échapper
à l'erreur de jugement qui tient à la valeur du
sens. Grâce à ce matériel, notre compréhension
pourra réaliser de nouveaux progrès. Je choisis un exemple d'esprit des mots aussi inoffensif que possible.

Une jeune fille en train de s'habiller (« anzie-
hen ») se plaint, à l'annonce d'une visite : « Quel
dommage qu'on ne puisse se montrer au moment
où l'on est le plus *attrayant* » (Gerade wenn man
am *anziehendsten* ist) [1].

Mais comme je commence à douter de mon
droit à considérer ce mot comme non tendancieux, je vais le remplacer par un autre tout à
fait simpliste, et, de ce fait, au-dessus de pareilles
objections :

Dans une maison où j'étais invité, on sert à
la fin du repas cet entremets nommé *roulard*
dont la confection exige un certain talent de la
part de la cuisinière. « C'est fait chez vous ? »
demande un des invités. Et le maître de maison
de répondre : « Certainement, c'est un *home-
roulard* (home-rule). »

1. R. Kleinpaul, *Die Rätsel der Sprache*, 1890. *Anziehend* = en
train de s'habiller = attrayant. (N. d. T.)

Cette fois nous ne voulons pas analyser la technique de ce mot d'esprit, mais concentrer notre attention sur un autre facteur, qui est sans doute le plus important. Ce mot d'esprit impromptu — je m'en souviens fort bien — plut fort aux convives et nous fit rire de bon cœur. Dans ce cas, comme dans tant d'autres, la sensation éprouvée par l'auditeur ne peut provenir ni de la tendance, ni du fond de la pensée ; il ne reste donc qu'à l'attribuer à la technique du mot d'esprit. Les procédés techniques, décrits plus haut (condensation, déplacement, représentation indirecte, etc.) ont ainsi le pouvoir de susciter chez l'auditeur un sentiment de plaisir sans que nous puissions déterminer la modalité de ce pouvoir. De cette manière nous arrivons à la deuxième proposition capable d'élucider le problème de l'esprit ; la première (p. 26) énonçait que le caractère du mot d'esprit était lié à la forme expressive. Remarquons cependant que la seconde proposition ne nous a, en définitive, rien appris de nouveau. Elle ne fait qu'isoler ce qu'une expérience antérieure nous avait déjà enseigné. Nous nous rappelons en effet que lorsqu'il était possible de réduire le mot d'esprit, c'est-à-dire de remplacer son expression verbale par une autre, tout en conservant soigneusement l'intégralité de son sens, non seulement le caractère spirituel s'évanouissait, mais encore l'effet risible, bref tout ce qui en faisait le charme.

Nous n'osons poursuivre ici sans nous être préalablement expliqués avec nos autorités philosophiques.

Les philosophes, qui rangent l'esprit dans le comique et traitent du comique même dans l'esthétique, assignent comme caractère fondamental à la représentation esthétique d'être complètement indépendante et dégagée de toute considération utilitaire des choses, de toute intention d'en faire usage pour satisfaire à un des grands besoins vitaux ; leur contemplation, la jouissance de leur représentation nous doivent suffire. « Cette jouissance, ce mode de représentation d'une chose, est purement esthétique ; elle est autonome, elle a en elle sa propre fin et n'a point d'autre objectif vital » (K. Fischer, p. 87).

Or, nous ne contredisons guère à ces paroles de K. Fischer, nous nous bornons peut-être à traduire sa pensée dans notre langage quand nous faisons ressortir que l'activité spirituelle ne doit pas être qualifiée d'activité sans but et sans dessein, puisqu'elle a évidemment un but : celui d'éveiller le plaisir chez l'auditeur. Je doute que nous ne puissions jamais rien entreprendre sans intention. Quand nous ne nous servons pas de notre appareil psychique pour obtenir la satisfaction d'un besoin vital, nous lui laissons prendre son plaisir en lui-même,

nous cherchons à nous procurer du plaisir par
sa propre activité. Je suppose que telle est la
condition *sine qua non* de toute représentation
esthétique, mais je me sens trop incompétent
en matière d'esthétique pour soutenir cette
proposition ; de l'esprit, par contre, je puis,
à la lumière des deux considérations précédentes, affirmer qu'il est un mode d'activité
qui tend à demander le plaisir à des processus
psychiques, — intellectuels ou autres. Il est
certainement encore d'autres modes d'activité
qui tendent au même but. Ils diffèrent peut-
être par la sphère de l'activité psychique à
laquelle ils demandent le plaisir, peut-être par
la méthode qu'ils emploient à cette intention.
Nous ne sommes pas actuellement en état de
trancher la question, mais nous retiendrons
que la technique de l'esprit et la tendance à
l'épargne (p. 69) qui la domine prennent part
à la genèse de notre plaisir.

Mais avant de nous attaquer à cette énigme
— comment les processus techniques de l'élaboration de l'esprit peuvent-ils procurer du
plaisir à l'auditeur —, nous rappellerons que,
pour être plus simple et plus clair, nous avons
fait abstraction des mots d'esprits tendancieux.
Il nous faut pourtant chercher à élucider quelles
sont les tendances de l'esprit et de quelle manière
l'esprit les sert.

Tout d'abord, l'observation suivante nous

invite à ne pas laisser de côté le mot d'esprit
tendancieux dans notre recherche de l'origine
du plaisir que nous procure l'esprit. Le plaisir
que nous donne l'esprit inoffensif est presque
toujours médiocre ; c'est tout au plus une sensation nette d'agrément ou un pâle sourire qu'il
réussit à provoquer chez l'auditeur ; et encore
une partie de cet effet revient-elle au fond même
de la pensée, comme nous l'avons pu voir par
des exemples appropriés (p. 146). Presque
jamais l'esprit sans caractère tendancieux
ne déchaîne ces brusques éclats de rire qui
rendent si irrésistible l'esprit tendancieux.
Leurs techniques pouvant être identiques,
nous sommes amenés à penser que c'est justement en raison même de sa tendance que l'esprit tendancieux dispose de sources de plaisir
inaccessibles à l'esprit inoffensif.

Il devient facile d'embrasser d'un coup d'œil
les tendances de l'esprit. Lorsque l'esprit n'est
pas à lui-même sa propre fin, c'est-à-dire
lorsqu'il est inoffensif, il ne sert que deux tendances, qui elles-mêmes sont susceptibles d'être
embrassées d'un seul coup d'œil : l'esprit est
ou bien *hostile* (il sert à l'attaque, à la satire,
à la défense), ou bien *obscène* (il déshabille).
De prime abord, il convient de remarquer à
nouveau que la nature technique de l'esprit —
esprit des mots, esprit de la pensée — n'a aucun
rapport avec chacune de ces deux tendances.

Il nous faudra de plus longs développements
pour montrer comment l'esprit sert ces tendances. Je m'occuperai tout d'abord non pas
de l'esprit hostile, mais de l'esprit qui déshabille.
Certes, on l'a étudié bien plus rarement que le
premier, comme si la répugnance avait irradié
du fond à la forme elle-même ; toutefois, il ne
faudra pas nous laisser égarer, car nous allons
bientôt tomber sur un cas limite de l'esprit
susceptible, espérons-le, de nous éclairer sur
bien des points demeurés obscurs.

On sait bien ce que l'on entend par « grivoiseries » (*Zoten*) : c'est l'évocation intentionnelle,
par l'intermédiaire de la parole, de situations
et d'actes sexuels. Cependant cette définition
ne vaut guère mieux que d'autres. Une confé-
rence sur l'anatomie des organes sexuels ou sur
la physiologie de la génération n'a, malgré
notre définition, rien à voir avec la grivoiserie.
Il faut encore que la grivoiserie s'adresse à une
personne déterminée, qui nous excite sexuelle-
ment, et à qui ce « propos salé » révèle l'excitation sexuelle de celui qui le tient, éveillant
ainsi en elle une excitation du même ordre.
Il se peut aussi que la grivoiserie provoque,
chez qui l'entend, au lieu de l'excitation sexuelle,
la honte et l'embarras, ce qui n'est qu'une
réaction contre l'excitation, c'est-à-dire l'aveu
détourné de celle-ci. La grivoiserie, par conséquent, vise à l'origine la femme et équivaut

à une tentative de séduction. Lorsque, dans une réunion masculine, un homme se complaît à raconter ou à entendre des grivoiseries, il se place par l'imagination dans une situation primitive que les institutions sociales ne lui permettent plus de réaliser. Celui qui rit d'une grivoiserie rit comme s'il était témoin d'une agression sexuelle.

Le sexuel, qui constitue le fond même de la grivoiserie, ne se borne pas à ce qui distingue les sexes, mais s'étend, en outre, à ce qui est commun aux deux sexes et également objet de honte, à savoir à l'excrémentiel dans tous ses domaines. Or, c'est précisément là l'extension du « sexuel » au temps de l'enfance ; dans la représentation infantile existe en quelque sorte un cloaque dans lequel le sexuel et l'excrémentiel se distinguent peu ou prou [1]. Partout, dans le domaine de la psychologie des névroses, le sexuel implique encore l'excrémentiel et reste compris au sens archaïque, infantile.

La grivoiserie déshabille, pour ainsi dire, la personne de l'autre sexe à qui elle s'adresse. Les propos obscènes forcent la personne attaquée à s'imaginer les parties respectives ou les actes correspondants et donnent à penser que le

---

1. Cf. mes *Drei Abhandlungen zur Sexualtheorie*, 1905. (*Ges. Schrift.*, vol. V). *Trois essais sur la théorie de la sexualité*, trad. Reverchon. Éd. N. R. F., Paris, 1925.

conteur les a lui-même devant les yeux. Incontestablement le plaisir de voir à nu les parties
sexuelles est le thème primordial de la grivoiserie.

Il convient, pour élucider cette question, de
remonter aux origines. La tendance à regarder
à nu les caractères distinctifs du sexe est une
des composantes primitives de notre libido.
Elle serait déjà le substitut d'un plaisir que l'on
peut considérer comme primaire : à savoir,
celui de toucher les parties sexuelles. Comme
c'est si souvent le cas, la vue a ici remplacé
le toucher [1]. La libido de la vue ou du toucher
existe chez chacun de nous sous une double
forme, active et passive, masculine et féminine ;
elle se développe, suivant la prédominance
du caractère sexuel, d'une façon dominante
dans l'un ou dans l'autre sens. Chez le jeune
enfant on peut aisément observer la tendance
à se mettre nu. Là où le germe de cette tendance,
contrairement à son destin habituel, n'est ni
recouvert par d'autres strates ni réprimé, il
se développe et devient la perversion des
hommes adultes connue sous le nom d'exhibitionnisme. Chez la femme, cette tendance
passive à l'exhibition est presque toujours

1. Molls Kontrektationstrieb (Untersuchungen über die Libido
sexualis, 1898). (*Instinct de contrectation. Recherches sur la libido
sexuelle.*)

neutralisée par la réaction puissante de la
pudeur sexuelle. L'habillement lui réserve
toutefois une échappatoire ; il suffira de faire
observer combien l'exhibitionnisme licite de la
femme est élastique et variable suivant les
circonstances et les conventions sociales.

Cette tendance persiste à un haut degré chez
l'homme, en tant que partie constituante de la
libido, et sert à préparer l'acte sexuel. Si elle se
manifeste à la première approche de la femme,
il lui faut, pour deux raisons, avoir recours
au langage. En premier lieu, afin de se montrer à la femme ; en second lieu, parce que
l'éveil de ladite représentation, provoquée
chez la femme, par ces propos, est apte à produire chez celle-ci l'état d'excitation corres-
pondante et à éveiller en elle la tendance à
l'exhibitionnisme passif. Ce discours suggestif
n'est pas encore le propos grivois, mais il y
aboutit. Si la femme capitule rapidement, le
discours obscène ne dure point et cède la place
aux actes sexuels. Il en est tout autrement
lorsque l'homme ne peut escompter l'acquies-
cement facile de la femme, lorsque, au contraire,
il se heurte à des réactions défensives. Les
propos aptes à provoquer l'excitation sexuelle,
les grivoiseries, deviennent alors à eux-mêmes
leur propre objectif ; l'agression sexuelle, étant
arrêtée dans sa progression vers l'acte, se borne
à provoquer l'excitation, dont elle se complaît

à saisir les signes chez la femme. L'agression
change alors de caractère, comme toute manifestation libidinale contrariée ; elle devient
directement hostile et cruelle, elle appelle à son
aide, pour surmonter l'obstacle, la composante
sadique de l'instinct sexuel.

La résistance de la femme est ainsi la première
condition de l'éclosion du propos grivois, seulement, il est vrai, dans le cas où la résistance
n'apparaît que comme un atermoiement et
laisse espérer que les efforts ne resteront pas
vains. Le cas idéal d'une résistance est fourni
par la présence d'un tiers, car l'éventualité
de la condescendance immédiate de la femme
doit être à peu près exclue. Ce tiers acquiert
bientôt un rôle de premier plan dans le développement de la grivoiserie ; mais tout d'abord,
à l'origine, la présence de la femme était indispensable. A la campagne ou à l'humble auberge,
on peut observer que c'est l'entrée de la ser-
vante ou de la patronne qui déclenche la grivoiserie ; ce n'est qu'à un degré plus élevé de
l'échelle sociale que se produit l'effet contraire ;
la grivoiserie s'arrête dès qu'une femme paraît,
les hommes ne reprennent ce genre d'amusement — qui à l'origine impliquait la présence
d'une femme à la pudeur effarouchée — que
lorsqu'ils sont « entre eux ». Ce n'est plus à la
femme, mais au spectateur, à l'auditeur, que la
grivoiserie a fini par s'adresser, et par cette

11

évolution elle se rapproche déjà du caractère du mot d'esprit.

Dès à présent, notre attention peut se fixer sur deux facteurs : le rôle du tiers, c'est-à-dire de l'auditeur, et les conditions intrinsèques de la grivoiserie elle-même.

L'esprit tendancieux nécessite en général l'intervention de trois personnages : celui qui fait le mot, celui qui défraie la verve hostile ou sexuelle, enfin celui chez lequel se réalise l'intention de l'esprit, qui est de produire du plaisir. Nous rechercherons plus loin la raison profonde de ces rapports ; ce n'est pas celui qui fait le mot d'esprit qui en rit, qui jouit du plaisir qu'il procure ; c'est l'auditeur passif. Les trois personnages de la grivoiserie ont entre eux les mêmes rapports. Voici comment on peut décrire les choses : l'impulsion libidinale du premier, ne pouvant se satisfaire par la femme, se transforme en une tendance hostile à l'adresse de cette dernière et fait appel au tiers, qui était primitivement son trouble-fête, comme à un allié. Les paroles grivoises du premier livrent la femme sans voiles aux regards du tiers qui, en tant qu'auditeur, — puisqu'il peut satisfaire ainsi, à peu de frais, sa propre libido — se laisse volontiers séduire.

Il est curieux de voir comme le bas peuple se complaît à ces échanges de grivoiseries, qui ne manquent jamais leur effet hilarant. Il

convient également de remarquer que, malgré
ces processus compliqués, qui présentent avec
l'esprit tendancieux tant de points de contact,
la grivoiserie est affranchie de toutes les exigences formelles particulières à l'esprit. L'évocation sans voiles de la nudité remplit d'aise
le premier et déchaîne l'hilarité du tiers.

La nécessité d'une forme spirituelle n'apparaît que lorsque l'on s'adresse à des gens raffinés
et éduqués. La grivoiserie devient spirituelle
et n'est plus tolérée qu'à cette condition. Son
procédé technique le plus courant consiste
dans l'allusion, c'est-à-dire dans le remplacement par un détail qui n'offre que des rapports
lointains avec l'obscénité que l'auditeur rétablit en imagination, franche et entière. Plus
l'écart est grand entre ce que la grivoiserie
exprime directement et ce qu'elle suggère impé-
rieusement à l'auditeur, plus le mot est fin et
plus il a droit de cité dans la bonne société.
En dehors de l'allusion grossière ou fine, la
grivoiserie spirituelle — comme le prouvent
bien des exemples — peut s'approprier toutes
les autres ressources de l'esprit des mots et de
l'esprit de la pensée.

On comprend enfin les services que l'esprit
peut rendre aux tendances qu'il sert. Il permet
la satisfaction d'un instinct (le lubrique et l'hostile) en dépit d'un obstacle qui lui barre la route ;
il tourne cet obstacle et tire ainsi du plaisir

de cette source de plaisir, source que l'obstacle lui avait rendue inaccessible. L'obstacle qui s'interpose n'est au fond rien d'autre que l'inaptitude de la femme, en raison de sa position sociale et de son degré d'éducation, à supporter le sexuel autrement que voilé. Dans la situation primitive, la femme était présente, et l'on continue à la penser présente, ou bien elle continue, malgré son absence, à exercer une influence intimidatrice sur les hommes. Il est, d'autre part, d'observation courante, que, même parmi les hommes des classes élevées, la présence d'une fille de basse condition ravale la grivoiserie spirituelle au rang de la grivoiserie la plus vulgaire.

La force qui rend difficile ou impossible à la femme — et à un moindre degré à l'homme — la jouissance de l'obscénité crue, nous l'appelons le « refoulement » ; nous reconnaissons en elle ce même processus psychique qui, dans les cas morbides les plus graves, soustrait à la conscience des complexes émotifs complets ainsi que leurs dérivés et qui apparaît comme le facteur essentiel de la causation des psychonévroses. Nous attribuons à la culture et à la bonne éducation une grande influence sur le développement du refoulement, et nous admettons que, dans ces conditions, l'organisation psychique subit une transformation, qui se transmet d'ailleurs parfois léguée sous la forme

d'une disposition héréditaire, transformation
qui nous rend inacceptable ce que nous ressen-
tions comme agréable et que nous repoussons
désormais de toutes les forces de notre psychisme.
Le travail de refoulement de la culture annihile
en nous des facultés primitives de jouissance,
répudiées à présent par la censure. Le renoncement est cependant terriblement dur à l'âme
humaine. Or l'esprit tendancieux permet de
neutraliser ce renoncement et de retrouver le
bien perdu. L'obscénité spirituelle qui nous
fait rire équivaut à la grivoiserie grossière dont
s'ébaudit le paysan ; dans les deux cas la source
du plaisir est identique ; nous ne saurions
rire de la grivoiserie grossière, nous en aurions
honte ou bien elle nous répugnerait ; nous ne
pouvons rire que lorsque l'esprit est venu à la
rescousse.

Ainsi se trouve démontré ce que nous avions
présumé plus haut : que l'esprit tendancieux
s'alimente à des sources de plaisir autres que
celles de l'esprit inoffensif, où tout le plaisir,
d'une manière ou de l'autre, est lié à la technique. Rappelons que, dans l'impression produite en nous par l'esprit tendancieux, nous ne
saurions distinguer quelle part du plaisir revient
à la technique, quelle autre à la tendance. Nous
ne savons donc, à proprement parler, de quoi
nous rions. Tous les mots d'esprit obscènes
nous exposent aux erreurs de jugement les plus

flagrantes sur leur qualité de bons mots et cela
dans la mesure où cette qualité dépend de
leurs conditions formelles ; leur technique est
souvent médiocre, leur effet risible est pourtant irrésistible.

Recherchons à présent si l'esprit rend les
mêmes services aux tendances hostiles.

D'emblée nous nous heurtons aux mêmes
difficultés. Nos impulsions hostiles à l'égard
de notre prochain ont été soumises, depuis
notre enfance comme depuis celle de la culture
humaine, aux mêmes restrictions, au même
refoulement progressif que nos aspirations
sexuelles. Nous n'en sommes pas encore arrivés
à aimer nos ennemis ni à tendre la joue gauche
lorsque l'on nous soufflette sur la droite ; de
même toutes les prescriptions morales destinées
à inhiber la haine agissante en portent nettement la marque : elles ne valaient à l'origine
que pour une communauté restreinte de parents.
En tant que nous nous considérons comme
citoyens d'une même nation, nous nous affran-
chissons de la majorité de ces restrictions à
l'égard des gens d'une autre nation. Mais, au
sein de notre propre cercle, nous avons néanmoins réalisé des progrès dans la domination
de nos impulsions hostiles ; suivant la forte

expression de Lichtenberg, là où l'on dit « Pardon », on aurait autrefois donné une gifle. Les voies de fait, prohibées par la loi, ont été remplacées par des invectives verbales, et la connaissance plus approfondie de l'enchaînement des impulsions humaines, impliquant le « *tout comprendre c'est tout pardonner* », nous empêche de plus en plus de nous insurger contre notre prochain, lorsqu'il se trouve sur notre chemin. Doués, tant que nous sommes enfants, de puissantes dispositions à l'hostilité, une plus haute culture individuelle nous apprend par la suite qu'il est malséant de proférer des injures et, même dans les cas où la lutte est légitime, la liste des armes prohibées dans le combat s'est considérablement allongée. Depuis que nous avons dû renoncer à manifester notre hostilité par des voies de fait — empêchés que nous l'étions par la présence d'un tiers indifférent, qui a intérêt au maintien de sa sécurité personnelle — nous avons développé une nouvelle technique de l'invective, analogue à celle de l'agression sexuelle, technique qui vise à mettre ce tiers dans notre jeu contre notre adversaire. Nous dépeignons cet ennemi sous des traits mesquins, vils, méprisables, comiques, et, grâce à ce détour, nous savourons sa défaite que nous confirme le rire du tiers, dont le plaisir est tout gratuit.

Nous soupçonnons donc le rôle de l'esprit

dans l'agression hostile. L'esprit nous permettra d'utiliser ce qu'il y a de ridicule en notre
ennemi, et qu'il ne nous était pas permis d'exprimer à haute voix ou consciemment, en raison
des obstacles qui s'y opposaient. Et l'esprit
*éludera ainsi à nouveau des restrictions et nous
rendra des sources de plaisir devenues inaccessibles*. Il poussera, par surcroît, l'auditeur —
gagné à notre cause par le plaisir qu'il a goûté —
à prendre sans plus notre parti, de même qu'il
nous arrive d'autres fois, séduits par l'esprit
inoffensif, de surestimer le fond même d'une
phrase formulée de façon spirituelle. Notre
langue ne dit-elle pas avec une justesse absolue
qu'« il faut mettre les rieurs de son côté » ?

Considérons les mots d'esprit de M. N..., que
nous avons cités dans le chapitre précédent.
Ce sont tous des dénigrements. C'est tout
comme si M. N... voulait s'écrier : « Ce ministre
de l'Agriculture est un véritable bœuf! Laissez-
moi en paix avec ce ***, qui crève de vanité.
Je ne connais rien de plus fastidieux que les
articles de cet historien sur Napoléon et l'Autriche! » Mais le niveau moral élevé de M. N...
l'empêchait de s'exprimer de la sorte. Aussi
ces dénigrements font-ils appel à l'esprit pour
trouver crédit auprès de l'auditeur qui, malgré
leur justesse éventuelle, se serait refusé à entendre de telles opinions sous une forme non
spirituelle. Un de ces mots est particulièrement

instructif ; c'est celui du « rote Fadian », qui,
peut-être, est le plus irrésistible de tous. Qu'est-
ce qui nous force à rire, sans nous soucier, le
moins du monde, de savoir s'il est fait injustement tort à ce pauvre écrivain ? Assurément
la forme spirituelle, c'est-à-dire l'esprit. Mais
de quoi rions-nous là ? Sans aucun doute, nous
rions de sa personne même, figurée sous les
traits du « filandreux rouquin », et en particulier de sa chevelure rousse. L'homme bien
élevé s'est déshabitué de railler les tares physiques, en outre la chevelure rousse ne compte
pas parmi les défauts physiques risibles. Elle
semble néanmoins telle à l'écolier, au vulgaire
et, en raison du niveau de leur éducation, à
certains représentants communaux et parle-
mentaires. Or, ce mot d'esprit de M. N... nous
a permis — et ceci suivant le mode le plus ingénieux — à nous, gens adultes et délicats, de
rire de la chevelure rousse de l'historien X, tout
comme si nous étions des écoliers. Certes,
M. N... n'y avait point songé ; mais il est fort
douteux que quelqu'un, qui laisse courir son
esprit, doive en connaître les intentions précises.

L'obstacle à l'agression, que l'esprit aidait
à tourner, était, dans ces cas, d'ordre intérieur
— à savoir, la révolte esthétique contre l'invective ; d'autres fois il peut être d'ordre purement
extérieur. Il en est ainsi lorsque Serenissimus,
frappé de la ressemblance qu'un étranger offrait

avec lui-même, demande : « Ta mère a-t-elle
habité la résidence ? » et reçoit du tac au tac
la réponse : « Non pas ma mère mais mon père. »
L'interlocuteur voudrait sûrement assommer
le malotru qui, par cette allusion, ose salir la
mémoire de sa mère chérie. Mais ce malotru est
Serenissimus, que l'on ne peut frapper, ni même
offenser, sans expier cette vengeance durant
toute sa vie. Il eût donc fallu sans mot dire
avaler l'outrage. Heureusement l'esprit offre
la possibilité de rendre, sans danger, à autrui,
la monnaie de sa pièce, de saisir l'allusion par
le moyen technique de l'unification et de la
retourner contre l'assaillant. L'impression du
spirituel est ici si intimement déterminée par la
tendance que, en présence de la riposte spirituelle, nous tendons à oublier que la question
agressive elle-même joue de l'esprit par allusion.

Si fréquent est l'obstacle créé à l'injure ou à
la riposte outrageante par des causes extrinsèques que l'esprit tendancieux affecte une
prédilection toute spéciale pour l'attaque ou la
critique des gens haut placés et des gens qui
prétendent au pouvoir. L'esprit permet alors
de s'insurger contre une telle autorité et par là
de se libérer de son poids. Là réside aussi l'attrait de la caricature, qui nous fait rire même
quand elle est peu réussie, par cette seule raison que nous lui savons gré de s'insurger contre
l'autorité.

Si nous retenons ce fait que l'esprit tendancieux se prête si bien à l'attaque contre tout ce
qui est grand, respectable et puissant et que
l'inhibition intérieure ou les circonstances
extérieures préservent de la déconsidération
directe, force nous est d'envisager à part certains groupes de mots d'esprit qui semblent
viser des personnes inférieures et faibles. J'ai
en vue les histoires de marieurs, dont nous avons
rapporté quelques exemples au cours de l'examen
des techniques multiples de l'esprit de la pensée.
Dans quelques-unes d'entre elles, par exemple
« Elle est de plus sourde » et « Qui prêterait à ces gens? » on se moque du marieur
comme d'un imprudent et d'un étourdi, comique par la candeur en quelque sorte automatique avec laquelle il laisse échapper la vérité.
Mais comment accorder, d'une part, les notions
que nous avons acquises plus haut sur la nature
de l'esprit tendancieux, d'autre part l'intensité
du plaisir que nous procurent ces histoires,
avec la mesquinerie des personnages visés par
ce mot d'esprit? Sont-ce là des adversaires
dignes de notre esprit? Ne semble-t-il pas
plutôt que l'esprit ne mette en avant les marieurs que pour atteindre, derrière eux, quelque
chose de plus important, tel le héros du proverbe, qui frappe le sac pour s'en prendre à
l'âne? Cette conception n'est réellement pas
à dédaigner.

L'interprétation des histoires de marieurs
demande à être poussée plus loin. Je pourrais
certes ne pas m'engager dans cette voie, me
contenter de n'y voir que « galéjades » et refuser
à ces histoires le caractère spirituel. L'esprit
comporte en effet une telle conditionnalité
subjective ; notre attention vient d'être attirée
sur ce point que nous devrons étudier plus tard.
Cette condition le proclame : n'est esprit que ce
que j'accepte comme tel. Ce qui pour moi est
un mot d'esprit peut n'être pour un autre qu'une
histoire comique. Un mot d'esprit nous sug-
gère-t-il ce doute, c'est qu'il possède une face —
dans notre cas une façade comique — qui
éblouit l'un tandis qu'un autre peut essayer
de regarder derrière. On peut aussi soupçonner
que cette façade soit destinée à éblouir le regard
qui scrute et que, par conséquent, ces histoires
cachent quelque chose.

En tout cas, si nos histoires de marieurs sont
des mots d'esprit, elles sont des mots d'esprit
d'autant meilleurs que non seulement elles sont
capables, grâce à leur façade, de dissimuler ce
qu'elles ont à dire, mais encore de dire quelque
chose de défendu. L'interprétation qui, en se
poursuivant, dévoile ce qui est caché et révèle
comme tendancieuses ces histoires à façade
comique, pourrait être celle-ci : celui qui laisse
échapper ainsi inopinément la vérité est, en
réalité, heureux de jeter le masque. C'est là

une conception juste et profondément psychologique. Sans ce consentement intérieur personne ne succomberait à l'automatisme qui
révèle ici la vérité [1]. De la sorte le marieur, qui
nous semblait tout d'abord ridicule, nous
devient sympathique et digne de pitié. Quelle
joie ce doit être pour cet homme d'être enfin
libéré du fardeau de la dissimulation, quand
il saisit la première occasion de crier la vérité
tout entière! Lorsqu'il voit que le jeu est perdu,
que la fiancée déplaît au jeune homme, il
révèle volontiers un nouveau défaut qui avait
passé inaperçu ; ou bien il s'empresse, à l'occasion d'un détail, d'apporter un argument décisif lui permettant de cracher son mépris à la
face de ceux qui recourent à ses services : « Je
vous demande qui prêterait à ces gens! » Tout
le ridicule tombe en l'espèce sur les parents
ainsi mis en cause, qui, eux, ne reculent pas
devant une pareille escroquerie pour procurer
un mari à leur fille, sur la condition misérable
des filles qui se prêtent à de tels trafics, sur
l'indignité des unions scellées sous de tels aus-
pices. Le marieur est spécialement qualifié
pour les traumatiser, car il connaît de près tous
ces abus, mais il ne peut les publier à haute

---

1. Il s'agit du même mécanisme qui régit le « lapsus linguae » et
d'autres phénomènes de la trahison de soi-même. Voir *Zur Psychopathologie des Alltagslebens* (La Psychopathologie de la vie quotidienne).

voix, puisque sa pauvreté le condamne à en vivre. Or un conflit tout semblable affecte également l'âme populaire, qui a créé de telles histoires, car elle sait que la sainteté des unions matrimoniales souffre gravement de la révélation de tous ces préliminaires.

Rappelons une remarque que nous avons formulée à propos de la technique de l'esprit : le contresens remplace souvent, dans le mot d'esprit lui-même, la moquerie et la critique incluses dans la pensée qui se cache derrière le mot ; par là, du reste, l'élaboration de l'esprit ressemble à l'élaboration du rêve ; en voici une confirmation nouvelle. Ce fait que la satire et la critique ne s'adressent pas à la personnalité du marieur qui, dans les exemples précédents, était une véritable « tête de Turc », est démontré par toute une série de mots d'esprit dans lesquels le marieur est, tout au contraire, figuré comme un personnage d'intelligence supérieure, comme un dialecticien capable d'aplanir toutes les difficultés. Ce sont des histoires dont la façade est logique au lieu d'être comique, des mots d'esprit de la pensée d'ordre sophistique. Dans une de ces histoires (p. 99) le marieur parvient à faire passer le prétendant sur la boiterie de la fiancée. C'est là, du moins, « chose faite », tandis qu'une femme aux jambes droites risquerait à chaque instant de tomber, de se briser la jambe, d'où maladie, souffrance,

frais médicaux ; tout cela vous est évité avec une
boiteuse. Ou bien dans une autre histoire, il
rétorque fort judicieusement, et un à un, les
griefs du prétendant à l'égard de sa fiancée, et
il oppose à la dernière objection, celle-ci irré-
futable, l'argument suivant : « Que voulez-vous!
il vous faut donc une femme sans défauts ? » —
comme si rien ne subsistait des insinuations
précédentes. Il est aisé, dans ces deux cas, de
signaler les points faibles de l'argumentation ;
c'est ce que nous avons fait à propos de l'examen de leur technique. Cette fois, c'est un nouveau point qui nous intéresse. Le fait que le
discours du marieur ait toutes les apparences
d'une rigoureuse logique, apparences dont un
examen attentif démontre le néant, recouvre
cette vérité que l'esprit donne raison au marieur ;
la pensée ne se risque pas à lui donner raison
sur le mode sérieux et remplace ce mode sérieux
par un camouflage spirituel ; mais, comme en
bien d'autres circonstances, la plaisanterie
trahit ici l'intention sérieuse. Nous ne crai-
gnons pas de nous tromper en supposant que
toutes ces histoires à façade logique veulent
vraiment dire ce qu'elles prétendent dire avec
des arguments volontairement erronés. C'est
précisément cet emploi du sophisme comme
truchement de la vérité qui lui confère le caractère de l'esprit, caractère qui dépend ainsi
avant tout de la tendance. Le fond même de

ces deux histoires est, en effet, le suivant : le
prétendant se couvre réellement de ridicule
en cherchant de tous côtés, avec un soin jaloux,
des avantages à la fiancée, avantages qui, en
réalité, s'écroulent l'un après l'autre, et il oublie
ce faisant qu'il doit s'attendre à prendre pour
femme une personne qui — comme tous les
êtres humains — a forcément des défauts,
tandis que la seule qualité capable de rendre
supportable le mariage avec une créature plus
ou moins imparfaite, à savoir l'inclination
mutuelle, le désir d'une entente amicale,
n'entrent même pas en ligne de compte dans
tout ce marché.

La satire du prétendant qu'impliquent ces
récits, au cours desquels le marieur se donne
fort justement des airs de supériorité, est encore
plus nette dans quelques autres histoires. Plus
elles sont transparentes, moins elles participent
à la technique de l'esprit ; elles demeurent,
pour ainsi dire, aux confins de l'esprit ; tout ce
qu'elles ont en commun avec la technique de
l'esprit, c'est l'édification d'une façade. Cependant leurs tendances identiques et la dissimulation de celle-ci derrière une façade leur con-
fèrent dans leurs effets le même pouvoir qu'à
l'esprit. En outre, l'indigence des moyens techniques explique que bien des mots d'esprit
de ce genre ne peuvent — sans nuire à leur
effet — se passer de l'élément comique du jar-

gon, qui fait en l'espèce office de technique spirituelle.

Voici une histoire du même genre qui, tout en possédant toute la force de l'esprit tendancieux, ne laisse cependant rien paraître de sa technique : Le marieur demande : « Que réclamez-vous de votre fiancée? » — Réponse : « Je la veux belle, je la veux riche, je la veux instruite. » — « Fort bien, dit le marieur, mais cela fait trois partis. » C'est là une réprimande en règle sans aucun revêtement spirituel.

Dans tous les exemples précédents, l'agression dissimulée visait encore des personnes ; dans les mots d'esprit de marieurs, toutes celles qui participent au trafic des mariages : fiancée, prétendant et parents. Mais l'esprit peut aussi bien s'attaquer à des institutions, à des gens en tant que protagonistes de ces institutions, à des préceptes moraux ou religieux, à des idées générales sur la vie, qui jouissent d'un tel crédit qu'aucune protestation ne peut se passer du masque d'un mot d'esprit, même d'un mot d'esprit dissimulé sous une façade. Si les thèmes auxquels cet esprit tendancieux s'attache ne sont pas nombreux, leurs modes d'expression et leurs revêtements sont fort variés. Je crois que nous sommes en droit de donner à ce genre d'esprit tendancieux un nom spécial. Lequel sera le mieux approprié, c'est ce que nous ne pourrons déterminer qu'après avoir cité quelques exemples du genre.

Je rappelle deux histoires — celle du gourmet décavé surpris en train de se régaler de « saumon mayonnaise », et celle du professeur pochard — que nous avons signalées comme mots d'esprit sophistiques par déplacement ; je poursuis ici leur interprétation. Nous avons appris depuis que, lorsque la façade d'une histoire se présente avec toutes les apparences de la logique, la pensée qu'elle recouvre voudrait bien dire, sérieusement : « Cet homme a raison », mais ne se risque pourtant pas, en présence de la contradiction qu'elle rencontre, à lui donner raison, sauf sur un point où son erreur est facilement démontrable. La « pointe » choisie est un véritable compromis entre son « tort » et sa « raison », ce qui n'est certes pas une solution, mais correspond parfaitement à notre propre conflit intérieur. Ces deux histoires sont simplement épicuriennes ; elles reviennent à dire : « Cet homme a raison, il n'y a rien au-dessus de la jouissance, peu importe la façon de se la procurer. » Voilà qui paraît terriblement immoral et, en effet, n'est guère autre chose ; au fond cette formule revient au *Carpe diem* du poète, qui proclame l'incertitude de la vie et la vanité du renoncement au nom de la vertu. Si l'idée que l'homme au « saumon mayonnaise » puisse être dans le vrai nous choque si vivement, c'est

simplement parce que cette vérité est procla-
mée à l'occasion d'une jouissance des plus inférieures et qui nous semble fort superflue. En
réalité, chacun de nous a eu des heures et des
jours où il a adhéré à cette philosophie et
reproché à la morale d'exiger toujours sans
jamais indemniser. Depuis que nous doutons
de l'au-delà, où chacun de nos renoncements
devait être récompensé par une satisfaction —
la foi semble en effet bien rare si le renoncement
en est le critérium — le *Carpe diem* devient un
précepte sérieusement énoncé. Je veux bien
retarder ma satisfaction, mais sais-je si demain
je serai encore de ce monde ?

Di doman' non c'è certezza [1]. (Il n'y a pas de sécurité du lendemain.)

Je veux bien renoncer à m'engager dans toutes
les voies de satisfaction que la société réprouve,
mais suis-je certain de ce qu'elle me dédom-
magera de mon renoncement — fût-ce après un
certain laps de temps — en m'ouvrant la voie
d'une satisfaction licite ? Ce que les mots d'esprit
chuchotent à voix basse, on peut l'énoncer à
haute voix, à savoir : que les désirs et les aspirations des hommes ont le droit de s'affirmer en
face de la morale exigeante et sans égards, et de
nos jours on l'a dit en termes énergiques et

1. Lorenzo dei Medici.

saisissants : cette morale ne serait que le décret égoïste des quelques sujets riches et puissants qui peuvent, eux, toujours sans délai, satisfaire tous leurs désirs. Tant que l'art médical n'aura pas progressé davantage dans l'art d'assurer notre vie et tant que les institutions sociales ne l'auront pas rendue plus agréable, il sera impos-'ble d'étouffer en nous la voix qui s'insurge contre les prescriptions de la morale. Tout homme de bonne foi finira, *in petto* tout au moins, par en faire l'aveu. La résolution de ce conflit n'est possible que par voie indirecte, en considérant la vie sous un angle nouveau. Il faut solidariser sa vie avec celle des autres, s'identifier soi-même dans la mesure du possible avec eux, afin de pouvoir supporter le raccourcissement de la durée de sa propre vie ; et il ne faut pas satisfaire d'une façon illégitime à ses propres besoins, il faut au contraire ne faire le sacrifice, parce que seul le maintien de tant d'exigences irréalisées peut engendrer la force capable de modifier l'ordre social. Mais on ne peut pas déplacer de la sorte, transférer à d'autres, tous ses besoins personnels, et il n'y a pas à ce conflit de solution générale et définitive.

Nous sommes enfin en état de donner à ces mots d'esprit le nom qui leur convient : ce sont des mots d'esprit *cyniques ;* ce qu'ils recouvrent, c'est du *cynisme*.

Parmi les institutions que vise le mot d'esprit

cynique, aucune n'est plus importante, aucune
n'est plus spécialement protégée par la loi morale, mais aucune, en même temps, ne se prête
mieux à l'attaque, que celle du mariage ; aucune
ne défraie donc plus généreusement l'esprit
cynique. Or aucune exigence ne nous touche
plus personnellement que celle de la liberté
sexuelle, et nulle part la civilisation n'a tenté
d'exercer une pression aussi énergique que dans
le domaine de la sexualité. Un seul exemple
suffira à exprimer ce que nous voulons dire : la
« note du carnet du Prince Carnaval » (p. 125) :

« Une épouse est comme un parapluie — on prend
malgré tout un fiacre. »

Nous avons déjà discuté la technique compliquée de cet exemple ; c'est une comparaison
qui, tout d'abord, sidère et semble absurde et
qui, comme nous le voyons maintenant, n'a par
elle-même rien de spirituel ; c'est de plus une
allusion (fiacre — véhicule public) et, procédé
technique le plus puissant, une omission qui
ajoute à l'incompréhensibilité. Voici quelle
serait la marche régulière de la comparaison :
on se marie pour s'assurer contre les tentations
sexuelles, on s'aperçoit alors à l'usage que le
mariage ne satisfait pourtant pas des besoins
quelque peu impérieux ; de même on prend un
parapluie pour se protéger contre la pluie, et
malgré tout on se fait mouiller. Dans les deux

cas, il faut un second moyen de protection plus efficace ; dans le premier cas c'est le fiacre, dans le second, la femme vénale. Voilà donc l'esprit presque entièrement remplacé par le cynisme. On ne se risque pas à proclamer et à publier que le mariage n'est pas l'institution qui permet à l'homme de satisfaire à sa sexualité, à moins d'être un ami de la vérité ou un réformateur fervent du genre de Christian v. Ehrenfels [1]. La force de ce mot réside en ce que — malgré les périphrases — la chose n'en est pas moins dite.

Une circonstance particulièrement favorable à l'esprit tendancieux est la satire de sa propre personne ou, pour s'exprimer de façon plus circonspecte, la satire d'une personnalité collective dont on fait soi-même partie, par exemple sa propre nation. Cette condition de l'autocritique explique l'éclosion, sur le terrain de la vie populaire juive, d'une abondante moisson de mots d'esprit excellents, dont nous avons donné plus haut bon nombre d'exemples. Ce sont des histoires imaginées par des Juifs et dirigées contre des particularités de la race juive. Les mots d'esprit que les étrangers leur ont décochés sont, dans la plupart des cas, de brutales pochades dans lesquelles le fait que le Juif semble aux

1. Voir ses essais dans la *Politisch-Anthropologische Revue*, **II**, 1903.

étrangers un personnage comique tient lieu
d'esprit réel. Les mots d'esprit juifs inventés
par des Juifs accordent également ce point, mais
les Juifs sont conscients des défauts véritables
de leur race ainsi que des qualités qui en sont
fonction, et la participation de leur propre
personne aux travers que le mot d'esprit raille
réalise la condition subjective — qui, dans d'autres cas, est difficile à établir — de l'élaboration
de l'esprit. J'ignore, du reste, si aucun autre
peuple s'est diverti de lui-même avec une égale
complaisance.

Comme exemple à l'appui, nous pouvons
citer l'histoire (rapportée à la page 129) du Juif
qui, dans le train, perd toute civilité et toute
décence, aussitôt qu'il s'aperçoit que le nouveau
venu dans le compartiment est un coreligionnaire. Cette anecdote, nous a servi d'exemple
de suggestion par le détail, de représentation
par le petit côté ; il est représentatif de la mentalité démocratique juive, qui n'établit aucune
différence entre le maître et le valet, mais qui
trouble malheureusement de ce fait la discipline et la collaboration sociales. Une autre
série de mots d'esprit, particulièrement intéressante, décrit les rapports réciproques du
Juif riche et du Juif pauvre ; leurs héros sont
le tapeur juif (Schnorrer) et le patron ou le
baron débonnaires. Le tapeur, qui est tous les
dimanches accepté comme hôte dans une même

maison, arrive un jour en compagnie d'un jeune
homme inconnu, qui fait mine de s'attabler.
« Qui est-ce ? » demande le maître de maison,
et il reçoit la réponse suivante : « Il est mon
gendre depuis une semaine et j'ai promis de lui
donner la table durant la première année. »
— La tendance de ces histoires reste toujours
la même : elle se dégagera mieux encore de la
suivante : le tapeur sollicite du baron l'argent
nécessaire à une cure balnéaire à Ostende ;
le médecin lui aurait recommandé la mer pour
guérir ses malaises. Le baron lui fait observer
qu'Ostende est une station fort coûteuse,
qu'une autre, plus modique, pourrait peut-
être fort bien faire l'affaire. Mais le tapeur
repousse cette proposition en ces termes :
« Monsieur le baron, rien ne me semble trop
cher pour ma santé. » Voilà un superbe mot
d'esprit par déplacement que nous aurions pu
donner comme modèle du genre. Évidemment
le baron veut réaliser une économie, mais le
tapeur répond comme si l'argent du baron
était le sien, et il est vrai que s'il en était réellement ainsi, il serait en droit de donner à sa santé
le pas sur sa fortune. Ce mot d'esprit tend tout
d'abord à nous faire rire de l'insolence de la
réplique, mais, par exception, les mots d'esprit
de cet ordre ne sont pas conditionnés par des
façades trompeuses qui égarent la compréhension. La vérité qui se cache ici est que le tapeur

qui — dans son imagination — considère l'argent du coreligionnaire riche comme le sien propre, est vraiment presque fondé à commettre cette confusion en raison des prescriptions de la loi sacrée d'Israël. Assurément le sentiment de révolte qui a engendré ce mot d'esprit vise cette loi si onéreuse même pour les dévots.

Voici une autre histoire : Un tapeur rencontre un confrère dans l'escalier d'un richard ; celui-ci lui déconseille d'aller plus loin. « Ne monte pas, le baron est mal luné aujourd'hui et ne donne pas plus d'un florin. — Je monte tout de même, dit le premier, pourquoi lui ferais-je cadeau d'un florin ? Me donne-t-il jamais quelque chose, à moi ? »

Ce mot emprunte la technique du contresens, puisque le tapeur affirme simultanément que le baron ne lui donne rien et se met en devoir de solliciter une aumône. Mais le contresens n'est qu'apparent ; il est presque exact que le riche ne lui donne rien puisque, aux termes de la loi d'Israël, le riche est tenu de lui faire l'aumône et que même il devrait lui être reconnaissant de l'occasion qu'il lui offre de faire une bonne action. Il y a donc antinomie entre la conception religieuse et la conception banale et bourgeoise de l'aumône ; la seconde se révolte contre la première dans l'histoire du baron qui, ému par le récit des malheurs du tapeur, sonne son valet : « Fichez-le dehors, il me brise le cœur ! »

Cette mise à nu de la tendance constitue de nouveau un cas limite de l'esprit. Voici la tendance de tous ces mots : « Il n'est guère avantageux d'être un riche parmi les Juifs. La misère d'autrui empêche de jouir de sa propre fortune. » Les histoires précédentes ne diffèrent de cette dernière plainte dénuée d'esprit que par l'optique particulière à une situation donnée.

D'autres histoires, telle que la suivante, et qui, par leur technique, se présentent comme des cas limites de l'esprit, témoignent d'un cynisme profondément pessimiste : Un homme dur d'oreille consulte un médecin, qui conclut avec justesse que la surdité est due à une trop abondante consommation d'eau-de-vie. Il conseille donc à son malade d'y renoncer ; le patient promet de suivre ce conseil. Quelque temps après, le médecin rencontre son malade dans la rue et lui demande, à très haute voix, comment il va. « Merci, répond l'autre, inutile de crier si fort, docteur, j'ai cessé de boire et entends bien. » Plus tard, nouvelle rencontre. Le docteur, de sa voix naturelle, lui demande de ses nouvelles, mais il s'aperçoit qu'il n'est pas compris. « Qu'est-ce ? Comment ? » — « Vous voilà revenu à l'eau-de-vie, crie le docteur à l'oreille de son patient ; voilà pourquoi vous n'entendez pas. » — « Vous pouvez avoir raison, réplique l'homme dur d'oreille, je me suis remis à l'eau-de-vie, mais je vais vous dire pourquoi.

Tant que je n'ai pas bu, j'ai entendu, mais tout ce que j'ai entendu ne valait pas l'eau-de-vie. » — Techniquement parlant, ce mot n'est guère que l'exposé d'une idée ; le jargon, les artifices de la narration sont ici indispensables à provoquer le rire, mais derrière se dresse cette triste question : « Cet homme n'a-t-il pas eu raison dans son choix ? »

Ce sont les mille aspects de la misère sans espoir des Juifs que figurent ces anecdotes pessimistes ; c'est ce caractère commun qui me permet de les grouper sous la rubrique de l'esprit tendancieux.

D'autres histoires, qui participent du même esprit cynique, et qui n'appartiennent pas toutes au cycle juif, prennent à partie les dogmes religieux et la croyance en Dieu elle-même. L'histoire du « Zyeuter du rabbin » est édifiée techniquement sur la faute de raisonnement qui résulte de la juxtaposition sur le même plan de l'imagination et de la réalité (on pourrait, du reste, considérer, avec tout autant de raison, sa technique comme un « déplacement »). Son esprit cynique ou critique s'attaque aux thaumaturges et même à la foi aux miracles. A son lit de mort, Heine aurait fait un mot nettement blasphématoire. Il aurait répondu au prêtre qui amicalement le recommandait à la grâce de Dieu et lui faisait espérer le pardon de ses péchés : « *Bien sûr qu'il me pardonnera ;*

c'est son métier. » C'est là une comparaison
qui rabaisse et, techniquement parlant, elle ne
représente qu'une allusion, car un *métier*, un
commerce, une profession, c'est là le fait d'un
ouvrier ou d'un médecin, par exemple, qui n'ont
l'un et l'autre qu'un seul et unique *métier*. Mais
la force du mot d'esprit réside dans la tendance.
Tout ce qu'il veut dire est ceci : « Il me pardonnera certainement, car il n'est là que pour ça,
je ne me le suis pas procuré pour autre chose »
(comme s'il s'agissait de son médecin ou de son
avocat). Chez ce moribond, qui gît sans force,
une conscience demeure, c'est qu'il a créé Dieu
et l'a doué de puissance pour s'en servir à l'occasion. Cette soi-disant créature, quelques
instants avant son anéantissement, se pose
encore en Créateur.

Aux variétés de mots d'esprit tendancieux
décrits jusqu'ici, à savoir :

l'esprit qui déshabille ou esprit obscène,

l'esprit agressif (hostile),

l'esprit cynique (critique, blasphématoire),
j'en joindrais volontiers une quatrième, beaucoup plus rare, dont le trait caractéristique
apparaît dans l'excellent exemple qui suit :

Deux Juifs se rencontrent en wagon dans
une station de Galicie. « Où vas-tu ? » dit l'un.

— « A Cracovie », dit l'autre. — « Vois quel
menteur tu fais! s'exclame l'autre. Tu dis que
tu vas à Cracovie pour que je croie que tu vas
à Lemberg. Mais je sais bien que tu vas vraiment à Cracovie. Pourquoi alors mentir? »

L'effet de cette savoureuse histoire, qui semble
d'une subtilité exagérée, est apparemment dû
à la technique du contresens. Le second Juif
se fait imputer à mensonge sa déclaration qu'il
va à Cracovie, ce qui est pourtant la vérité.
Ce puissant procédé technique (le contresens)
se combine cependant à un autre, la représentation par le contraire; en effet, d'après l'affirmation incontestée du premier, le second ment
quand il dit la vérité et dit la vérité au moyen
d'un mensonge. Or, le sérieux de cette histoire
consiste dans la recherche du critérium de la
vérité; à nouveau l'esprit conduit à un problème et exploite l'incertitude d'une de nos conceptions les plus courantes. Est-ce dire la vérité
que de présenter les choses telles qu'elles sont,
sans se préoccuper de la façon dont l'auditeur
entendra ce qu'on dit? N'est-ce peut-être là
qu'une vérité jésuitique, et la réelle sincérité
ne consiste-t-elle pas plutôt à tenir compte de
la personne de l'auditeur et à lui fournir un
tirage fidèle de son propre savoir? Je considère
ces mots d'esprit comme suffisamment différents des autres pour leur assigner une rubrique
spéciale. Ils s'attaquent non pas à une personne

ou à une institution, mais à la certitude de
notre connaissance elle-même, qui fait partie
de notre patrimoine spéculatif. Le nom le plus
approprié à ce type d'esprit serait celui « d'esprit
sceptique ».

Au cours de nos études sur les tendances de
l'esprit, nous avons peut-être éclairci quelques
points et nous nous sommes certes sentis enhar-
dis à poursuivre nos investigations ; mais les
conclusions de ce chapitre et celles du chapitre
précédent posent, par leur rapprochement,
un problème difficile à résoudre. S'il est vrai
que le plaisir causé par un mot d'esprit résulte
d'une part de la technique, d'autre part de la
tendance, comment embrasser d'un seul coup
d'œil ces deux sources, si différentes, du plaisir
conféré par le mot d'esprit ?

B

PARTIE SYNTHÉTIQUE

CHAPITRE III

LE MÉCANISME DU PLAISIR
ET LA PSYCHOGENÈSE
DE L'ESPRIT

Quelles sont les sources du plaisir que nous procure l'esprit ? Nous poserons en principe que nous le savons à présent. Certes, nous sommes sujets à l'erreur qui consiste à confondre l'agrément que nous donne le fond de la pensée exprimée par la phrase avec le plaisir proprement dit de l'esprit, mais ce dernier plaisir a essentiellement deux sources : la technique et la tendance de l'esprit. Ce que nous voudrions rechercher à présent, c'est la manière dont le plaisir jaillit de ces sources, le mécanisme de cet « effet de plaisir ».

Nous atteindrons, semble-t-il, plus aisément notre but par l'esprit tendancieux que par l'esprit inoffensif. Nous commencerons donc par le premier.

Le plaisir procuré par l'esprit tendancieux tient à ce qu'il donne satisfaction à une tendance qui, sans lui, demeurerait insatisfaite. Qu'une telle satisfaction constitue une source du plaisir,

voilà qui se passe de plus ample commentaire.
Mais la façon dont l'esprit nous donne cette
satisfaction dépend de circonstances spéciales,
qui nous ouvriront peut-être des horizons nouveaux. Il faut distinguer deux cas. Dans le cas
le plus simple, la satisfaction de la tendance se
heurte à un obstacle extrinsèque, que l'esprit
permet de tourner. C'est ce que nous a montré
la réponse à Serenissimus, qui demandait
si la mère de son interlocuteur avait été à la
résidence, ou bien la question du critique d'art
auquel les deux riches fripons montrent leur
portrait : *And where is the Saviour ?* (Où est le
Sauveur ?) La tendance, dans l'un des cas,
revient à répondre à l'injure par l'injure ;
dans l'autre, à remplacer par une insulte la
critique sollicitée. Ce qui, dans les deux cas,
entrave la tendance, ce ne sont que des facteu rs
extrinsèques : la haute situation et le pouvoir
des personnes en cause. Remarquons toutefois
que, bien que ces mots d'esprit — ou d'autres
du même ordre — à caractère tendancieux, nous
charment, ils ne sont pourtant pas capables de
produire un grand effet risible.

Il en est tout autrement lorsque l'obstacle
n'est plus d'ordre extrinsèque, lorsqu'un obstacle intrinsèque, un sentiment intérieur, s'oppose
à la satisfaction directe de la tendance. Cette
condition serait réalisée, d'après nous, dans
les mots d'esprit agressifs de M. N..., dont le

penchant très marqué à l'invective est tenu en
échec par une haute culture esthétique. Dans
le cas particulier de M. N... l'esprit aide à surmonter la résistance intérieure, à lever l'inhibition. Par là, à l'instar de ce qui se passe en cas
d'obstacle extrinsèque, la satisfaction de la
tendance est rendue possible, la répression
ainsi que la « stagnation psychique » consécutive
est évitée ; jusque-là le mécanisme du développement du plaisir serait, dans les deux cas,
identique.

Nous serons cependant tentés d'approfondir
ici les conditions qui différencient respectivement la situation psychologique dans les cas
d'obstacle externe ou d'obstacle interne, car
il nous paraît possible que la levée de l'obstacle
interne engendre un plaisir incomparablement
supérieur. Mais je proposerais de nous contenter
ici de peu et de nous en tenir provisoirement à
cette seule constatation, qui se borne à ce qu'il
y a pour nous d'essentiel. Les cas d'obstacle
externe et les cas d'obstacle interne ne diffèrent
que sur un point : dans le dernier cas, une
inhibition déjà existante est levée, dans le
premier le développement d'une inhibition
nouvelle est entravé. Nous ne nous aventurerons
pas trop loin dans la voie de la spéculation
en disant que l'établissement comme le maintien d'une inhibition psychique nécessite un
« effort psychique ». S'il est démontré, à présent,

que l'esprit tendancieux, dans les deux cas, procure du plaisir, on sera tout près d'admettre *que le « plaisir » ainsi acquis correspond à une épargne de l'effort psychique.*

Nous voilà encore ramenés au principe de l'*épargne* que nous avons déjà rencontré à l'occasion de la technique de l'esprit des mots. Nous croyions alors ne la retrouver que dans l'emploi de mots aussi peu nombreux ou aussi peu différents que possible les uns des autres ; à présent nous voilà aux prises avec la notion bien plus vaste de l'épargne de l'effort psychique, et nous envisageons la possibilité de pénétrer plus avant encore dans la nature de l'esprit en scrutant plus profondément la notion encore fort obscure de l' « effort psychique ».

Une certaine obscurité, que nous n'avons pu dissiper dans notre étude sur le mécanisme du plaisir propre à l'esprit tendancieux, nous apparaît comme le juste châtiment de notre tentative d'expliquer le compliqué avant le simple, l'esprit tendancieux avant l'esprit inoffensif. Retenons que « *l'épargne d'un effort nécessité par l'inhibition ou la répression* » nous apparut comme le secret du plaisir procuré par l'esprit tendancieux et abordons, à présent, le mécanisme du plaisir engendré par le mot d'esprit inoffensif.

Des exemples appropriés de mots d'esprit inoffensifs, qui ne pouvaient impressionner notre

jugement ni par leur fond ni par leur tendance,
nous ont amenés à conclure que les techniques
de l'esprit sont par elles-mêmes des sources de
plaisir ; cherchons si ce plaisir ne peut se ramener lui-même à une économie d'effort psychique.
La technique d'un de ces groupes de mots
d'esprit (les jeux de mots) consistait à orienter
notre psychisme suivant la consonance des
mots plutôt que suivant leur sens ; à laisser la
représentation auditive des mots se substituer
à leur signification déterminée par leurs relations à la représentation des choses. Il nous
est permis, en effet, de supposer que le travail
psychique est, de ce fait, grandement facilité
et que l'emploi sérieux des mots exige un
certain effort pour renoncer à ce procédé si
commode. Nous pouvons observer dans des
états morbides de la fonction mentale, au cours
desquels la faculté de concentrer l'effort psychique sur un seul point est probablement
restreinte, que la représentation par assonance
verbale prend de fait le pas sur le sens des
mots ; de tels malades suivent dans leurs discours la progression des associations « extrinsèques » au lieu de suivre celle des associations
« intrinsèques » — pour nous servir de la formule consacrée. De même chez l'enfant, accou-
tumé à considérer encore les mots comme des
objets, nous remarquons la tendance à assigner
à une consonance identique ou analogue un sens

identique, ce qui occasionne bien des erreurs dont
sourient les grandes personnes. Si, nous sommes
charmés incontestablement lorsqu'un même
mot ou un mot phonétiquement voisin nous
transporte d'un ordre d'idées à un autre ordre
d'idées fort éloigné. (Exemple le *home-roulard*
qui transportait de la cuisine à la politique), on
peut à bon droit ramener notre plaisir à l'économie d'un effort psychique. Plus les deux ordres
d'idées que le même mot rapproche sont éloignés
l'un de l'autre, plus ils sont étrangers l'un à
l'autre, plus grande est l'épargne de trajet que
la pensée réalise grâce à la technique de l'esprit.
Il convient du reste de noter que, dans ce cas,
l'esprit use d'un moyen de liaison que rejette
et évite avec soin le raisonnement sérieux[1].

1. Qu'il me soit permis d'anticiper sur le texte et de projeter ici
quelque lumière sur la condition qui, selon l'usage de la langue,
paraît décisive pour qualifier un mot d'esprit de « bon » ou de
« mauvais ». Lorsque j'ai abouti, grâce à un mot à double sens,
ou peu modifié, par la route la plus courte, d'un ordre d'idées à
un autre, sans qu'il existe, en même temps, entre ces deux ordres
d'idées une liaison fondée sur le sens — alors le mot d'esprit que
j'ai fait est « mauvais ». Dans le mot d'esprit « mauvais », le mot
qui est la cheville ouvrière, la « pointe » constitue la seule liaison
entre les deux représentations disparates. L'exemple que nous
avons cité plus haut, celui du *home-roulard* est tel. Par contre,
un mot d'esprit est bon lorsque le résultat répond à ce qu'en atten-
drait un enfant, lorsque l'analogie existant entre les mots implique
une autre analogie foncière du sens, comme dans l'exemple : *Tra-
duttore-Traditore*. Entre les deux représentations disparates, qui
sont liées ici par une association d'ordre extrinsèque, existe, en
outre, une liaison, fondée sur le sens et exprimant une parenté
foncière. L'association extrinsèque ne fait que suppléer à la connexion intrinsèque, elle sert à signaler cette dernière, ou à la préci-

Dans un second groupe de procédés techniques de l'esprit — unification, assonance, emploi multiple, modification de locutions courantes, allusion à des citations — le caractère commun réside dans ce fait qu'on retrouve dans tous les cas quelque chose de connu, là où l'on aurait pu escompter du nouveau. Retrouver le connu est un plaisir et il nous sera encore aisé de retrouver en ce plaisir celui de l'épargne, de le rapporter à l'épargne d'effort psychique.

Il est universellement admis que l'on a plaisir à retrouver ce qu'on connaît, en un mot à « reconnaître ». Groos[1] dit (p. 153) : « La reconnaissance s'accompagne toujours d'un sentiment de plaisir, à condition toutefois de n'être pas devenue trop mécanique (p. ex. quand on s'habille, etc.). Le connu, à lui seul, s'accompagne aisément de cette sensation de bien-être que Faust éprouve en retrouvant son cabinet de travail après une rencontre pénible... » — « Si donc le fait même de reconnaître procure du

ser. Le « traduttore » et le « traditore » ne se ressemblent pas seulement de nom, le traducteur est en même temps une sorte de traître, il est, pour ainsi dire, à bon droit qualifié de tel.

La différence que nous signalons ici se superpose à la distinction à établir entre la « plaisanterie » et le « mot d'esprit », distinction dont il sera question plus loin. Nous aurions pourtant tort d'exclure des exemples tels que celui du *home-roulard*, de l'étude sur la nature de l'esprit. Envisagés sous l'angle du plaisir propre à l'esprit, nous trouvons que les mots d'esprit « mauvais » ne sont nullement mauvais comme bons mots, c'est-à-dire ne sont point inaptes à engendrer le plaisir.

1. *Die Spiele des Menschen* (Les jeux de l'homme), 1899.

plaisir, on peut bien s'attendre à ce que l'homme
use de cette aptitude pour elle-même, c'est-à-
dire s'en serve à la façon d'un jeu. De fait,
Aristote a vu, dans la joie de la reconnaissance,
le fondement de la jouissance artistique, et l'on
ne saurait nier que ce principe mérite d'être pris
en considération bien qu'il n'ait ni toute l'importance ni toute la portée que lui attribue
Aristote. »

Groos traite ensuite des jeux dont le caractère
consiste à exalter la joie de la reconnaissance
par l'interposition d'un obstacle, c'est-à-dire par
provocation d'une « stagnation psychique », que
supprime ensuite l'acte de la reconnaissance.
Mais sa tentative d'explication abandonne alors
l'hypothèse de la reconnaissance, cause par elle-
même de plaisir, quand, en appelant à ces jeux,
il ramène le plaisir de la reconnaissance à la *joie*
de la *force*, de la difficulté vaincue. Selon moi, ce
dernier facteur est secondaire et je ne vois pas
de raison de renoncer à la conception plus simple,
d'après laquelle la reconnaissance en soi est un
plaisir en raison de la réduction de la dépense
psychique, et d'après laquelle les jeux fondés
sur ce plaisir n'useraient du mécanisme de la
stagnation qu'afin d'exalter ce plaisir.

De même il est de notoriété publique que la
rime, l'allitération, le refrain et autres formes de
la répartition des sons en poésie, exploitent
cette même source du plaisir à retrouver le

connu. Le « sentiment de force » ne joue aucun
rôle appréciable dans ces techniques si étroitement apparentées à celle de « l'emploi multiple »
au domaine de l'esprit.

Étant donné l'étroitesse des rapports qui
unissent la reconnaissance au souvenir, il n'est
plus hasardé de supposer qu'il existe de même un
plaisir du souvenir, c'est-à-dire que l'acte du
souvenir par lui-même s'accompagne d'un sentiment de plaisir d'origine analogue. Groos ne
semble pas hostile à une telle hypothèse, mais à
nouveau il fait dériver le plaisir du souvenir du
« sentiment de puissance » qui serait la cause
primordiale de la jouissance inhérente à la plupart des jeux. A mon avis, il se trompe.

« Retrouver le connu » est encore le principe
d'une autre technique auxiliaire de l'esprit,
technique dont il n'a pas encore été question. Je
veux parler de l'*actualité*, source féconde de
plaisir qu'exploitent bien des mots d'esprit, et
qui permet d'expliquer certaines particularités
de leur histoire. Certains mots d'esprit n'y ont
aucun recours, et ce sont ces exemples que nous
utiliserons presque exclusivement dans une
étude sur l'esprit. N'oublions pas cependant
que ces mots d'esprit à effet durable nous ont
peut-être moins fait rire que d'autres, dont
l'emploi nous paraît à présent difficile, car ils
nécessiteraient des commentaires étendus qui
ne leur rendraient pourtant pas leur effet d'an-

tan. Ces mots-ci faisaient allusion à des personnages, à des événements qui, à l'époque, étaient
« d'actualité », défrayaient et tenaient en haleine
la curiosité publique. Après qu'ils eurent perdu
leur intérêt, que l'affaire en question eut été
définitivement classée, ces mots d'esprit per-
dirent une partie et même la majeure partie de
leur sel. Par exemple le mot sympathique de
mon hôte, qui avait qualifié de *home-roulard* son
entremets familial, a perdu pour moi la saveur
qu'il possédait au moment où le *home-rule* avait
sa rubrique quotidienne dans les nouvelles poli-
tiques de nos journaux. Si j'essayais aujour-
d'hui de justifier les mérites de ce mot d'esprit
par le commentaire que ce seul mot — en nous
épargnant un grand détour de la pensée — nous
transporte du domaine de la cuisine au domaine
fort éloigné de la politique, il me faudrait alors
modifier ainsi mon commentaire : ce mot nous
transporte du domaine de la cuisine au domaine
fort lointain de la politique, domaine qui est
sûr de solliciter notre intérêt parce qu'il est à
l'ordre du jour de nos préoccupations. De même,
cet autre mot d'esprit : « cette jeune fille me
rappelle Dreyfus, l'armée ne croit pas à son
innocence », nous semble aujourd'hui singulièrement périmé, bien que toutes ses ressources
techniques soient demeurées identiques. La
sidération obtenue par la comparaison et le
sens équivoque du mot « innocence » ne peuvent

empêcher que cette allusion, en son temps toute
pimpante d'actualité, nous semble aujourd'hui
complètement dénuée d'intérêt. Voici encore un
mot d'actualité : la princesse royale Louise
s'était adressée à l'administration du four créma-
toire de Gotha pour savoir ce que coûterait une
incinération. On lui répondit : « Sonst 5 000 Mark,
ihr werde man aber nur 3 000 Mark berech-
nen, da sie schon einmal durchgebrannt sei »
(5 000 Mark pour les autres, mais pour elle ce
sera seulement 3 000, car elle s'est déjà brûlé
une fois les ailes) [1]. Un tel mot semble aujour-
d'hui irrésistible ; bientôt ce mot sera beaucoup
moins apprécié, et plus tard, lorsqu'il ne pourra
plus être raconté sans commentaire sur la personnalité de la princesse et sur le sens qu'il
convient de donner au « durchgebrannt », ses qualités de jeu de mots ne lui serviront plus de rien.

Un grand nombre des mots d'esprit qui circulent ont leurs jours comptés et possèdent
même un *curriculum vitae*, qui connaît la jeunesse, le déclin, pour sombrer enfin dans le plus
complet oubli. Le besoin qu'éprouvent les
hommes de tirer du plaisir de leurs processus
cogitatifs fait constamment surgir des mots
d'esprit nouveaux en rapport avec les événements du jour. La vitalité des mots d'esprit
actuels ne dépend pas de leurs qualités propres ;

1. *Durchgebrannt* = brûlé, mais aussi = s'évader. (N. d. T.)

elle est, par l'intermédiaire de l'allusion, em-
pruntée à d'autres intérêts, dont le déclin entraîne celui du mot d'esprit. Or cette actualité,
source d'une joie éphémère, mais source particulièrement riche, source qui vient grossir les
sources propres à l'esprit, ne peut pas être purement et simplement homologuée au fait de
retrouver le connu. Il s'agit plutôt d'une certaine qualité du connu qui possède en propre
d'être fraîche, d'être nouvelle, de n'avoir pas
encore subi les injures de l'oubli. La formation
des rêves offre aussi cette prédilection particulière pour les faits récents et donne inévitablement à penser que cette alliance au récent
confère une prime de plaisir particulière et se
trouve de ce fait facilitée.

L'unification, qui n'est que la répétition s'appliquant aux rapports entre les idées au lieu de
s'appliquer au matériel verbal, est considérée par
G. Th. Fechner comme une des sources du plaisir
de l'esprit. Fechner dit (*Vorschule der Aesthetik* I,
XVII) : « A mon avis, dans notre champ d'étude
actuel, le principe de l'union intime du divers
joue un rôle primordial ; mais l'appoint de
conditions accessoires est encore nécessaire
afin de permettre au plaisir, que les cas en
question peuvent procurer, de franchir le seuil
avec son caractère propre [1]. »

1. Le chapitre XVII est intitulé · « Von sinnreichen und witzigen
Vergleichen, Wortspielen u. a. Fällen, welche den Charakter der

Dans tous ces cas de répétition des mêmes rapports ou du même matériel verbal, de redécouverte du connu et du récent, nous serons, sans doute, en droit d'attribuer le plaisir éprouvé à l'épargne de la dépense psychique, si tant est que notre point de vue parvienne à éclairer les faits isolés et à réaliser de nouvelles acquisitions d'ordre général. Il nous faut encore, nous le savons, élucider la genèse de l'épargne et préciser le sens de l'expression « dépense psychique ».

Le troisième groupe de techniques de l'esprit, — qui englobe la plupart des mots d'esprit de la pensée — et embrasse l'ensemble des fautes de raisonnement, déplacements, contresens, représentations par le contraire, etc. semble avoir, au premier abord, son cachet particulier et n'être en rien apparenté aux techniques de la redécouverte du connu ou du remplacement des associations pragmatiques par les associations verbales ; il est cependant fort aisé de démontrer qu'ils ressortissent à l'épargne et à l'allégement de la dépense psychique.

Il est plus facile et plus commode d'abandonner le chemin déjà battu par la pensée que de s'y tenir, de rassembler pêle-mêle des éléments hétéroclites que de les opposer les uns aux

Ergötzlichkeit, Lustigkeit, Lächerlichkeit tragen. » (Des comparaisons riches de sens et d'esprit, des jeux de mots et des autres cas qui offrent le caractère du divertissant, de l'amusant et du ridicule.)

autres ; il est particulièrement aisé d'admettre
des formules syllogistiques répudiées par la
logique, et enfin d'accoupler les mots et les idées
sans souci de leur sens, voilà qui est hors de
doute ; or, ce sont là précisément les méthodes
des techniques spirituelles en question. Il est
cependant étonnant que, ce faisant, l'élaboration de l'esprit soit une source de plaisir puisque,
en dehors de l'esprit, toute manifestation analogue du moindre effort intellectuel éveille en
nous de désagréables sentiments de répulsion.

Dans la vie sérieuse, le « plaisir du non-sens »,
comme nous dirons par abréviation, se cache, il
est vrai, au point de disparaître. Pour le mettre
en évidence, il nous faut recourir à deux cas,
dans lesquels il apparaît encore ou se révèle à
nouveau : c'est l'attitude de l'enfant qui apprend
encore et celle de l'adulte dont l'humeur a été
modifiée par un toxique. Lorsque l'enfant
apprend le vocabulaire de sa langue maternelle,
il se plaît à « expérimenter ce patrimoine de
façon ludique » (Groos). Il accouple les mots
sans souci de leur sens, pour jouir du plaisir du
rythme et de la rime. Ce plaisir est progressivement interdit à l'enfant jusqu'au jour où finalement seules sont tolérées les associations de
mots suivant leur sens. Mais, avec les progrès
de l'âge, il cherche encore à s'affranchir de ces
restrictions acquises à l'usage des mots, il les
défigure par certaines fioritures, les altère par

certains artifices (redoublement, tremblement),
il se forge même avec ses camarades de jeu une
langue conventionnelle. Ces démarches se retrouvent dans certaines catégories de psycho-
pathies.

Je suis d'avis que, quel qu'ait été le mobile
qui ait dicté à l'enfant l'initiative de tels jeux,
il s'y prête, au cours de son développement ultérieur, en pleine conscience de leur absurdité et
pour le seul attrait du fruit défendu par la raison.
Il emploie le jeu à secouer le joug de la raison
critique. Plus tyranniques encore sont les contraintes que nous impose l'apprentissage du
jugement droit et de la discrimination, donc la
réalité, du vrai et du faux ; aussi la tendance à
réagir contre la rigueur de la pensée et de la
réalité demeure-t-elle chez l'homme profonde
et tenace. Ce point de vue domine aussi les processus de l'activité imaginative. Dans la dernière partie de l'enfance, et durant la période
scolaire qui dépasse l'âge de la puberté, la critique a pris une telle puissance que le sujet ne se
risque plus que rarement à goûter directement
au plaisir du « non-sens libéré ». Il ne se hasarde
plus à énoncer de contresens ; mais la tendance
foncière du jeune garçon à l'activité intempes-
tive et absurde me semble dériver en droite ligne
du plaisir du non-sens. Dans les cas patholo-
giques, cette tendance s'exalte souvent au point
de dominer à nouveau les discours et les réponses

de l'élève ; j'ai pu, chez quelques lycéens atteints
de névroses, me convaincre de ce que leurs
ratés n'étaient pas moins imputables à l'attrait
inconscient pour le non-sens qu'à l'ignorance
réelle.

Plus tard, l'étudiant ne se fait pas faute de
réagir contre la contrainte de la pensée et de la
réalité, dont le joug lui semble de plus en plus
pénible et pesant. Bon nombre de blagues d'étudiants ressortissent à ces réactions. L'homme est
« un chercheur infatigable de plaisir » — je ne
sais plus quel auteur a lancé cette heureuse formule — et chaque renoncement à un plaisir auquel il a une fois goûté lui est fort pénible. Par
les joyeuses absurdités du « bagou de la bière »,
l'étudiant cherche à sauvegarder son plaisir du
penser libre ; la scolarité du collège va le lui
ravir de plus en plus. Beaucoup plus tard encore,
quand l'homme mûr rencontre ses collègues au
cours d'un congrès scientifique et se retrouve
de ce fait dans la situation de l'étudiant, il
trouve, à l'issue de la séance, dans la « chronique
des buvettes [1] » qui défigure jusqu'à l'absurde
les acquisitions nouvelles de la science, un dédommagement aux inhibitions nouvellement
acquises par sa pensée.

« Bagou de la bière » et « Chronique des buvettes », ces noms seuls témoignent de ce que la

---

1. « Kneipzeitung » en allemand. (N. d. T.)

critique, qui a refoulé le plaisir du non-sens, est
devenue à ce point impérieuse que, sans appoint
toxique, elle ne peut se relâcher, fût-ce un seul
instant. La modification de l'humeur est ce que
l'alcool peut offrir de plus précieux à l'homme
et ce qui fait que tous les hommes ne renoncent
pas avec la même facilité à ce « poison ». L'humeur enjouée, d'origine endogène ou toxique,
abaisse les forces d'inhibition, la critique en
particulier, et rend par là de nouveau abordables
des sources de plaisir dont la répression fermait
l'accès. Il est fort instructif de noter combien
l'exaltation de l'humeur nous rend peu exigeants
sur la qualité de l'esprit. C'est que l'humeur
supplée à l'esprit, comme l'esprit doit s'efforcer
de suppléer à cette humeur qui offre des possibilités de jouissance habituellement inhibées, et,
parmi ces dernières, le plaisir de l'absurde.

« Avec peu d'esprit et beaucoup de plaisir... »
L'alcool fait de l'adulte un véritable enfant
qui prend plaisir à se laisser aller au fil de ses
pensées, sans souci des contraintes de la logique.

Nous espérons avoir établi que les techniques de
l'esprit par l'absurde représentent une source vive
de plaisir. Que ce plaisir ressortisse à l'épargne
d'une dépense psychique, à l'allégement du joug
de la critique, nous ne ferons que le rappeler.

Un coup d'œil d'ensemble sur les trois groupes
de techniques de l'esprit que nous venons de
distinguer montre que le premier et le troisième

— le remplacement des associations pragmatiques par les associations verbales et l'emploi
du contresens — peuvent être envisagées solidairement comme le rétablissement de libertés
primitives et l'allégement du joug de l'éducation intellectuelle ; ce sont des allégements
psychiques que l'on peut, dans une certaine
mesure, opposer à l'épargne, qui constitue la
technique du second groupe. Ainsi toute technique de l'esprit, donc tout plaisir issu de ces
techniques, se ramène à ces deux principes :
allégement de la dépense psychique en cours,
épargne de la dépense psychique à venir. Ces
deux ordres de technique et de « bénéfices de
plaisir » correspondent, du moins en gros, à la
distinction entre l'esprit des mots et l'esprit de
la pensée.

Les discussions qui précèdent nous ont inopinément ouvert une perspective sur l'histoire du
développement, autrement dit sur la psychogenèse de l'esprit, sujet que nous allons à présent attaquer. Nous avons appris à connaître
des stades préparatoires de l'esprit ; leur évolution jusqu'au stade tendancieux nous fera probablement découvrir des rapports nouveaux
entre les divers caractères de l'esprit. Antérieurement à tout esprit il y eut quelque chose que

l'on peut appeler *jeu* ou *plaisanterie*. Le jeu —
gardons ce terme — apparaît chez l'enfant à
l'époque où il apprend à employer des mots et à
coordonner des pensées. En jouant, l'enfant
obéit sans doute à un des instincts qui l'obligent
à exercer ses facultés (Groos). Le jeu déclenche
un plaisir qui résulte de la répétition du semblable, de la redécouverte du connu, de l'assonance, etc., et qui correspond à une épargne
insoupçonnée de la dépense psychique. Il n'est
pas étonnant que ce plaisir pousse l'enfant à
cultiver le jeu, à s'y adonner de tout son cœur,
sans souci du sens des mots ni de la cohérence
des phrases. *Jeu* avec des mots et des pensées,
motivé par un certain plaisir lui-même lié à
l'épargne, voilà, semble-t-il, la première étape
préparatoire de l'esprit.

A ce jeu, les progrès d'une faculté, que nous
appellerons, à juste titre, critique ou raison,
imposent un terme. Ce jeu est désormais con-
damné comme dénué de sens ou tout simplement
comme absurde ; la critique le rend impossible.
L'adolescent ne peut plus chercher le plaisir
aux sources de la redécouverte du connu, etc.,
si ce n'est dans des occasions exceptionnelles, par
exemple lorsqu'une veine de gaieté subite, semblable à celle de l'enfant, vient lever l'inhibition
de la critique. Alors seulement il lui est permis
de se livrer à ces jeux d'autrefois auxquels il
trouvait du plaisir ; mais l'homme ne veut pas

être réduit à cette seule chance et renoncer à un plaisir qu'il a jadis connu. Il s'applique alors à trouver des moyens aptes à le rendre indépendant de cette bouffée de gaieté. Aussi le développement ultérieur du processus qui aboutit à l'esprit est-il dominé par cette double tendance : tromper la critique et suppléer à l'humeur.

Nous voici donc parvenus à la seconde étape préparatoire de l'esprit, c'est-à-dire à la *plaisanterie*. Elle sert à réaliser le bénéfice de plaisir lié au jeu, tout en imposant silence à l'opposition de la critique, qui étoufferait dans l'œuf le sentiment du plaisir. Une seule voie nous est offerte : il faut que l'assemblage absurde des mots ou l'agencement incohérent des pensées ait tout de même un sens. Tout l'art de l'élaboration de l'esprit tend à trouver des mots et des constellations de pensées aptes à cet office. Toutes les ressources techniques de l'esprit ont déjà leur place marquée dans la plaisanterie ; aussi le langage parvient-il difficilement à délimiter leurs domaines respectifs. Ce qui différencie la plaisanterie du mot d'esprit, c'est que le sens de la phrase soustraite à la critique n'a pas besoin d'être profond, nouveau ou seulement correct ; il lui suffit de pouvoir trouver son expression, peu importe que celle-ci soit insolite, oiseuse ou insipide. L'essentiel de la plaisanterie, c'est la satisfaction d'avoir permis ce que la critique défend.

Une simple plaisanterie est par exemple le mot
Schleiermacher qui définit la jalousie : « passion
de qui cherche avec zèle ce qui procure la peine »
(Die Eifersucht ist eine Leidenschaft, die mit
Eifer sucht was Leiden schafft). En voici une
autre : Le professeur Kästner, qui enseignait la
physique à Göttingen au xviiie siècle et était
coutumier du mot d'esprit, demandait son âge
à l'étudiant Kriegk (Krieg = guerre) qui prenait ses inscriptions ; celui-ci répond « trente
ans », le maître réplique : « Eh, j'ai l'honneur de
voir la guerre de Trente Ans [1]. » C'est de même
par une plaisanterie que le maître Rokitansky [2]
répondit à un interlocuteur qui l'interrogeait
sur la profession de ses quatre fils : « Zwei heilen
und zwei heulen. » (« Deux guérissent et deux
barrissent ») (deux médecins et deux chanteurs).
Cette réponse était exacte et par suite inatta-
quable, mais ne suggérait rien qui ne fût exprimé
par les mots mis entre parenthèses. Inconstes-
tablement la réponse ne s'est écartée des formes
banales que pour le plaisir de l'unification et de
l'assonance lié à ces deux mots.

Enfin, je pense, nous y voyons clair. Nous
avons toujours été gênés dans notre appréciation
des techniques de l'esprit par ce fait que ces
techniques n'appartiennent pas en propre à

---

1. Kleinpaul ; *Die Rätsel der Sprache* (Les énigmes du langage), 1890.
2. Célèbre médecin. (N. d. T.)

l'esprit et que cependant l'essence même de
l'esprit semblait liée à elles, puisque leur suppression par la réduction enlevait à l'esprit tout
son caractère et tout le plaisir qui en émanait.
Nous commençons à comprendre que ce que nous
avons décrit comme techniques de l'esprit —
et que nous devrons persister en un certain sens
à qualifier de tel —, ce sont plutôt les sources où
l'esprit va puiser le plaisir, et nous ne trouvons
rien d'étonnant à ce que d'autres processus s'en
viennent, dans une même intention, puiser aux
mêmes sources. La technique particulière, propre à l'esprit, consiste à protéger ces sources,
génératrices de plaisir, contre l'intrusion de la
critique, qui inhiberait ce plaisir. Ce procédé ne
prête qu'à peu de considérations générales ;
comme nous l'avons déjà mentionné, l'élaboration de l'esprit se manifeste dans la sélection
d'un matériel de mots et de situations cogitatives qui permettent au jeu primitif avec les
mots et les pensées de conquérir le visa de la
critique ; pour y arriver, l'élaboration de l'esprit doit mettre en œuvre avec la plus grande
adresse toutes les particularités du vocabulaire
et toutes les constellations possibles des associations d'idées. Peut-être serons-nous plus tard à
même de caractériser encore l'élaboration de
l'esprit par une propriété définie ; pour le moment, nous ne pouvons expliquer comment cette
sélection s'opère en faveur de l'esprit. Car la

tendance et l'œuvre de l'esprit, qui consistent à
protéger contre la critique les alliances de mots et
les associations d'idées génératrices de plaisir,
constitueraient déjà les caractéristiques essentielles de la plaisanterie. Dès l'origine, elle a pour
mission de lever les inhibitions intrinsèques et
de rouvrir les sources de plaisir que ces inhibitions avaient interdites. Nous verrons que, dans
toute son évolution, l'esprit reste fidèle à ce
caractère.

Nous voilà également en état d'assigner sa
place exacte au facteur « sens dans le non-sens »
(voir Introduction, p. 16), auquel les auteurs
attribuent une telle importance dans le diagnostic de l'esprit et dans l'intelligence du plaisir
qu'il produit. Les deux constantes de la conditionnalité de l'esprit — sa tendance à assurer
le jeu qui divertit, et ses efforts pour le protéger
contre la critique de la raison — expliquent à
elles seules pourquoi, à l'état isolé, le mot d'esprit, quand il nous paraît absurde d'un point de
vue, nous semble d'un autre sensé ou tout au
moins tolérable. Comment il s'y prend, c'est
l'affaire de l'élaboration de l'esprit ; là où il
échoue, il est rejeté comme « non-sens ». Point
n'est besoin pour nous de faire dériver le plaisir
engendré par l'esprit de l'action antagoniste des
sentiments qui résultent soit par voie directe,
soit par « sidération et lumière » du sens et du
non-sens simultanés du mot d'esprit. Inutile

également de nous demander comment la succession du sentiment de non-sens apparent et de reconnaissance du sens réel, réalisé par l'esprit, peut produire le plaisir. La psychogenèse de l'esprit nous a appris que son plaisir dérive du jeu avec les mots ou du déchaînement du non-sens et que le sens du mot d'esprit ne vise qu'à protéger ce plaisir contre la critique.

Ainsi la plaisanterie aurait déjà permis de déterminer le caractère essentiel de l'esprit. Il nous est loisible de suivre à présent l'évolution ultérieure de la plaisanterie jusqu'à son épanouissement dans l'esprit tendancieux. L'objectif principal de la plaisanterie est la recherche de notre amusement et, à cet effet, il lui suffit de n'être ni totalement insensée ni totalement oiseuse dans ses propos. Si ces propos ont quelque fond et quelque prix, la plaisanterie devient *mot d'esprit*. Une pensée qui, même sous sa forme la plus simple, eût été digne de notre intérêt, est alors parée d'une formule par elle-même séduisante [1]. Il nous faut présumer qu'une telle

---

1. Voici un exemple qui fait saisir la différence entre la plaisanterie et le mot d'esprit proprement dit. C'est l'excellente réponse d'un membre du « ministère bourgeois » en Autriche, à une question relative à la solidarité du conseil des ministres : « Wie sollen wir für einander *einstehen* können, wenn wir einander nicht *ausstehen* können ? » (Comment prendre fait et cause l'un pour l'autre si aucun ne peut souffrir l'autre?) Technique : emploi du même matériel avec légère modification (remplacement d'un élément par son contraire) ; la pensée correcte et juste est : qu'il n'y a pas de solidarité sans bonne entente entre les personnes. L'antithèse

association relève d'une intention et nous nous
efforcerons de deviner l'intention qui préside à
la formation du mot d'esprit. Une remarque,
que nous avons formulée plus haut sans y insis-
ter, nous mettra sur la voie. Nous avons remar-
qué qu'un bon mot d'esprit nous donne comme
une impression générale de plaisir, sans que nous
soyons à même de distinguer immédiatement
dans notre plaisir la part qui revient à la forme
spirituelle de celle qui revient à la qualité même
du fond de la pensée (p. 145). Nous nous trom-
pons constamment sur ce point ; tantôt nous
surestimons la qualité du mot d'esprit en raison
de notre admiration pour le fond de la pensée,
tantôt au contraire nous surestimons la pensée
en raison du plaisir que nous procure son revêtement spirituel. Nous ne savons ce qui nous
charme et ce qui nous fait rire. Cette incertitude
réelle de notre jugement pourrait avoir motivé
la formation de l'esprit proprement dit. La
pensée recourt au revêtement spirituel afin de
s'imposer à notre attention et d'acquérir à nos
yeux plus de poids et plus de prix et surtout
afin d'égarer et de séduire notre critique. Nous
avons tendance à créditer la pensée du charme
de la forme spirituelle et nous ne sommes dès
lors plus disposés à rejeter ce qui nous a procuré

créée par la modification (*einstehen* — *ausstehen*) correspond à
l'incompatibilité qu'affirme la pensée et, de ce fait, représente
l'incompatibilité elle-même.

de l'agrément, afin de ne pas tarir ainsi une source de plaisir. Le mot d'esprit nous a-t-il fait rire, nous voilà de ce fait dans les dispositions les plus défavorables à la critique, car nous nous trouvons tout à coup mis malgré nous en cette humeur qui nous permettait jadis de nous contenter du jeu et à laquelle l'esprit s'ingéniait à suppléer. Bien que nous ayons posé précédemment en principe qu'un tel genre d'esprit mérite le nom d'inoffensif et point encore de tendancieux, nous ne pourrons méconnaître que, rigoureusement parlant, la plaisanterie seule est sans tendance, c'est-à-dire qu'elle seule n'aspire qu'à créer le plaisir. L'esprit — même quand son fond n'est pas tendancieux, mais intéressant du seul point de vue de la pensée théorique — n'est en somme jamais totalement dépourvu de « tendance » ; il possède un second objectif qui est de favoriser la pensée en la grossissant et de la préserver de la critique. Il manifeste ici à nouveau sa nature primitive en s'opposant à cette force inhibitrice et restrictive qu'est le jugement critique.

Cette première utilisation de l'esprit, qui déborde la production du plaisir, ouvre la voie à toutes les autres. Nous reconnaissons maintenant en l'esprit un facteur psychique capable, par sa puissance, de faire pencher la balance en sa faveur, suivant le plateau dans lequel il est jeté. Les grandes tendances, les grands instincts de la vie psychique l'utilisent à leurs fins. Originairement sans tendance, il était tout d'abord un jeu, il entre *secondairement* en connexion avec des tendances auxquelles aucune manifestation de la vie psychique ne saurait à la longue se soustraire. Nous savons comment l'esprit vient en aide aux tendances qui déshabillent, aux tendances hostiles, cyniques ou sceptiques. Par l'esprit obscène, issu de la grivoiserie, il fait du tiers — primitivement trouble-fête de la situation sexuelle, — en l'associant au plaisir, un allié, devant lequel la femme doit rougir. Par un procédé analogue, l'esprit à tendance agressive fait de l'auditeur, primitivement indifférent, un complice de ses haines et de ses mépris ; il suscite contre son ennemi une armée d'adversaires, alors qu'au début il était seul. Dans le premier cas il triomphe de l'inhibition de la pudeur et de ses bienséances par la prime de plaisir qu'il offre ; dans le second, il déroute à nouveau le jugement critique qui, sans lui, eût dans le débat pesé le pour et le contre. Dans le troisième et le quatrième cas l'esprit, en se mettant au service des tendances cyniques et sceptiques, ébranle le respect dû aux institutions et aux vérités auxquelles l'auditeur croyait jusqu'alors, en renforçant, d'une part, l'argument, et, d'autre part, en recourant à une offensive d'un genre nouveau. Tandis que l'argumentation cherche à mettre de son côté le jugement

critique de l'auditeur, l'esprit s'attache à se
débarrasser de cette critique. Incontestablement
l'esprit suit la voie du meilleur rendement psychologique.

Cette revue d'ensemble des œuvres de l'esprit
tendancieux a mis au premier plan ce qui est le
plus facile à voir : l'effet du mot d'esprit sur
celui qui l'écoute. Plus significatif, au point de
vue de la compréhension des choses, est l'effet
du mot d'esprit dans la vie psychique de celui
qui le fait ou, pour adopter la seule formule
exacte, à qui il vient à l'idée. Nous nous sommes
déjà proposé — et nous réitérons ici ce dessein
— d'étudier les processus psychiques du mot
d'esprit en fonction des deux intéressés. Nous
supposerons que le processus psychique, suscité
chez l'auditeur par le mot d'esprit, soit dans la
plupart des cas la réplique de celui qui se déroule
chez l'auteur du mot. L'obstacle externe, qui
doit être surmonté chez l'auditeur, correspond
chez l'auteur du mot d'esprit à une inhibition
interne. Chez ce dernier, l'attente de l'obstacle
extérieur est pour le moins présente à titre de
représentation inhibitrice. Dans certains cas,
l'obstacle interne, dont l'esprit tendancieux doit
triompher, est évident ; dans le cas de M. N...
(voir p. 168) par exemple, nous devons admettre
que ses mots d'esprit ne se bornent pas à rendre
accessible à l'auditeur le plaisir de l'offensive
injurieuse, mais avant tout, lui permettent à

lui-même de lancer ces injures. Parmi les formes
de l'inhibition ou de la répression internes, il en
est une qui nous intéresse plus particulièrement
parce que c'est elle qui va le plus loin dans cette
voie ; elle est désignée du nom de «refoulement»;
on la reconnaît à ce qu'elle ferme le retour à la
conscience aux émotions et impulsions qu'elle a
frappées d'interdit ainsi qu'à leurs dérivés.
Nous allons voir que l'esprit tendancieux sait
tirer du plaisir même de ces sources interdites
par le refoulement. Si, comme nous venons de le
laisser entendre, la levée des obstacles externes
est réductible à celle des inhibitions et des refoulements internes, on est en droit de dire que
mieux que toutes les autres « étapes » de l'évolution de l'esprit, l'esprit tendancieux fait
ressortir le caractère primordial de l'élaboration
spirituelle, qui consiste dans la libération du
plaisir par la levée des inhibitions. Il fortifie
les tendances qu'il sert, en mettant dans leur
jeu les impulsions réprimées, ou bien en se mettant tout simplement lui-même au service des
tendances réprimées.

On admettra volontiers que ce sont bien là
les démarches de l'esprit tendancieux, mais
on se rendra compte de ce qu'on ne comprend
pas par quel moyen il peut y réussir. Le secret
de sa puissance réside dans le bénéfice de
plaisir qu'il tire du jeu avec les mots et de la
libération du non-sens et, si l'on doit le juger

sur l'impression que produisent les plaisanteries
non tendancieuses, on ne peut surestimer ce
plaisir au point de lui attribuer la force de lever
des inhibitions et des refoulements profondément enracinés. Il ne s'agit pas ici, en réalité,
d'un simple effet dynamique, mais d'un mécanisme de déclenchement plus compliqué.
Au lieu de suivre les nombreux détours qui m'ont
amené à la compréhension de ce mécanisme,
je vais tenter de couper au court par une synthèse.

G. Th. Fechner, dans sa *Propédeutique à
l'esthétique* (*Vorschule der Aesthetik*, 1ᵉʳ vol., V),
définit en ces termes le « principe du concours
ou de l'exaltation esthétiques » : « *La rencontre
non contradictoire de plusieurs conditions de
plaisir, assez faibles par elles-mêmes, produit
une résultante de plaisir souvent bien supérieure
à celle qui correspondrait au coefficient de plaisir
lié à chacune d'elles prise isolément, supérieure
à celle que pourrait représenter la somme de ces
effets isolés ; bien plus, il peut résulter de cette
rencontre un élément de plaisir positif qui permette de franchir le seuil du plaisir, ce dont les
facteurs isolés auraient été incapables: à la
condition toutefois que la supériorité en plaisir,
relativement à d'autres facteurs, puisse être
perçue* [1]. » A mon avis, le thème de l'esprit nous

---

1. Voir p. 51, 2ᵉ éd., Leipzig, 1897. — Les italiques sont de
Fechner.

fournit peu d'occasions de vérifier ce principe,
qui s'applique à tant d'autres productions
artistiques. L'esprit nous a appris autre chose
encore, qui s'écarte du moins fort peu de ce
principe, c'est que, dans la collaboration de
plusieurs facteurs générateurs du plaisir, il est
impossible de démêler dans quelle mesure chacun d'eux contribua à l'effet général. On peut
cependant faire varier la situation envisagée
dans le « principe du concours », et soulever à
propos de ces conditions nouvelles une série de
questions dont la solution ne manquerait pas
d'intérêt. Qu'arrive-t-il en général dans les cas
où des conditions de plaisir se heurtent à des
conditions de déplaisir ? De quoi dépend alors la
résultante et son signe algébrique ? L'esprit
tendancieux constitue un cas particulier parmi
toutes ces dites possibilités. Il existe d'une
part une impulsion, une aspiration qui voudrait puiser du plaisir à une certaine source
et qui même y parviendrait d'elle-même s'il
ne surgissait aucun obstacle. Il existe d'autre
part une aspiration antagoniste qui s'oppose au
développement du plaisir et, par conséquent,
l'inhibe ou le réprime. Comme le démontre le
résultat, la force répressive doit être, dans une
certaine mesure, supérieure à la force réprimée
qui, de ce fait, n'est pourtant pas supprimée.

Survienne une seconde aspiration qui, bien
qu'issue d'une autre source, soit capable de

déclencher le plaisir par un processus identique,
et qui agit, par conséquent, dans le même sens
que l'aspiration réprimée. Quel pourra être le
résultat en pareil cas ? Un exemple sera plus
explicite que ce schéma. Supposons que l'aspiration consiste à invectiver une personne déterminée ; le sens des convenances, la culture esthétique s'opposent à cette aspiration de façon
à rendre l'invective impossible ; si l'invective
pouvait éclater, par exemple sous l'influence
d'une modification de l'état affectif ou de l'humeur, l'éclat de la tendance injurieuse causerait
ultérieurement une sensation de déplaisir.
Il n'y a donc pas d'invective de proférée. Mais
supposons que surgisse la possibilité d'utiliser
le matériel de mots et de pensées destinés à
l'invective à la confection d'un bon mot d'esprit,
c'est-à-dire de puiser le plaisir à d'autres sources,
sur lesquelles ne pèserait pas le même interdit.
Cependant ce deuxième plaisir ne saurait éclore
sans l'appoint de l'invective, mais dès que celle-
ci peut se faire jour, le plaisir nouvellement
libéré lui reste attaché. L'expérience de l'esprit
tendancieux montre qu'en pareille occurrence la
tendance réprimée peut recevoir du plaisir
inhérent à l'esprit la force nécessaire à vaincre
l'inhibition, qui autrement eût été la plus forte.
L'invective sera proférée pour rendre le mot
d'esprit possible. Mais l'agrément qui en résulte
n'est pas seulement celui que donne l'esprit ; il

est incomparablement supérieur ; il dépasse de si loin le plaisir de l'esprit que force nous est d'admettre que la tendance primitivement réprimée a réussi à s'extérioriser presque intégralement. C'est ainsi que l'esprit tendancieux déclenche l'hilarité la plus franche.

La recherche des conditions du rire nous amènera peut-être à nous former une idée plus claire du concours que l'esprit apporte à la lutte contre la répression. Mais nous voyons ici encore que l'esprit tendancieux représente un cas particulier du « principe du concours ». Une possibilité de développement de plaisir se greffe sur une situation dans laquelle une autre possibilité de plaisir est contrecarrée, donc incapable de produire, par elle-même, aucun plaisir ; il en résulte un plaisir notablement supérieur à celui qu'eût produit, à elle seule, la possibilité surajoutée. Cette dernière a donc pour ainsi dire servi de *prime de séduction* ; un petit appoint de plaisir a permis de libérer une somme considérable de plaisir, qui, sans lui, fût demeurée fort difficilement accessible. J'ai de bonnes raisons de supposer que ce principe relève d'un mécanisme qui s'applique encore à bien d'autres domaines de la vie psychique, domaines même assez étrangers les uns aux autres ; je crois que le nom idoine de ce plaisir qui sert à libérer un plaisir plus grand est celui de « *plaisir préliminaire* » et nous appellerons ce principe « *principe du plaisir préliminaire* ».

Nous pouvons maintenant formuler ainsi le mode d'action de l'esprit tendancieux : il se met au service des tendances et, à la faveur du plaisir qu'engendre l'esprit, agissant en tant que plaisir préliminaire, il engendre, par la levée des répressions et des refoulements, un plaisir nouveau. Si nous jetons à présent un coup d'œil sur son évolution, nous pouvons dire que, du début à la fin de cette évolution, l'esprit est resté fidèle à sa propre nature. Il débute à la façon d'un jeu qui cherche son plaisir dans le libre emploi des mots et des pensées. Dès que les progrès de la raison lui font considérer le jeu des mots comme insipide, le jeu avec les pensées comme absurde, l'esprit se fait plaisanterie, afin de ne point renoncer à ces mêmes sources de plaisir et de retrouver dans le non-sens libéré un regain de plaisir. Puis, en tant que mot d'esprit proprement dit, encore dépourvu de tendance, il prête son concours à certaines pensées qu'il met en état de défier l'assaut du jugement critique ; à cet égard, le principe de la confusion des sources du plaisir lui est utile. Enfin il fait cause commune avec des tendances primordiales de l'âme, qui sont en lutte avec la répression, pour lever les inhibitions intrinsèques conformément au principe du plaisir préliminaire. Raison — jugement critique — répression, voilà les puissances qu'il combat

tour à tour ; il ne renonce jamais à son plaisir
primitif de jouer avec les mots, et, dès le stade
de la plaisanterie, il fait jaillir de nouvelles
sources de plaisir en levant les inhibitions. Le
plaisir qu'il engendre, soit plaisir du jeu, soit
plaisir par la levée des inhibitions, peut se
ramener dans tous les cas à l'épargne de l'effort
psychique, à condition qu'une telle conception
ne soit pas incompatible avec l'essence même
du plaisir et qu'elle se montre encore par ailleurs
féconde [1].

1. Les mots d'esprit par non-sens qui, dans nos études, n'ont pas
encore été appréciés comme ils le méritent, ont droit à une brève
étude supplémentaire.

Vu l'importance que nous reconnaissons à la formule « sens dans
le non-sens », l'on serait tenté d'exiger que chaque mot d'esprit fût
un mot d'esprit par non-sens. Cela n'est pourtant pas nécessaire,
parce que seul le jeu avec les pensées aboutit inévitablement au
non-sens, tandis que l'autre source du plaisir spirituel — le jeu
avec les mots — ne produit cette impression qu'occasionnellement
et ne fait pas régulièrement appel à la critique qui est liée au non-
sens. La double racine du plaisir spirituel, — jeu avec les mots,
jeu avec les pensées, — et, par conséquent, la distinction principale entre l'esprit des mots et l'esprit de la pensée rend difficile
la mise en formules courtes et précises des propositions générales
relatives à l'esprit. Grâce aux facteurs énumérés plus haut (reconnaissance, etc.), le jeu avec les mots produit évidemment du plaisir
et, de ce fait, n'est guère sujet à la répression. Le jeu avec les
pensées ne peut pas être motivé par un plaisir du même genre,
aussi ce jeu a-t-il succombé à une répression très énergique et le
plaisir qu'il est à même de fournir n'est que celui de la levée de
l'inhibition ; on peut donc dire que le plaisir de l'esprit est composé
d'un noyau formé par le plaisir primitif du jeu et d'une coque
constituée par le plaisir de la levée d'une inhibition. — Naturellement nous ne nous apercevons pas de ce que le plaisir du mot
d'esprit par non-sens provient de ce que nous ayons réussi à libérer
un non-sens malgré la répression, tandis que nous nous rendons
compte immédiatement de ce qu'un jeu avec les mots nous a fourni

du plaisir. — Le non-sens qui est resté en suspens dans le mot d'esprit de la pensée acquiert secondairement la fonction de captiver notre attention par la sidération, il sert à renforcer l'effet du mot d'esprit, à condition toutefois que le non-sens soit assez frappant pour permettre à la sidération de devancer de quelques secondes la compréhension. Le non-sens peut servir, en outre, à représenter un jugement qui est contenu dans la pensée, comme nous l'avons démontré dans les exemples cités à la page 89 et suiv. Mais telle n'est pas non plus la fonction primordiale du non-sens dans l'esprit.

Il est loisible de joindre au mot d'esprit par non-sens une série de mots analogues aux mots d'esprit, auxquels il manque un nom idoine, mais qui semblent avoir droit à la dénomination de « sottise d'apparence spirituelle ». Leur nombre est incalculable ; je n'en veux citer que deux exemples : Un convive, à qui l'on servait du poisson, plonge à deux reprises les mains dans la mayonnaise et se les passe dans les cheveux. L'étonnement de son voisin de table semble lui faire reconnaître son impair, et il s'excuse en disant : « Pardon, je croyais que c'étaient des épinards. »

Ou bien : « La vie est un pont suspendu, dit l'un. — Comment ? demande l'autre. — Qu'en sais-je ? » répond le premier.

Ces exemples extrêmes produisent leur effet en tenant l'auditeur dans l'expectative d'un mot d'esprit, de telle sorte qu'il s'efforce de découvrir le sens caché par le non-sens, sans pourtant le trouver, puisque c'est un non-sens pur et simple. La promesse fondée sur ces fausses apparences a permis de libérer pour un moment le plaisir du non-sens. Les mots de ce genre ne sont pas entièrement dépourvus de tendance ; ce sont des traquenards qui font un certain plaisir au narrateur, en déroutant et en irritant l'auditeur. Ce dernier tempère son dépit par la perspective d'en devenir lui-même, à son tour, le narrateur.

CHAPITRE IV

LES MOBILES DE L'ESPRIT
L'ESPRIT EN TANT QUE PROCESSUS SOCIAL

Il pourrait sembler superflu de parler des mobiles de l'esprit, puisque la recherche du plaisir doit être reconnue comme étant la raison suffisante de son élaboration. Mais il n'est pas impossible, d'une part, que d'autres mobiles concourent à la production de l'esprit et que, d'autre part, certaines observations connues nous obligent à poser le thème de la conditionnalité subjective de l'esprit.

Deux raisons surtout nous y engagent. Quoique l'élaboration de l'esprit excelle à tirer du plaisir des processus psychiques, tous les hommes, on le sait, ne sont pas également aptes à l'esprit. L'élaboration de l'esprit n'est pas à la portée de tout le monde, et notamment à un degré élevé, elle devient l'apanage d'une faible minorité, dont on dit, pour les distinguer des autres, qu'ils ont de l'esprit. « L'esprit » apparaît ici comme une faculté spéciale, comme une « faculté de l'âme » (pour employer l'ancienne

terminologie) qui garde une certaine indépen-
dance par rapport aux autres facultés : intelligence, imagination, mémoire, etc. On peut
donc supposer aux gens d'esprit des dispositions
particulières ou des aptitudes psychiques qui
permettent ou favorisent l'élaboration de l'esprit.

Je crains de ne pouvoir aller bien loin dans
l'investigation de ce thème. Il est bien rare que
l'analyse d'un mot d'esprit isolé nous permette
de pénétrer les conditions subjectives du psychisme de son auteur. Le hasard veut justement
que le premier exemple qui nous ait servi à
explorer la technique de l'esprit nous permette
aussi de saisir sa conditionnalité subjective.
Je veux parler du mot de Heine, qui a déjà
attiré l'attention de Heymans et de Lipps :

« ... J'étais assis à côté de Salomon Rothschild, et il me traitait tout à fait d'égal à égal,
de façon toute famillionnaire. » (*Les Bains de
Lucques*).

Ce mot, Heine l'a mis dans la bouche d'un
personnage comique, Hirsch-Hyacinthe, buraliste, opérateur et taxateur à Hambourg, valet
de chambre du noble baron Cristoforo Gumpe-
lino (anciennement Gumpel). Le poète est fort
attaché à ce personnage de sa création ; il donne
en effet sans cesse la parole à Hirsch-Hyacinthe
et lui attribue les saillies les plus amusantes et
les plus franches ; il lui prête jusqu'à la sagesse

pratique d'un Sancho Pança. Il est fort regrettable que Heine, peu porté, semble-t-il, à la
forme dramatique, ait laissé tomber aussi vite
cette savoureuse silhouette. Bien des passages
nous donnent à penser que c'est le poète lui-
même qui parle derrière le masque fragile de
Hirsch-Hyacinthe, et bientôt nous acquérons
la certitude que, dans ce personnage, le poète
s'est parodié lui-même. Hirsch nous apprend
les raisons qui lui ont fait abandonner son nom
primitif pour celui de Hyacinthe. « J'y vois
encore un avantage, poursuit-il, c'est que
mon cachet porte un *H* et que je n'aurai pas
besoin de m'en faire graver un autre. » Or Heine
n'avait pas dédaigné lui-même cette économie
lorsqu'à son baptême il échangea son prénom
de « Harry » contre celui de « Henri » (Heinrich).
De plus, tous ceux qui connaissent la vie de
Heine peuvent se rappeler qu'il avait à Hambourg, théâtre de l'activité de Hirsch-Hyacinthe,
un oncle du même nom, qui, en tant que richard
de la famille, joua dans la vie du poète un rôle
des plus importants. L'oncle s'appelait Salomon, tout comme le vieux Rothschild, qui avait
accueilli Hirsch-Hyacinthe de façon si « famillionnaire ». Ce qui, dans la bouche de Hirsch-
Hyacinthe, semblait tout simplement plaisant,
se double d'une réelle amertume, si nous l'appliquons au neveu Harry-Henri. Heine apparte-
nait en effet à la famille, nous savons même

que son désir le plus cher eût été d'épouser une
des filles de cet oncle ; mais il ne fut point
agréé par la cousine et l'oncle le traita toujours
de façon un peu « famillionnaire », en parent
pauvre. Jamais les riches cousins de Hambourg
ne le considérèrent vraiment comme un des
leurs ; je me souviens du récit d'une de mes
vieilles tantes, qui était alliée à la famille Heine ;
lorsqu'elle était encore une jeune et jolie femme,
elle eut un jour pour voisin, à la table familiale,
un jeune homme peu appétissant, que les
autres convives traitaient par-dessous la jambe.
Elle ne se sentit pas disposée à plus de condescendance à son égard ; elle ne sut que bien des
années après que ce cousin négligent et négligé
était le poète Henri Heine. Bien des indices
démontrent à quel point Heine, dans sa jeunesse
et plus tard, souffrit de l'ostracisme de ses
riches cousins. C'est sur le terrain de cette
souffrance subjective qu'est par la suite éclos
le mot « famillionnaire ».

Bien d'autres bons mots de ce grand railleur
laissent soupçonner des conditions subjectives
analogues, mais je n'en connais point où elles
s'imposent de façon plus évidente ; c'est pourquoi il serait hasardeux de chercher à préciser
davantage la nature de ces conditions person-
nelles ; aussi bien ne sera-t-on pas disposé à
attribuer *a priori* à chaque mot d'esprit des
conditions génératrices aussi complexes. A cet

égard, les mots d'esprit d'autres hommes
célèbres ne se montrent pas plus révélateurs
et on a l'impression que les déterminantes
subjectives de l'élaboration de l'esprit sont
assez voisines de celles qui provoquent les
névroses, lorsqu'on apprend que Lichtenberg,
par exemple, était un hypocondriaque caractérisé, nanti de toutes sortes de singularités.
La plupart des mots d'esprit, surtout ceux qui
jaillissent de l'actualité, circulent de façon
anonyme ; on pourrait se demander, par curiosité, dans quelle cervelle ils sont éclos. Si les
hasards de la profession médicale vous mettent
en présence d'un de ces faiseurs de bons mots
qui, malgré leur médiocrité, trouvent leur
public et possèdent à leur actif nombre de
mots d'esprit qui ont fait fortune, on pourra
être surpris de découvrir que ce loustic possède
une personnalité double, prédisposée aux maladies nerveuses. Mais, vu l'insuffisance de notre
documentation, nous nous abstiendrons certainement de considérer la constitution psycho-
névrotique comme une condition subjective
constante et nécessaire de la production de
l'esprit.

Un exemple démonstratif nous est à nouveau
fourni par les mots juifs, qui, comme nous
l'avons déjà fait observer, sont exclusivement
l'œuvre des Juifs, tandis que les histoires
juives d'autre origine ne dépassent guère la

pochade comique ou l'injure la plus grossière (p. 183). Cette condition, la participation de
la propre personne, se dégage nettement ici tout
comme dans le mot « famillionnaire » de Heine
— et sa signification consiste en ce que la critique ou l'agression directes sont rendues plus
difficiles et ne peuvent jouer qu'à la faveur d'un
détour.

D'autres conditions subjectives ou conjonctures favorables à l'élaboration de l'esprit sont
moins impénétrables. Le mobile de la production de mots inoffensifs est fréquemment le
besoin ambitieux de montrer son esprit, de se
manifester : ainsi une « pulsion » équivalente
à ce qu'est l'exhibitionnisme dans le domaine
du sexuel. L'existence de nombreuses pulsions
inhibées, dont la répression a conservé un
certain degré de labilité, fournira la disposition
la plus favorable à la production de l'esprit
tendancieux. En particulier, certaines composantes de la constitution sexuelle d'un sujet sont
capables de figurer à titre de mobiles de la
formation de l'esprit. Nombre d'histoires obscènes peuvent faire soupçonner chez leurs auteurs un secret penchant à l'exhibitionnisme.
Les mots d'esprit tendancieux à type agressif
sont particulièrement aisés à ceux dont la
sexualité comporte une forte composante sadique que la vie a plus ou moins inhibée.

La seconde raison qui nous incite à l'inves-

tigation des conditions subjectives de l'esprit
réside dans ce fait d'expérience que nul ne se
résignerait à faire pour lui seul un mot d'esprit.
L'élaboration de l'esprit est indissolublement
liée au besoin de le communiquer aux autres ;
ce besoin est même si impérieux qu'il triomphe
assez souvent de scrupules légitimes. La communication du comique à autrui est également un
plaisir ; mais elle ne constitue pas un désir
impérieux ; lorsqu'on rencontre le comique
sur sa route, on peut le goûter seul. Dans le cas
du mot d'esprit, au contraire, la communication
s'impose ; le cycle psychique de la formation
de l'esprit ne semble pas se clore sur l'inspiration du mot d'esprit ; il subsiste encore un
quelque chose qui, dans la communication du
mot d'esprit, cherche à parfaire le cycle de ce
processus inconnu.

Nous ne pouvons de prime abord deviner
la cause de cette impulsion à communiquer le
mot d'esprit. Toutefois l'esprit offre une autre
particularité, qui le distingue encore du comique. Si je rencontre le comique sur ma route,
je puis moi-même en rire de bon cœur ; il est
vrai que je puis aussi trouver l'occasion de
faire rire un autre en lui en faisant part. Mais
le mot d'esprit qui m'est venu à l'idée, que j'ai
fait, je ne peux pas en rire moi-même, en dépit
de l'agrément indiscutable que je lui trouve.
Il est possible qu'il y ait quelque rapport entre

mon besoin de communiquer le mot d'esprit à autrui et cet effet risible qui m'est interdit à moi-même, tandis qu'il se manifeste chez autrui.

Pourquoi donc ne puis-je rire moi-même de mon propre mot d'esprit? Et quel est, en l'espèce, le rôle assigné à autrui?

Occupons-nous tout d'abord de la seconde question. Dans le comique interviennent en général deux personnages : en dehors de mon moi, le sujet chez lequel je découvre le trait comique ; si je trouve du comique aux objets, c'est qu'en vertu d'une démarche assez familière à notre représentation, je personnifie cet objet. Ces deux personnages, le moi et la personne-objet, suffisent au processus comique ; l'intervention d'une tierce personne est possible mais non point indispensable. Le mot d'esprit, en tant que jeu avec ses propres paroles, ses propres pensées, se passe tout d'abord de personne-objet, mais dès le stade préliminaire de la plaisanterie, lorsqu'il a réussi à soustraire le jeu et le non-sens aux objections de la raison, il a besoin d'un tiers auquel il puisse faire part de sa réussite. Dans le cas du mot d'esprit, cette seconde personne ne correspond pas à la personne-objet, mais au tiers, à l'acolyte du comique. Il semble que, dans la plaisanterie, l'acolyte ait qualité pour décider si l'élaboration de l'esprit a atteint son but, comme si le moi n'était pas sûr de son propre jugement. De

même l'esprit inoffensif, celui qui renforce une
pensée, a besoin de l'approbation d'autrui pour
se convaincre de ce qu'il a bien rempli sa mission.
Quand le mot d'esprit se met au service des
tendances qui déshabillent ou des tendances
hostiles, on peut le figurer comme un processus
psychique à trois personnages qui sont les
mêmes que ceux du comique, mais le rôle du
tiers est ici différent ; le processus psychique
évolue entre le premier : (le moi), et le tiers :
(l'acolyte), non point, comme dans le comique,
entre le moi et la personne-objet.

Chez le tiers du mot d'esprit, l'esprit peut
aussi se heurter à des conditions subjectives
capables de faire avorter ce résultat : l'éveil
du plaisir. Comme le dit Shakespeare (*Love's
Labour's lost*, V, 2) :

> « *A jest's prosperity lies in the ear
> of him that hears it, never in the tongue
> of him that makes it...* » [1]

Celui qui est absorbé dans des pensées sé-
rieuses est hors d'état de témoigner, par sa
réaction à la plaisanterie, que la plaisanterie
a su sauvegarder le plaisir de jouer avec les
mots. Il doit être d'humeur enjouée ou, tout
au moins, indifférente pour pouvoir, vis-à-vis
de la plaisanterie, jouer le rôle de tiers. Ce même

---

1. La fortune d'une plaisanterie dépend de l'oreille de celui qui
l'écoute et jamais de la langue de celui qui le fait... (N. d. T.)

obstacle intervient également dans l'esprit inoffensif et dans l'esprit tendancieux ; mais dans ce dernier cas un autre obstacle surgit encore : c'est l'opposition à la tendance que l'esprit cherche à servir. Le tiers, auditeur d'un mot d'esprit obscène, même excellent, ne sera pas d'humeur à en rire, si ce mot vise une de ses proches parentes qu'il révère. Dans une réunion de curés et de pasteurs, personne ne se risquerait à comparer, comme l'a fait Heine, les ministres catholiques ou protestants à de petits commerçants ou à des représentants de maisons de gros ; devant un parterre de sujets dévoués à mon adversaire, les invectives les plus spirituelles que je pourrais lui décocher ne feraient pas l'effet de mots d'esprit, mais d'invectives pures et simples, et soulèveraient, non point le rire, mais l'indignation de l'auditoire. Une certaine disposition favorable, ou tout au moins une certaine indifférence, l'absence de tout élément capable de susciter des sentiments vifs opposés à la tendance, sont indispensables pour permettre au tiers de contribuer à l'accomplissement du processus spirituel.

Lorsque aucun de ces obstacles ne s'oppose à l'effet du mot d'esprit, voici ce qui se produit et ce qui nous reste à étudier : le plaisir, résultat du mot d'esprit, se manifeste d'une façon *plus nette* chez l'auditeur que chez l'auteur. Nous nous contentons de dire : « d'une façon

plus nette », tout en étant tentés de poser la
question de savoir si le plaisir de l'auditeur
n'est pas même supérieur à celui de l'auteur,
parce que — comme il est facile de le comprendre — les procédés de mesure et d'étalonnage
nous font défaut. Nous voyons cependant que
l'auditeur manifeste son plaisir par un éclat de
rire, tandis que la première personne a lancé
son mot d'esprit, le plus souvent, d'un air sérieux et impassible. Si je rapporte, à mon tour,
un mot d'esprit que j'ai entendu, je dois, pour
ne pas en compromettre l'effet, adopter dans
mon récit l'attitude du premier narrateur. La
question se pose à présent de savoir si cette
conditionnalité du rire déclenché par le mot
d'esprit nous autorise à formuler des conclusions applicables au processus psychique de la
formation du mot d'esprit.

Nous ne pouvons relever ici tout ce qui a été
dit et écrit sur la nature du rire. Nous pourrions
d'ailleurs en être découragés par cette phrase
que Dugas, élève de Ribot, place en tête de son
livre, *Psychologie du rire* (1902) : « *Il n'est pas
de fait plus banal et plus étudié que le rire ; il
n'en est pas qui ait eu le don d'exciter davantage
la curiosité du vulgaire et celle des philosophes, il
n'en est pas sur lequel on ait recueilli plus d'observations et bâti plus de théories, et avec cela il n'en
est pas qui demeure plus inexpliqué ; on serait
tenté de dire avec les sceptiques qu'il faut être*

*content de rire et de ne pas chercher à savoir
pourquoi on rit, d'autant que peut-être la réflexion
tue le rire, et qu'il serait alors contradictoire
qu'elle en découvrît les causes* » (p. 1) [1].

Par contre, nous ne laisserons pas échapper
l'occasion d'utiliser à nos fins une conception
du mécanisme du rire qui s'accorde parfaitement avec notre manière de penser. Je veux
parler de l'explication que H. Spencer cherche
à en donner dans son essai : *Physiology of
Laughter* [2].

D'après Spencer, le rire est un phénomène
de décharge de l'excitation psychique et
montre que l'emploi de cette excitation s'est
tout d'un coup heurté à un obstacle. Voici en
quels termes il décrit la situation psychologique
qui se résout par le rire : « *Laughter naturally
results only when consciousness is unawares
transferred from great things to small — only
when there is what we may call a* descending
incongruity [3]. »

1. En français dans le texte. (N. d. T.)
2. H. Spencer, *The Physiology of Laughter* (first published in
Macmillan's Magazine for March 1860), *Essays*, vol. II, 1901.
3. « Le rire ne se produit naturellement que lorsque, à l'impro-
viste, la conscience est transférée de grandes choses à de petites
— que lorsqu'il y a ce que nous pouvons appeler une incongruité
descendante. » (N. d. T.)
Dans une étude sur le plaisir du comique, divers points de cette
définition demanderaient un examen approfondi, qui, du reste,
a déjà été entrepris par d'autres auteurs dont les directives étaient
en tout cas fort différentes des nôtres. — Spencer ne me semble pas
avoir été heureux dans sa tentative d'expliquer pourquoi la dé-

Dans le même esprit, des auteurs français (Dugas) considèrent le rire comme une *détente* — une manifestation de détente — et même la formule de A. Bains, « *Laughter a relief from restraint* [1] » me paraît moins éloignée de la conception de Spencer que bien des auteurs ne voudraient nous le faire croire.

Il nous paraît cependant nécessaire de modifier la pensée de Spencer ; les idées qu'elle implique demandent à être en partie précisées, en partie retouchées. Nous dirions que le rire se déclenche dans le cas où une somme d'énergie psychique, primitivement employée à l'investissement de certaines voies psychiques, a perdu toute utilisation, de telle sorte qu'elle peut se décharger librement. Nous nous rendons compte de la « suspicion » à laquelle une telle assertion nous expose, mais nous nous risque-

charge suit précisément les voies dont l'excitation produit le tableau somatique du rire. Je me bornerai à fournir une seule contribution au thème — traité avant et depuis Darwin, mais cependant pas encore définitivement épuisé — de l'élucidation physiologique du rire, c'est-à-dire de la déduction ou interprétation des actions musculaires caractéristiques du rire. La contorsion de la commissure des lèvres — grimace qui caractérise le sourire — se montre pour la première fois, à ce que je sache, chez le nourrisson repu et rassasié qui, en s'endormant, laisse échapper le sein maternel. C'est là un geste réellement expressif qui correspond à la résolution de ne plus prendre de nourriture, et représente, pour ainsi dire, un « Assez » ou plutôt un « Plus qu'assez ». Ce sens primitif du rassasiement joyeux a peut-être procuré au sourire qui, comme on le sait, demeure le phénomène fondamental du rire, le rapport ultérieur avec les processus de décharge joyeuse. (N. d. T.)

1. Le rire, une libération de la contrainte. (N. d. T.)

rons à invoquer à notre justification cette
proposition excellente du travail de Lipps sur
le comique et sur l'humour ; ce travail, du reste,
nous ouvre des horizons débordant le comique
et l'humour. « En fin de compte, les problèmes
isolés de la psychologie nous ramènent toujours
au cœur même de la psychologie, à telle enseigne
qu'aucun problème psychologique ne peut se
traiter isolément » (p. 71). Les concepts « d'énergie psychique » de « décharge », et le fait de
traiter l'énergie psychique comme une quantité,
sont devenus pour moi des habitudes de pensée,
depuis que j'ai entrepris de considérer les faits
de la psychopathologie sous un angle philosophique ; déjà dans ma *Science des Rêves* (1900)
j'ai tenté, dans le même esprit que Lipps, de
poser, non pas le contenu de la conscience, mais
les processus psychiques — en eux-mêmes
inconscients — comme « les facteurs réellement efficients du psychisme »[1]. Ce n'est que

---

1. Cf. le chapitre VIII du livre cité de Lipps *Ueber die psychische
Kraft* (De l'énergie psychique), etc. (aussi *La Science des Rêves*,
VIII). « Est ainsi valable ce principe général : les facteurs de la vie
psychique sont, non pas les éléments contenus dans la conscience,
mais les processus psychiques, inconscients en eux-mêmes. La tâche
de la psychologie, à moins que celle-ci ne se borne à décrire simplement les éléments contenus dans la conscience, doit consister
alors à conclure, d'après les éléments contenus dans la conscience
et leurs rapports temporeis, à la nature de ces processus inconscients. La psychologie doit être une théorie de ces processus. Mais
une telle psychologie ne tardera pas à découvrir que ces processus
psychiques possèdent un grand nombre de qualités qui ne sont pas
représentées dans les contenus respectifs de la conscience » (Lipps,
l. c., p. 123).

lorsque je parle de l' « investissement des voies
psychiques » que je semble m'éloigner des
métaphores employées par Lipps. Mon expérience relative à la mobilité de l'énergie psychique suivant certaines voies d'associations,
ainsi que mon expérience touchant la conservation presque indéfinie des traces laissées
par les processus psychiques, m'ont en effet
incité à tenter de figurer l'inconnu sous cette
forme imagée. Pour éviter tout malentendu,
je dois ajouter que je ne prétends nullement
proclamer que ces voies psychiques soient cons-
tituées par les cellules ou les fibres nerveuses,
pas plus que par le système des neurones, qui,
de nos jours, a pris leur place, bien qu'il doive
être possible de représenter ces voies, d'une
manière encore imprévisible, par des éléments
organiques du système nerveux.

Ainsi, d'après notre hypothèse, dans le rire,
les conditions sont telles qu'une somme d'énergie psychique, employée jusque-là à un investissement, peut se décharger librement ; or,
si tout rire n'est pas un signe de plaisir, celui
que provoque un mot d'esprit en est un à coup
sûr ; nous inclinerons donc à rapporter ce plaisir
à la levée d'un investissement antérieur. Si
l'auditeur d'un mot d'esprit rit, tandis que son
auteur ne le peut pas, c'est que chez l'auditeur
un certain effort d'investissement devient superflu et se décharge, tandis que la formation

du mot d'esprit comporte des inhibitions qui
entravent ou la levée de l'inhibition ou la possibilité de la décharge. On ne peut mieux caractériser le processus psychique de l'auditeur,
c'est-à-dire du tiers du mot d'esprit, qu'en
faisant ressortir qu'il récolte à très peu de frais
le plaisir que lui procure le mot d'esprit. Il
reçoit, pour ainsi dire, un don gratuit. Les termes du mot d'esprit, qu'il perçoit, font inéluc-
tablement surgir en lui cette représentation,
cette association d'idées, qui rencontraient chez
lui de puissants obstacles intérieurs. Pour l'évoquer spontanément — en jouant le rôle de la
première personne — il lui eût fallu faire un
effort personnel et dépenser une somme d'énergie psychique au moins égale à la force de
l'inhibition, de la répression ou du refoulement.
Cet effort psychique lui a été épargné ; conformément aux explications ci-dessus (p. 195),
nous dirions que son plaisir correspondrait à
cette épargne. Cependant, d'après notre conception du mécanisme du rire, nous dirions bien
plutôt que l'énergie d'investissement employée
à l'inhibition est devenue tout à coup superflue,
grâce à la production, par la voie des impressions
auditives, de la représentation prohibée, et
qu'elle s'est libérée et de la sorte est devenue
toute prête à se décharger par le rire. Dans leur
essence, les deux interprétations sont équivalentes, car l'économie de la dépense correspond

exactement à l'inhibition devenue superflue.
La seconde formule est pourtant plus suggestive,
parce qu'elle nous permet de dire que l'auditeur
du mot d'esprit rit avec l'appoint d'énergie psychique libéré par la levée de l' « investissement
d'inhibition » ; il « rit » pour ainsi dire cet appoint.

L'impossibilité, pour l'auteur du mot d'esprit,
d'en rire, nous fait supposer, comme nous venons
de le dire, que le processus psychique de l'auteur
diffère de celui du tiers, et que cette différence
porte soit sur la levée de l'investissement d'inhibition, soit sur la possibilité de sa décharge. Mais
cette première éventualité ne peut correspondre
à la réalité, comme nous devons aussitôt en
convenir. L'investissement d'inhibition doit
avoir été levé également chez la première personne, sans quoi le mot d'esprit n'eût pas surgi,
puisque, pour le former, il fallait triompher de
ladite résistance. Dans ces conditions, il serait de
plus impossible que le premier goûtât au plaisir
de l'esprit, puisque nous avons fait dériver ce
plaisir de la levée de l'inhibition. Reste donc
cette seconde éventualité, que le premier ne
peut rire, malgré le plaisir qu'il éprouve, parce
que la possibilité de la décharge est entravée.
Ce trouble, qui s'oppose à la décharge nécessaire
au rire, peut tenir à ce que l'énergie d'investissement libérée est immédiatement remployée à
d'autres démarches endopsychiques. Nous avons
bien fait d'envisager cette éventualité ; nous y

reviendrons tout à l'heure. Mais chez le premier
personnage du mot d'esprit une autre condition,
qui aboutit au même résultat, peut être réalisée.
Malgré la levée de l'investissement d'inhibition,
peut-être aucune somme d'énergie susceptible
de s'extérioriser n'a-t-elle été libérée. Car chez
le premier personnage du mot d'esprit se poursuit l'élaboration de l'esprit qui doit correspondre à une certaine somme de dépense
psychique nouvelle. C'est donc la première
personne qui fournit elle-même la force nécessaire à la levée de l'inhibition ; il en résulte certainement pour elle un bénéfice de plaisir, dans le
cas de l'esprit tendancieux, puisque le plaisir préliminaire acquis par l'élaboration de l'esprit
se charge lui-même des démarches ultérieures
nécessaires à la levée de l'inhibition ; mais dans
chaque cas il faut défalquer du profit réalisé
par la levée de l'inhibition la dépense nécessitée
par l'élaboration de l'esprit ; c'est précisément
cette dépense qui est épargnée à l'auditeur du
mot d'esprit. Nous pouvons ajouter, à l'appui de
ce qui précède, que pour le tiers aussi le mot
d'esprit perd son effet risible dès qu'il exige un
effort de travail cérébral. Les allusions du mot
d'esprit doivent sauter aux yeux, les ellipses
doivent être faciles à rétablir ; dès qu'il nécessite
la réflexion consciente, le mot fait, en général,
long feu. C'est là une différence importante entre
le mot d'esprit et l'énigme ; peut-être la constel-

lation psychique qui préside à l'élaboration de
l'esprit n'est-elle point favorable en somme à la
libre décharge du gain réalisé. Ici, nous ne sommes d'ailleurs pas en état d'aller beaucoup plus
loin ; nous avons pu résoudre, d'une façon plus
complète, la première partie du problème (pourquoi le tiers rit) que la seconde (pourquoi le
premier ne rit pas).

Si, touchant les conditions du rire et les processus psychiques qui ont pour théâtre le tiers,
nous nous en tenons à ces directives, nous voici
toujours en état de nous expliquer d'une façon
satisfaisante toute une série de particularités
bien connues, mais encore incomprises, de l'esprit. Lorsqu'il s'agit de libérer, chez le tiers, un
appoint d'énergie d'investissement susceptible
d'être déchargé, plusieurs conditions sont nécessaires ou peuvent être considérées comme favorables : 1° il faut être sûr que le tiers fasse réellement cette dépense d'investissement ; 2° il
faut empêcher que, une fois libérée, cette énergie
trouve une autre utilisation psychique que la
décharge motrice ; 3° il n'y a que des avantages
à ce que l'énergie d'investissement, destinée à
être libérée chez le tiers, soit préalablement encore renforcée, exaltée. Certains procédés de l'élaboration de l'esprit répondent à ces intentions ;
nous pouvons peut-être les grouper sous la rubrique de techniques secondaires ou auxiliaires.

La première de ces conditions établit l'une

des aptitudes du tiers à être l'auditeur du mot
d'esprit. Il faut absolument entre l'auteur et
l'auditeur du mot une communion psychique
telle que le tiers soit soumis à ces mêmes inhibitions internes dont l'élaboration de l'esprit a
triomphé chez le premier. Celui qui se complaît
à la grivoiserie crue ne pourra prendre aucun
plaisir à un bon mot spirituel qui déshabille ;
les agressions de M. D... resteront incomprises
des gens sans culture, habitués à donner libre
cours à leur grossièreté. Ainsi chaque mot d'esprit exige son public, et rire des mêmes mots
d'esprit témoigne d'une grande affinité psychique. Nous touchons, du reste, ici à un point
qui nous permettra de deviner, avec plus de
précision, le processus qui a pour théâtre le
tiers. Il faut que ce dernier, par la force de l'habitude, soit capable de rétablir en lui-même les
inhibitions mêmes dont le mot d'esprit a triomphé chez le premier, de sorte que, dès que le
tiers entend le mot d'esprit, la disposition à
cette inhibition s'éveille en lui de façon impérieuse et automatique. Cette disposition à l'inhibition, que je considère comme un véritable
effort, comparable à la mobilisation d'une armée, est reconnue simultanément comme étant
superflue ou tardive, et, par suite, elle se décharge *in statu nascendi* par le rire [1].

1. Heymans a mis en valeur le point de vue du *statu nascendi*
sous un jour quelque peu différent (*Zeitschrift für Psychologie*, XI).

La seconde condition requise pour la libre
décharge, la nécessité d'éviter le remploi de
l'énergie ainsi libérée à un autre usage, apparaît
comme de beaucoup la plus importante. Elle
nous fournit l'explication théorique de la portée
incertaine du mot d'esprit quand les pensées
qu'il exprime évoquent chez l'auditeur des
représentations particulièrement émouvantes.
Suivant la conformité ou l'antinomie entre les
tendances du mot d'esprit et la série de pensées
qui dominent l'auditeur, l'attention de ce dernier reste fixée sur le processus spirituel ou s'en
retire. Mais il convient d'accorder un intérêt
théorique plus grand encore à une série de techniques auxiliaires de l'esprit, qui visent évidemment à distraire l'attention de l'auditeur du
processus spirituel lui-même, lequel de la sorte
se déroulera automatiquement. Je dis avec intention : « automatiquement » et non « incons-
ciemment » car ce dernier terme nous induirait
en erreur. Il ne s'agit ici que de tenir à l'écart
du processus psychique l'excès d'énergie d'investissement de l'attention, au moment où
s'entend le mot d'esprit. L'efficacité de ces techniques auxiliaires nous autorise à supposer que
c'est précisément l'investissement de l'attention
qui prend une grande part au contrôle et au
remploi de l'énergie d'investissement libérée.

Il ne semble pas facile, en effet, d'empêcher
l'emploi endopsychique des forces d'investis-

sement devenues disponibles, car, au cours de
nos processus cogitatifs, nous sommes constamment en train de déplacer de tels investissements
d'une voie sur une autre, sans rien laisser perdre
de leur énergie par décharge. Voici en pareil cas
les moyens employés par l'esprit. Premièrement,
il tend vers une formule brève qui donne peu de
prise à l'attention. En second lieu, il satisfait
à la condition de l'intelligibilité aisée (cf. plus
haut) ; dès qu'il ferait appel au travail cogitatif,
qu'il exigerait un choix entre plusieurs orienta-
tions cogitatives, il compromettrait l'effet du
mot, non seulement par l'effort psychique inévitable, mais encore par l'éveil de l'attention.
Le mot d'esprit use en outre de l'artifice de
détourner l'attention, en lui offrant, dans sa
forme, un tour qui la captive ; pendant ce temps,
la libération, ainsi que la décharge de l'investissement d'inhibition peuvent s'exécuter sans
que l'attention y mette obstacle. Les ellipses
verbales remplissent déjà cet office ; elles in-
citent l'auditeur à les rétablir et parviennent
ainsi à soustraire à l'attention le processus
spirituel. La technique de l'énigme, qui attire
l'attention, est pour ainsi dire mise ici au service de l'élaboration de l'esprit. Plus expédient
encore est l'artifice qui consiste à édifier ces
façades que nous avons déjà rencontrées dans
plusieurs groupes de mots d'esprit tendancieux
(p. 172). Les façades syllogistiques excellent à

capter l'attention par le travail qu'elles lui
imposent. Tandis que nous nous mettons en
devoir de démêler sur quel point cette réponse
peut être en défaut, nous rions déjà ; notre attention a été surprise, la décharge de l'énergie
d'investissement de l'inhibition, devenue libre,
a eu lieu. Ces mêmes considérations s'appliquent
aux mots d'esprit à façade comique, dans lesquels le comique se fait l'auxiliaire de la technique de l'esprit. Une façade comique seconde
de plusieurs façons l'effet du mot d'esprit, non
seulement elle rend possible l'automatisme du
processus spirituel en captant l'attention, mais
encore elle facilite la décharge par l'esprit, en la
faisant précéder d'une décharge par le comique.
Le comique fait ici office de plaisir préliminaire
alléchant, ce qui nous explique comment certains mots d'esprit peuvent renoncer entièrement au plaisir préliminaire engendré par les
techniques habituelles de l'esprit et user comme
plaisir préliminaire du seul comique. Parmi les
techniques propres à l'esprit, ce sont surtout le
déplacement et la représentation par l'absurde
qui, en dehors de leurs autres propriétés, sont
le plus aptes à détourner l'attention et à favoriser ainsi le déroulement automatique du processus spirituel [1].

1. J'ajoute ici un exemple de mot d'esprit par déplacement, afin
d'exposer encore un autre caractère intéressant de la technique de
l'esprit. La grande actrice Gallmeyer aurait répondu, dit-on,

Nous le pressentons déjà et nous pourrons le
comprendre mieux encore par la suite : cette
condition, le détournement de l'attention, que
nous venons de découvrir, n'est nullement un
trait indifférent du processus psychique qui se
déroule chez l'auditeur du mot d'esprit. Ce trait
nous en explique d'autres. Tout d'abord comment il se fait que nous ne sachions à peu près
jamais, en entendant un mot d'esprit, de quoi

à la question indiscrète : « Quel âge ? » d'un ton à la Gretchen et
les yeux pudiquement baissés : « A Brünn. » — C'est bien là le
prototype d'un mot par déplacement. Interrogée sur son âge,
elle répond par l'indication de son lieu de naissance ; anticipant
ainsi sur la question qui aurait suivi, elle donne à entendre : « Je
voudrais que l'on passât sur cette première question. » Et pourtant
nous sentons que le caractère de l'esprit ne se manifeste pas ici à
l'état de pureté. L'élusion de la question est trop claire, le déplacement trop évident. Notre attention comprend d'emblée qu'il
s'agit d'un déplacement intentionnel. Dans les autres mots d'esprit par déplacement, le déplacement est dissimulé, et notre attention reste captivée par l'effort de le découvrir. Dans un des mots
par déplacement (p. 87), cette repartie après la recommandation
du cheval de selle : « Que ferai-je à Presbourg à six heures et demie ? »
est également un déplacement qui saute aux yeux, mais en com-
pensation le déplacement produit un effet absurde qui déconcerte
l'attention, tandis que, dans l'interrogatoire de l'actrice, nous saisissons immédiatement le sens du déplacement. — C'est par cet autre
trait que se distinguent du mot d'esprit les soi-disant « *questions
plaisantes* » qui par ailleurs sont susceptibles de mettre en œuvre
les techniques les plus subtiles. Voici un exemple d'une question
plaisante dont la technique est le déplacement : « Qu'est un canni-
bale qui a mangé son père et sa mère ? — Réponse : *Orphelin.*
— Et si, de plus, il a dévoré tous ses autres parents ? — *Légataire
universel.* — Et où est-ce qu'un tel monstre trouvera encore de la
sympathie ? — *Dans l'encyclopédie à la lettre S.* » Les questions
plaisantes ne sont pas des mots d'esprit dans toute l'acception
du terme, parce que les réponses spirituelles qu'elles réclament
ne peuvent pas être devinées comme les allusions, ellipses, etc.,
des mots d'esprit.

nous rions, bien que nous puissions secondairement l'établir par l'analyse. C'est que le rire
résulte d'un processus automatique, impossible
à réaliser si notre attention consciente n'est
point accaparée par ailleurs. En second lieu
nous comprenons cette particularité du mot
d'esprit, qui consiste en ce qu'il ne réalise son
plein effet sur l'auditeur que lorsqu'il a pour lui
le charme de la nouveauté, lorsqu'il le surprend.
Cette propriété, responsable de la vie éphémère
des mots d'esprit et de la nécessité d'en créer
sans cesse de nouveaux, tient apparemment à
ce qu'il est dans la nature même de la surprise
ou du traquenard de ne pouvoir réussir une
seconde fois. Quand on répète un mot d'esprit,
l'attention est orientée par le souvenir du premier récit. On comprend ainsi le besoin de raconter le mot que l'on a déjà entendu à d'autres
qui ne le connaissent pas encore. Probablement
on récupère une partie des possibilités de plaisir,
perdues par le manque de nouveauté, en savou-
rant l'impression produite par le mot d'esprit
sur le néophyte. C'est un mobile de ce genre qui
peut somme toute avoir poussé le créateur du
mot d'esprit à en faire part à autrui.

En troisième lieu je considère comme
favorables, sinon indispensables, au processus
spirituel, les techniques auxiliaires de l'élaboration de l'esprit qui visent à accroître préalablement la somme d'énergie destinée à la décharge.

et exaltent de la sorte l'effet du mot d'esprit. Il
est vrai que ces moyens auxiliaires renforcent
aussi, dans la plupart des cas, l'attention portée
au mot d'esprit, mais ils le mettent hors d'état
de nuire, à la fois en fixant cette attention et en
l'inhibant dans sa mobilité. Tout ce qui intéresse
ou sidère agit dans les deux sens : avant tout
l'absurde, de même l'opposition, le « contraste
des représentations » dont certains auteurs ont
voulu faire la caractéristique essentielle de l'esprit, mais dans lequel je ne puis voir autre chose
qu'un moyen de renforcer l'effet du mot d'esprit.
Tout ce qui sidère réalise chez l'auditeur cet état
de dispersion de l'énergie que Lipps a qualifié de
« stagnation psychique », et je crois qu'il a
encore raison d'admettre que la « décharge »
sera d'autant plus forte que la stagnation préalable aura été plus marquée. L'exposé de Lipps
ne se rapporte pas, il est vrai, expressément à
l'esprit, mais au comique en général ; quoi qu'il
en soit, il nous paraît très vraisemblable que,
dans le cas de l'esprit, la décharge qui libère un
investissement d'inhibition se trouve, par la
stagnation, exaltée de même sorte.

La technique de l'esprit nous semble déterminée, somme toute, par deux sortes de tendances : l'une qui permet la formation du mot
d'esprit chez la première personne, l'autre qui
assure au mot d'esprit, chez le tiers, un rendement de plaisir maximum. Semblable au visage

de Janus, le double visage de l'esprit, qui pro-
tège le bénéfice primitif de plaisir contre l'assaut
de la raison critique, ainsi que le mécanisme du
plaisir préliminaire, répondent à la première
tendance ; la complication ultérieure de la technique, dont les conditions viennent d'être déve-
loppées dans ce chapitre, dérive de la présence
du tiers. Ainsi l'esprit est un de ces coquins à
double face qui servent à la fois deux maîtres.
Tout ce qui tend à donner le plaisir est calculé
par l'esprit en fonction du tiers, comme si des
obstacles internes insurmontables empêchaient
le créateur du mot de récolter lui-même ce plaisir.
On a ainsi l'impression nette que le processus
spirituel serait impossible en dehors de ce tiers.
Mais, tandis que nous avons assez bien pénétré
la nature de ce processus chez le tiers, il nous
apparaît que le processus correspondant, qui a
pour théâtre le premier sujet, nous demeure
encore obscur. De ces deux questions : pourquoi
ne pouvons-nous pas rire de l'esprit que nous
faisons nous-mêmes ? et : pourquoi sommes-
nous poussés à faire part à autrui de nos propres
mots d'esprit ? la première s'est soustraite encore
à toute réponse. Nous pouvons seulement présumer qu'il existe entre ces deux faits à élucider
une connexion intime : *pourquoi* sommes-nous
obligés de communiquer notre mot d'esprit à
autrui ? *parce que* nous n'en pouvons pas rire
nous-mêmes. De ce que nous avons appris des

conditions nécessaires à l'acquisition du plaisir
et à la décharge chez le tiers, nous pouvons
induire que, chez la première personne, les conditions nécessaires à la décharge manquent et que
celles que nécessite l'acquisition du plaisir ne
sont remplies qu'assez imparfaitement. On ne
peut nier alors que nous complétions notre
propre plaisir par la faculté de rire, qui nous
était auparavant interdite et ceci par la voie
détournée de l'impression produite sur nous par
la personne que nous avons réussi à faire rire.
Nous rions pour ainsi dire *par ricochet*, suivant
l'expression de Dugas. Le rire appartient aux
manifestations les plus contagieuses des états
d'âme ; si j'arrive, par la communication de
mon mot d'esprit, à provoquer le rire chez autrui,
je me sers en réalité de ce tiers pour éveiller mon
propre rire, et l'on peut en effet observer que si
tout d'abord le narrateur, en faisant son mot, a
gardé son sérieux, il mêle bientôt un rire discret
aux éclats de rire du tiers. La communication
de mon mot d'esprit à autrui répondrait ainsi à
plusieurs intentions : premièrement elle me don-
nerait la certitude objective de ce que l'élaboration de l'esprit a vraiment réussi ; deuxièmement elle compléterait mon propre plaisir
par choc en retour d'autrui sur moi-même ; troisièmement — si je ne fais que rapporter l'esprit
des autres — elle récupérerait la somme de plaisir que le manque de nouveauté lui a fait perdre.

Au terme de cette discussion des processus psychiques de l'esprit, en tant qu'ils ont pour théâtre deux individus, il convient de jeter un coup d'œil rétrospectif sur le facteur de l'épargne, qui nous parut si important dans la conception psychologique de l'esprit et cela dès notre première élucidation de la technique. Voilà longtemps que nous nous sommes éloignés de la conception la plus immédiate, mais aussi la plus simpliste, de cette épargne, c'est-à-dire du fait pur et simple d'éviter une dépense psychique en réduisant au minimum le nombre des mots et la formation des associations d'idées. Nous nous disions alors déjà qu'être concis, laconique, n'était pas encore être spirituel. La concision de l'esprit est une concision spéciale, elle est justement la « concision spirituelle ». Certes le bénéfice de plaisir primitif que nous trouvions à jouer avec les mots et les pensées émanait d'une simple épargne d'effort, mais, en passant du jeu à l'esprit, la tendance à l'épargne dut, elle aussi, modifier ses objectifs, car l'épargne réalisée en employant les mêmes mots ou en évitant de nouveaux agencements de pensées eût été insignifiante au regard de la dépense colossale de notre activité cogitative. Nous pouvons comparer l'économie psychique à la gestion d'une entreprise commerciale. Tant que les transactions sont peu importantes, il s'agit de dépenser le moins possible et de réduire au minimum

les frais d'administration. L'épargne dépend
encore de la valeur absolue de la dépense. Plus
tard, lorsque les affaires ont pris de l'extension,
l'importance relative des dépenses administra-
tives diminue ; la somme totale des dépenses
perd de son importance, pourvu que le nombre
des transactions et leur rendement s'accroissent
dans des proportions suffisantes. Il serait mes-
quin, voire même préjudiciable, de lésiner sur
les dépenses de l'exploitation. Toutefois on
aurait tort de penser que, même dans les grosses
affaires, une sage tendance à l'épargne ne soit
plus de mise. L'esprit d'économie du chef cher-
chera l'épargne dans tous les chapitres ; il se
montrera satisfait si une même gestion, antérieurement fort onéreuse, peut se réaliser à
moins de frais, quelque petite que cette épargne
puisse paraître au regard des dépenses totales.
D'une manière tout à fait analogue, dans la
complexité de notre trafic psychique, des économies de détail restent pour nous des sources de
plaisir, ainsi que le démontre notre vie quotidienne. Celui qui primitivement éclairait sa
chambre au gaz et vient d'adopter l'électricité
éprouvera pendant un certain temps une sensation nette de plaisir chaque fois qu'il manœu-
vrera son commutateur ; il l'éprouvera aussi
longtemps qu'il se ressouviendra à ce moment
des manœuvres compliquées que nécessitait de
sa part l'allumage du gaz. De même, les écono-

mies réalisées par l'esprit en effort d'inhibition
psychique, économies qui, par rapport à l'effort
psychique total, sont insignifiantes, demeurent
pour nous une source de plaisir, parce qu'elles
nous épargnent une dépense particulière à
laquelle nous étions habitués et que cette fois
encore nous étions déjà tout prêts à engager. Le
caractère prévu de cette dépense, à laquelle
nous étions prêts à faire face, est évidemment à
mettre au premier plan.

Une épargne sur un point de détail, comme
celle que nous venons de considérer, ne manquera
pas de nous procurer un plaisir momentané,
mais elle ne nous apportera pas un allégement
durable tant que l'épargne réalisée pourra trouver ailleurs son remploi. Ce n'est que lorsque ce
remploi pourra être évité que cette épargne
particulière se transformera en un allégement
général de la dépense psychique. Ainsi, grâce à
une compréhension plus juste des processus
psychiques de l'esprit, le facteur allégement vient
remplacer pour nous le facteur épargne. Le premier des deux nous procure évidemment un sentiment de plaisir bien plus vif. Le processus qui se
déroule chez la première personne du mot d'esprit
engendre le plaisir par la levée d'inhibitions, par
la réduction de la dépense locale ; mais ce processus ne semble pouvoir s'arrêter et clore son
cycle que lorsqu'il a, grâce à l'intervention d'un
tiers, réalisé par la décharge l'allégement général.

C

PARTIE THÉORIQUE

CHAPITRE V

LES RAPPORTS DE L'ESPRIT
AVEC LE RÊVE ET L'INCONSCIENT

A la fin du chapitre au cours duquel nous nous
sommes attachés à découvrir la technique de
l'esprit, nous avons dit (p. 142) que les processus
de la condensation, avec ou sans substitution,
du déplacement, de la représentation par le
contresens, par le contraire, de la représentation indirecte, etc. qui, comme nous l'avons
trouvé, jouent un rôle dans l'élaboration de
l'esprit, présentent une très grande analogie
avec les processus de l' « élaboration du rêve » ;
nous nous sommes réservé d'une part d'étudier
de plus près ces ressemblances, d'autre part
d'explorer les points qui semblent, d'après ces
indices, communs à l'esprit et au rêve. Ce travail
de comparaison nous serait très facilité si nous
pouvions considérer comme connu des lecteurs
l'un des termes de la comparaison — l' « élaboration du rêve ». Mieux vaut cependant n'y
point compter. J'ai l'impression, en effet,
que ma *Science des Rêves*, parue en 1900, a

apporté à mes collègues plus de « sidération »
que de « lumière » et je sais que le profane s'est
contenté de réduire le livre à ce mot lapidaire
« réalisation de désirs », mot dont il est aussi
facile de se souvenir que de mésuser.

Dans l'étude constante des problèmes traités
dans mon ouvrage, problèmes en présence desquels mon activité de médecin et de psychothé-
rapeute me place journellement, je n'ai trouvé
aucun fait susceptible de modifier ou de corriger
mes idées ; il m'est donc loisible d'attendre
patiemment que la compréhension de mes lecteurs m'ait rejoint ou qu'une critique péné-
trante m'ait signalé les erreurs foncières de ma
conception. Désireux d'établir une comparaison
avec l'esprit je rappellerai, le plus succincte-
ment possible, les notions essentielles concernant le rêve et son élaboration.

Nous connaissons le rêve par le souvenir, le
plus souvent fragmentaire, qui nous en reste
au réveil. Le rêve est alors un tissu d'impressions sensorielles, le plus souvent visuelles
(parfois différentes), qui nous ont donné l'illusion d'un événement et auxquelles peuvent se
mêler des processus cogitatifs (le « savoir » dans
les rêves) et des manifestations d'ordre affectif.
Ce dont nous nous souvenons ainsi en tant que
rêve, je l'ai appelé « *contenu manifeste du rêve* ».
Il est souvent complètement absurde et confus,
parfois l'un ou l'autre ; mais même lorsqu'il est

tout à fait cohérent comme dans beaucoup
de rêves d'angoisse, il apparaît, par rapport à
notre vie psychique, comme quelque chose
d'étranger, dont on ne parvient pas à discerner
l'origine. L'explication de ces caractères du
rêve a été jusqu'à présent recherchée en lui-
même, on les considérait en effet comme les
signes d'une activité désordonnée, dissociée,
pour ainsi dire « endormie », des éléments nerveux.

J'ai montré par contre que ce contenu « manifeste », si singulier, du rêve peut toujours être
rendu compréhensible en tant que transcription
mutilée et altérée de certaines formations psychiques tout à fait correctes, qui méritent le
nom de « *pensées latentes du rêve* ». Pour les
pénétrer il faut réduire en ses éléments constitu-
tifs le contenu manifeste du rêve, sans avoir
égard à son sens apparent éventuel, puis suivre
les fils des associations qui partent de chacun
des éléments ainsi isolés. Ces fils d'associations
s'entrelacent et aboutissent finalement à une
trame de pensées, qui non seulement sont parfaitement correctes, mais se rangent aisément
dans la connexité de nos processus psychiques,
à nous connus. Cette « analyse » a dépouillé
le contenu du rêve de toutes les étrangetés
qui nous étonnaient ; mais si nous voulons y
réussir, il nous faut, chemin faisant, réfuter
constamment les objections critiques qui s'op-

posent sans arrêt à la reproduction des associations intermédiaires successives.

La comparaison entre le contenu manifeste
du rêve, dont on se souvient, et les pensées
latentes du rêve, ainsi découvertes, nous fournit
la notion de l'« élaboration du rêve ». Il convient
d'appeler élaboration du rêve tout l'ensemble
des processus de transformation qui ont intro-
duit les pensées latentes du rêve dans le rêve
manifeste. La surprise que le rêve avait d'abord
provoquée en nous est, nous le voyons, inhérente à l'élaboration du rêve.

L'œuvre accomplie par l'élaboration du rêve
peut être retracée de la manière suivante :
une trame, le plus souvent fort compliquée,
de pensées, assemblées durant le jour et non
parvenues à réalisation — un « reste diurne »
— garde, même pendant la nuit, la somme
d'énergie requise — l'intérêt — et menace de
troubler le sommeil. Ce reste diurne est transformé, par l'élaboration du rêve, en un rêve,
et devient ainsi inoffensif pour le sommeil. Afin
de donner prise à l'élaboration du rêve, ce reste
diurne doit être apte à susciter des désirs,
condition assez facile à remplir. Le désir qui
émerge de la pensée onirique constitue le
premier échelon, puis le noyau du rêve. L'expérience qui découle de l'analyse des rêves, et non
pas la pure théorie, nous apprend que chez l'enfant un désir quelconque, résidu de l'état de

veille, suffit à provoquer un rêve, alors cohérent
et sensé, mais le plus souvent de courte durée,
et dans lequel on peut aisément reconnaître
la « réalisation d'un désir ». Il semble que, chez
l'adulte, le désir provocateur du rêve doive,
dans tous les cas, satisfaire à la condition d'être
étranger à la pensée consciente, d'être par suite
un désir refoulé, ou du moins susceptible de
recevoir des renforcements à l'insu de la conscience. Sans l'hypothèse de l'inconscient tel
que nous l'avons indiqué plus haut, je ne saurais
aller plus avant dans la théorie du rêve, ni
interpréter le matériel expérimental de l'analyse des rêves. Ce désir inconscient agissant sur
le matériel des pensées du rêve, correct du point
de vue de la conscience, produit alors le rêve.
Ces matériaux sont, pour ainsi dire, entraînés
dans l'inconscient ou, plus justement, soumis à
un traitement conforme à celui qui agit au stade
des processus cogitatifs inconscients, traitement caractéristique de ce stade. Jusqu'à
présent ce n'est que par les résultats mêmes de
« l'élaboration du rêve » que nous connaissons
les caractères du penser inconscient et ses
différences d'avec le penser « préconscient »
susceptible de conscience.

L'exposé succinct d'une théorie nouvelle
complexe et opposée aux habitudes cogitatives
n'est guère fait pour la clarifier. Je ne puis donc,
en écrivant ces lignes, avoir d'autre intention

que de renvoyer le lecteur à l'étude détaillée
que j'ai consacrée à l'inconscient dans ma *Science
des Rêves*, et aux travaux de Lipps, que je
considère à cet égard comme de première importance. Je sais que celui qui vit sous le joug
d'une bonne formation philosophique scolaire
ou qui adhère même de loin à ce qu'on appelle
un système philosophique s'insurge contre
l'hypothèse du « psychique inconscient » tel
que nous l'entendons, Lipps et moi, et qu'il
préférerait en démontrer l'impossibilité par la
définition du psychique. Mais les définitions
sont conventionnelles et sujettes à révision.
Mon expérience m'a bien des fois montré que
ceux qui combattent l'inconscient comme étant
chose absurde ou impossible, n'ont pas puisé
leurs impressions aux sources qui m'ont obligé,
moi du moins, de reconnaître son existence. Ces
adversaires de l'inconscient n'avaient jamais
observé l'effet d'une suggestion post-hypnoti-
que, et les preuves que je tirais de mes analyses
de névropathes non hypnotisés les plongeaient
dans le plus grand étonnement. Il ne leur était
jamais venu à l'idée que l'inconscient fût une
chose que l'on ignore absolument, mais à laquelle
cependant des arguments péremptoires nous
obligent à conclure ; ces gens avaient, par
contre, entendu par inconscient une chose
susceptible de conscience, à laquelle l'on n'avait
pas pensé à ce moment, quelque chose qui n'oc-

cupait pas le « champ visuel de l'attention ».
Ils n'avaient jamais non plus essayé de se convaincre, par l'analyse d'un de leurs propres
rêves, de l'existence de telles pensées inconscientes dans leur propre vie psychique, et,
lorsque avec eux j'ébauchais une tentative de
ce genre, ils ne pouvaient saisir leurs propres
associations qu'avec étonnement et confusion.
J'ai acquis en outre l'impression de ce que la
théorie de « l'inconscient » se heurtait principalement à des résistances d'ordre affectif qui
s'expliquent par ce fait que personne ne veut
connaître son inconscient, et pourtant trouve
plus expédient d'en nier tout simplement la
possibilité.

L'élaboration du rêve, à laquelle je reviens
après cette digression, soumet les matériaux
cogitatifs, qui lui arrivent sur le mode optatif,
à un traitement tout à fait singulier. Elle
transpose d'abord l'optatif en présent, remplaçant le « puisse-t-il être » par « cela est ».
Ce « cela est » est destiné à la représentation
hallucinatoire, à ce que j'ai désigné comme
la « régression » de l'élaboration du rêve ;
c'est la voie qui conduit des pensées aux images
de la perception, ou bien de la région des formations cogitatives à celle des perceptions sensorielles, pour user des termes de la « topique »
encore inconnue de l'appareil psychique —
topique qu'il ne faut pas entendre au sens ana-

tomique. Sur cette voie, qui est contraire à la
direction que suit le développement des complications psychiques, les pensées du rêve
acquièrent un caractère visuel ; il en résulte
une « situation » plastique, qui sert de noyau
à l' « image onirique » manifeste. Pour devenir
susceptibles d'une telle représentation senso-
rielle, les pensées du rêve ont dû subir, dans
leur expression, des transformations profondes.
Mais, au cours de cette transmutation régressive
en images sensorielles, les pensées subissent
encore d'autres altérations, dont les unes sont
nécessaires, donc concevables, les autres sur-
prenantes. On comprend aisément qu'une conséquence accessoire inévitable de la régression
soit la perte, dans le rêve manifeste, de presque
toutes les relations cogitatives qui les reliaient
entre elles. L'élaboration du rêve ne se charge
d'exposer, pour ainsi dire, que la matière brute
des représentations ; elle rejette leurs relations
cogitatives ou se réserve du moins la liberté
de les négliger. Par contre, il est une autre
partie de l'élaboration du rêve que nous ne
pouvons faire dériver de la régression, de la
transmutation régressive en images sensorielles,
et c'est justement cette part qui importe à
l'analogie de la formation du rêve et de celle
de l'esprit. Le matériel des pensées oniriques
subit, au cours de l'élaboration du rêve, une
compression extraordinairement forte, une *con-*

densation. Les points d'où part la condensation
sont les facteurs communs que recèlent les
pensées oniriques, soit par l'effet du hasard,
soit en raison de leur propre fond. Puisque ces
facteurs communs ne suffisent pas, en général,
à produire une condensation suffisante, l'élaboration du rêve crée des analogies nouvelles,
artificielles et fugitives et, à cet effet, se plaît
même à employer des mots dont le son admette
différentes interprétations. Ces nouvelles analogies destinées à la condensation entrent, comme
éléments représentatifs des pensées oniriques,
dans le contenu manifeste du rêve, de sorte
qu'un élément du rêve représente pour les
pensées oniriques un point d'intersection, un
carrefour, et doit, en général, être considéré
comme « surdéterminé » par rapport à ces
pensées. La condensation est la partie de
l'élaboration du rêve la plus facile à saisir ; il
suffit de comparer le texte écrit d'un rêve à la
notation des pensées oniriques obtenues par
l'analyse, pour se faire une idée exacte du degré
de condensation que subit le rêve.

Il est moins aisé de prendre conscience de
l'autre grande transformation que l'élaboration
du rêve fait subir à la pensée onirique, c'est-à-
dire de ce processus que j'ai nommé *déplacement*
du rêve. Ce déplacement se manifeste par ce
fait que tout ce qui, dans les pensées oniriques,
se trouvait périphérique et était accessoire,

se trouve, dans le rêve manifeste, transposé au
centre et s'impose vivement aux sens ; et *vice
versa*. Le rêve semble ainsi déplacé aux pensées
oniriques, et c'est précisément en raison de ce
déplacement que le rêve paraît, au psychisme
éveillé, étrange et incompréhensible. Pour
réaliser un tel déplacement, il fallait que l'énergie d'investissement pût glisser sans encombre
des représentations importantes aux représentations insignifiantes, ce qui, à la pensée normale, susceptible de conscience, ne peut que
faire l'impression d'une « faute de raisonnement ».

Transformation favorisant la représentation,
condensation et déplacement, telles sont les
trois démarches principales qu'il convient d'attribuer à l'élaboration du rêve. Une quatrième,
qui n'a peut-être pas été suffisamment étudiée
dans la *Science des Rêves*, dépasse l'objet de
notre présent travail. Pour développer métho-
diquement les idées de « topique de l'appareil
psychique » et de « régression » — développement qui seul serait apte à mettre en valeur
ces hypothèses de travail — il faudrait s'efforcer
de déterminer à quels stades de la régression
ont lieu les diverses transformations des pensées
oniriques. Cette tentative n'a pas encore été
sérieusement faite ; mais l'on peut, au moins
pour le déplacement, admettre avec certitude
qu'il doit se produire au moment où les maté-

riaux cogitatifs se trouvent au stade des processus inconscients. En ce qui concerne la
condensation, on doit probablement la considérer comme un processus dont l'action se pro-
longe jusqu'à l'arrivée dans la région des perceptions ; mais en général on se contentera de
supposer qu'elle résulte d'une action simultanée
de toutes les forces qui interviennent dans la
formation du rêve. Tout en tenant compte de
la circonspection qui s'impose évidemment
dès qu'il s'agit de traiter de tels problèmes et des
objections de principe qui s'élèvent lorsqu'on
aborde de telles questions, objections que nous
ne saurions discuter ici, je me risquerai à dire
que le processus préparatoire du rêve, qui fait
partie intégrante de son élaboration, doit avoir
pour théâtre la région de l'inconscient. Il faudrait donc, *grosso modo*, reconnaître à la formation du rêve trois stades successifs :
en premier lieu, la translation des restes
diurnes préconscients, dans l'inconscient, translation à laquelle doivent contribuer les
conditions de l'état de sommeil ; en second lieu, l'élaboration proprement dite du
rêve dans l'inconscient ; en troisième lieu,
la régression des matériaux oniriques ainsi
traités vers la perception, sous les espèces de
laquelle le rêve se présente à la conscience.

Parmi les forces qui concourent à la formation
du rêve, on peut discerner : le désir de dormir ;

l'investissement résiduel de l'énergie que les
restes diurnes, malgré leur étiolement par l'état
de sommeil, ont conservée ; l'énergie psychique
du désir inconscient qui forme le rêve ; la force
antagoniste de la « censure » qui agit durant
l'état de veille, mais ne désarme pas complètement durant le sommeil. La tâche de la formation du rêve consiste avant tout à surmonter
l'inhibition de la censure et c'est précisément
cette tâche qui s'accomplit à la faveur des
déplacements de l'énergie psychique au sein
du matériel des pensées oniriques.

Rappelons-nous maintenant la raison qui,
dans notre étude de l'esprit, nous a orientés vers
le rêve. Nous avons trouvé que le caractère et les
effets de l'esprit étaient liés à certains modes
d'expression, à certains procédés techniques,
dont la condensation, le déplacement et la
représentation indirecte sont les types les plus
frappants. Nous avons retrouvé comme caractéristiques de l'élaboration du rêve des processus
qui aboutissent aux mêmes résultats : condensation, déplacement, représentation indirecte.
Cette conformité ne nous amènerait-elle pas à
conclure que l'élaboration de l'esprit et celle
du rêve sont, pour le moins, identiques sur un
point essentiel ? L'élaboration du rêve, d'après
moi, s'est dévoilée dans ses caractères princi-
paux ; parmi les processus psychiques de l'esprit,
c'est justement la partie que nous serions en

droit de comparer à l'élaboration du rêve, le
processus de la formation du mot d'esprit
chez la première personne du mot, qui nous
demeure cachée. Ne devrions-nous pas céder
à la tentation de reconstituer ce processus sur
le modèle de la formation du rêve? Certains
traits du rêve sont si étrangers à l'esprit que
nous n'oserions pas transposer à la genèse de
l'esprit les démarches correspondantes de l'élaboration onirique. La régression du cours de
la pensée vers la perception ne s'applique évidemment pas à l'esprit ; mais si nous supposons
applicables, par analogie, à la formation du mot
d'esprit, les deux autres stades de la formation
du rêve, à savoir la chute d'une pensée préconsciente dans l'inconscient et son traitement sur
le mode inconscient, le résultat serait conforme
à ce que nous observons dans l'esprit. Adoptons
alors cette hypothèse que telle est, chez la
première personne, la formation du mot d'esprit.
Une pensée préconsciente est confiée momentané-
ment au traitement inconscient, ce qui résulte de
ce traitement est aussitôt récupéré par la percep-
tion consciente.

Avant de nous attacher à l'examen minu-
tieux de cette proposition, il nous faudra penser
à une objection susceptible de mettre en échec
notre hypothèse. Nous partons de ce fait que
les techniques de l'esprit nous ramènent à ces
mêmes processus que nous avons déjà reconnus

comme particuliers à l'élaboration du rêve. On
pourrait aisément nous objecter que nous n'aurions pas fait figurer parmi les techniques de
l'esprit la condensation, le déplacement, etc.,
et que nous n'aurions pas trouvé de concordances si parfaites entre les procédés représentatifs de l'esprit et ceux du rêve, si la connaissance
préalable de l'élaboration du rêve n'avait pas
influencé notre conception de la technique de
l'esprit, de sorte qu'en fin de compte l'étude
de l'esprit n'aurait fait que confirmer des
idées préconçues, issues de notre conception
du rêve, idées avec lesquelles nous aurions
abordé cette étude. Une telle concordance,
vu sa genèse, ne saurait donc prétendre à une
existence effective en dehors de nos préjugés ;
de fait, aucun autre auteur n'a dit que la
condensation, le déplacement, la représentation
indirecte, fussent des modes d'expression de
l'esprit. Cette objection se soutient, mais en
l'espèce ne porte pas. Il peut tout aussi bien se
faire que notre perspicacité ait eu besoin d'être
aiguisée par la connaissance de l'élaboration
du rêve pour pouvoir reconnaître cette concordance réelle. Or, pour trancher la question,
il suffit de décider si une critique judicieuse,
s'attachant à chaque exemple en particulier,
peut prouver qu'une telle conception de la
technique de l'esprit donne une entorse à la
vérité et fait de la sorte violence à toute autre

conception plus simple et plus profonde, ou si,
au contraire, la critique doit admettre que les
propositions, suggérées par l'étude des rêves,
sont vraiment confirmées par l'étude de l'esprit.
Je suis d'avis que nous n'avons rien à craindre
d'une telle critique et que la méthode de la
réduction (p. 36 et suiv.), employée par nous,
nous a appris à reconnaître d'une manière
positive dans quels modes d'expression il fallait
rechercher de l'esprit. Si nous avons donné
à ces techniques des noms qui anticipaient
sur la découverte de la concordance entre la
technique de l'esprit et celle de l'élaboration
du rêve, c'était notre droit strict et en fin de
compte une pure simplification facile à justifier.

Une autre objection serait, à notre avis,
moins grave, mais ne saurait, en revanche, se
réfuter aussi intégralement. Tout en admettant
que les techniques de l'esprit, par elles-mêmes si
conformes à nos desseins, méritent d'être rete-
nues, on pourrait dire qu'elles ne constituent
pourtant pas la totalité des techniques spirituelles possibles ou usuelles. Sous l'influence
de notre modèle, l'élaboration du rêve, nous
aurions choisi les seules techniques de l'esprit
qui lui seraient conformes, tandis que d'autres
techniques, que nous aurions négligées, prou-
veraient qu'une telle concordance n'est pas une
loi générale. Je n'oserais assurément pas affirmer qu'il m'ait été donné d'élucider la technique

de tous les mots d'esprit qui circulent, et j'admets que mon inventaire des techniques de l'esprit présente plus d'une lacune, mais je n'ai, de propos délibéré, éliminé aucun type de technique que j'aie pu découvrir ; je peux même affirmer que les techniques les plus courantes, les plus importantes, les plus caractéristiques de l'esprit, n'ont point échappé à mon attention.

L'esprit possède encore un autre trait caractéristique qui cadre bien avec notre conception de l'élaboration de l'esprit, elle-même issue de nos études sur le rêve. On dit, il est vrai, que l'on « fait » un mot d'esprit, mais l'on sent bien qu'on s'y prend autrement que pour émettre un jugement ou formuler une objection. Le mot d'esprit comporte au plus haut degré le caractère d'une « idée subite » involontaire. On ignore l'instant d'avant le trait d'esprit que l'on décochera et qu'on se sera borné à revêtir de mots. On éprouve plutôt quelque chose d'indéfinissable, qui ressemblerait à une absence, à une défaillance subite de la tension intellectuelle, puis tout d'un coup le mot d'esprit surgit, presque toujours tout paré des mots qui le revêtent. Certains modes appartenant à l'esprit — comme par exemple la comparaison, l'allusion — servent en dehors de lui à exprimer nos pensées. Je puis, de propos délibéré, faire une allusion. En ce cas, tout d'abord, dans mon audition interne, j'envisage l'expression directe de ma pensée ; j'en

inhibe l'extériorisation par un scrupule conforme
à la situation, je me propose presque de remplacer l'expression directe par une sorte d'expression indirecte et j'en arrive alors à mon allusion ;
mais une allusion, faite ainsi sous mon contrôle
permanent, peut bien être viable, elle n'est jamais spirituelle ; l'allusion spirituelle, au contraire, surgit sans que j'en puisse suivre en
moi-même les stades préparatoires. Je ne veux
point exagérer l'importance de ce processus ;
ce n'est pas un argument décisif, mais il est bien
conforme à notre hypothèse que, dans la formation du mot d'esprit, une suite de pensées dis-
paraisse momentanément pour émerger tout à
coup de l'inconscient sous la forme d'un mot
d'esprit.

Les mots d'esprit présentent également une
manière particulière de se comporter dans nos
associations. Souvent les mots d'esprit échap-
pent à notre mémoire quand nous les cherchons ;
d'autres fois par contre ils s'offrent, sans être
appelés par notre volonté, et notamment à
l'occasion de pensées qui ne semblent pas de
nature à les évoquer. Il ne s'agit là encore que
de petits traits, représentatifs néanmoins de
l'origine inconsciente des mots d'esprit.

Réunissons à présent les caractères du mot
d'esprit susceptibles de cadrer avec sa formation
dans l'inconscient. Signalons en premier lieu
sa concision particulière, trait nullement essen-

tiel, mais fort caractéristique. Au premier abord,
nous étions tentés d'y voir l'expression d'une
tendance à l'épargne, mais cette conception
perdit pour nous sa valeur du fait d'objections
évidentes. Cette concision nous apparaît maintenant plutôt comme un signe de l'élaboration
inconsciente qu'a subie l'idée du mot d'esprit.
La condensation, qui lui correspond dans le
domaine du rêve, ne peut répondre, en effet, à
rien d'autre qu'à la localisation dans l'inconscient, et il nous faut admettre que, dans le processus inconscient de la pensée, se trouvent
réalisées les conditions qui, dans le préconscient,
font défaut à de telles condensations [1]. Tout
porte à croire que le processus de la condensation laisse tomber certains des éléments qui lui
sont soumis ; d'autres se chargent alors de leur
énergie d'investissement, se renforcent par la
condensation ou acquièrent par elle une force
exagérée. La concision du mot d'esprit serait
donc, comme celle du rêve, un phénomène
concomitant nécessaire de la condensation qui
se produit et dans le rêve et dans l'esprit ; elle
serait, dans les deux cas, le résultat d'un

1. En dehors de l'élaboration onirique et de la technique de
l'esprit, j'ai indiqué la condensation comme étant un élément
régulier et significatif d'un autre processus psychique encore, à
savoir du mécanisme de *l'oubli* normal (non tendancieux). Les
impressions singulières rendent l'oubli difficile ; d'autres impressions, qui présentent entre elles quelque rapport, s'oublient, étant
condensées à partir de leurs points de contact. La confusion d'impressions analogues est un des préludes de l'oubli.

processus condensateur. C'est à cette origine que la concision du mot d'esprit devrait son caractère particulier, impossible à préciser, mais frappant pour le sentiment.

Nous avons précédemment (p. 242 et suiv.) considéré comme épargne de détail d'un des effets de la condensation, à savoir l'emploi multiple du même matériel, le jeu de mots, l'assonance, et nous avons fait dériver le plaisir procuré par l'esprit (inoffensif) de cette épargne ; plus tard nous avons trouvé que la tendance primitive de l'esprit consistait à réaliser ce bénéfice de plaisir : le jeu avec les mots, auquel l'esprit pouvait se livrer sans contrainte, durant le stade ludique, mais qui fut frappé d'interdit par la critique rationnelle, au cours de l'évolution intellectuelle ultérieure. A présent nous avons opté pour l'hypothèse que ces condensations, dont use la technique de l'esprit, éclosent automatiquement dans l'inconscient, en dehors de toute intention, au cours du processus cogitatif. Ne s'agit-il pas ici de deux conceptions différentes et en apparence incompatibles d'un même fait ? Je ne le sais pas ; ce sont bien deux conceptions différentes qui demandent à être conciliées, mais il n'y a entre elles aucune contradiction. Elles ne sont qu'étrangères l'une à l'autre et, quand nous aurons pu établir quelque rapport entre elles, nous aurons, suivant toute probabilité, quelque peu progressé dans notre savoir.

Le fait que les condensations de ce genre sont
des sources de plaisir s'accorde fort bien avec
cette hypothèse que l'inconscient réalise aisément les conditions nécessaires à leur genèse ;
nous estimons même que l'immersion dans
l'inconscient se trouve due à ce que la condensation créatrice du plaisir, condensation indispensable au mot d'esprit, s'y produit avec
grande facilité. Deux autres facteurs, qui semblent au premier abord étrangers l'un à l'autre,
et qui se rencontrent comme par un hasard
malencontreux, apparaîtront à plus ample
informé comme étroitement solidaires, voire
même consubstantiels. Il s'agit de ces deux
propositions : d'une part, au cours de son développement, au stade du jeu, c'est-à-dire dans
l'enfance de la raison, l'esprit était susceptible
de produire de ces condensations génératrices
de plaisir ; d'autre part, aux stades supérieurs
de son développement, l'esprit accomplit le
même travail en plongeant la pensée dans l'inconscient. L'infantile est, on le sait, la source
de l'inconscient, les processus cogitatifs inconscients sont ceux-là mêmes qui, dans la première
enfance, se manifestent à l'exclusion de tout
autre. La pensée qui, pour créer l'esprit, plonge
dans l'inconscient, ne le fait que pour retrouver
la retraite de ses jeux d'antan avec les mots. Le
penser revient, pour un moment, au stade infantile afin de goûter à nouveau à la source infan-

tile de son plaisir. Si l'étude de la psychologie
des névroses ne nous l'avait pas déjà enseigné,
l'étude de l'esprit nous aurait fait soupçonner
que, dans son étrangeté, l'élaboration inconsciente n'est autre chose que le type infantile du
travail cogitatif. Il n'est toutefois pas aisé de
saisir, chez l'enfant, ce penser infantile avec
toutes ses particularités, conservées dans l'inconscient de l'adulte, car il est le plus souvent,
pour ainsi dire, corrigé *in statu nascendi*. Dans
certains cas on y parvient pourtant, et toujours
alors nous rions de « la sottise enfantine ». Toute
révélation d'un tel inconscient nous donne
généralement l'impression du « comique »[1].

Il est plus aisé de saisir les caractères de ces
processus cogitatifs inconscients dans les manifestations des sujets atteints de certains troubles
psychiques. Il est fort probable que, comme le
supposait le vieux Griesinger, nous serions en
état de comprendre les divagations des psychopathes et d'en tirer des renseignements si nous
ne leur imposions pas les exigences de la pensée
consciente, et leur appliquions au contraire notre

1. Nombre de mes névropathes, en cours de traitement psychana-
lytique, témoignent régulièrement par leur rire qu'on est parvenu
à révéler à leur conscience, avec exactitude, l'inconscient jusque-là
voilé ; ils rient même lorsque les données de l'inconscient ainsi
révélé ne s'y prêtent point. Il est vrai que cela n'arrive qu'à condition qu'ils aient pu approcher cet inconscient suffisamment pour
le comprendre au moment où le médecin le devine et le leur présente.

art d'interprétàtion comme nous le faisons pour
les rêves [1]. Pour le rêve déjà, nous avons, en son
temps et lieu, fait entrer en ligne de compte le
« retour de la vie psychique au stade embryon-
naire [2] ».

Nous avons si amplement exposé, à propos de
l'étude des processus de la condensation, l'importance de l'analogie de l'esprit et du rêve
qu'il nous sera permis d'être plus bref dans ce
qui va suivre. Nous savons que, dans l'élaboration du rêve, les déplacements marquent l'influence exercée par la censure de la pensée consciente ; par suite, chaque fois que nous rencon-
trons, parmi les techniques de l'esprit, le déplacement, nous serons disposés à admettre, dans
la formation de l'esprit, l'intervention d'une
force inhibitrice. Nous savons également déjà
qu'il en est très généralement ainsi ; l'esprit, qui
aspire à revivre le plaisir d'antan dû au non-
sens ou au jeu avec les mots, se trouve, dans
l'état psychique normal, inhibé par l'opposition
de la raison critique et se voit chaque fois dans
l'obligation de triompher de cette inhibition.
Mais la façon dont l'élaboration de l'esprit résout
ce problème révèle une différence considérable
entre l'esprit et le rêve. Dans l'élaboration du
rêve, ce problème est régulièrement résolu par

---

1. Il ne faut pas oublier de faire entrer en ligne de compte
la déformation due à la censure, qui agit encore dans la psychose.
2. *Scie ce des Rêves.*

les déplacements, par le choix de représentations
suffisamment éloignées de celles qui sont repous-
sées pour pouvoir franchir la censure ; elles sont
cependant les dérivés de ces dernières dont elles
ont, par un transfert intégral, endossé l'investissement psychique. Aussi les déplacements ne
manquent dans aucun rêve et y affectent une
tout autre amplitude. Il faut compter parmi les
déplacements, non seulement la déviation du
cours des idées, mais encore toutes les sortes de
représentation indirecte, en particulier la substitution à un élément significatif, mais offen-
sant, d'un autre élément indifférent, mais inoffensif en apparence à la censure, élément qui
figure une allusion des plus lointaines au premier,
un équivalent symbolique, une métaphore, un
détail. On ne peut nier que des rudiments de
cette représentation indirecte apparaissent déjà
dans les pensées préconscientes du rêve, par
exemple la représentation par le symbole ou par
la métaphore ; autrement la pensée n'aurait pu
atteindre le stade de l'expression préconsciente.
Les représentations indirectes de ce genre,
comme les allusions dont le rapport à l'idée elle-
même est fort transparent, sont d'ailleurs des
moyens d'expression admissibles et fréquemment usités même par notre penser conscient.
Mais l'élaboration du rêve utilise jusqu'à l'excès
ces moyens de la représentation indirecte. Toute
espèce de connexion, sous la pression de la

censure, suffit à créer un substitut par allusion ;
le déplacement d'un élément vers n'importe
quel autre semble permis. Particulièrement
frappante et caractéristique de l'élaboration du
rêve est la substitution des associations dites
extrinsèques (simultanéité, contiguïté dans
l'espace, assonance), aux associations intrinsèques (similitude, causalité, etc.).

Tous ces procédés de déplacement appartiennent également à la technique du mot d'esprit, mais, le cas échéant, leur usage ne dépasse
pas en général les limites qui leur sont assignées
dans le penser conscient ; ils peuvent même
manquer, bien que normalement le mot d'esprit
ait aussi pour tâche de vaincre une inhibition.
L'emploi réduit des déplacements dans l'élaboration de l'esprit tient à ce que l'esprit dispose,
en général, nous nous en souvenons, d'une autre
technique pour parer à l'inhibition ; nous
n'avons même justement rien rencontré de plus
caractéristique du mot d'esprit que cette technique. Contrairement au rêve, l'esprit ne se
prête pas à des compromis, il n'élude pas l'inhibition, il s'attache à conserver intact le jeu avec
les mots ou avec le non-sens ; toutefois il se
borne à choisir les cas où ce jeu, où ce non-sens
se présentent sous des dehors à la fois admissibles (plaisanterie) ou ingénieux (esprit), grâce
au sens multiple des mots et à la variété infinie
des relations cogitatives. Rien ne distingue

mieux l'esprit des autres formations psychiques
que sa double face et son double langage et
c'est par là, du moins, que les auteurs ont le
mieux pénétré sa nature intime, en faisant
ressortir le facteur « sens dans le non-sens ».

Étant donné la prépondérance absolue de
cette technique particulière au mot d'esprit,
technique destinée à triompher de ses inhibitions, il semblerait superfétatoire que l'esprit
se servît encore, dans certains cas, de la technique du déplacement ; cependant, d'une part,
certaines variétés de cette technique, telles que
le déplacement proprement dit (déviation des
pensées) — qui participe, en effet, du non-sens
— gardent pour l'esprit leur valeur, en tant
qu'objets et sources de plaisir ; d'autre part, il
ne faut pas oublier que le stade le plus élevé de
l'esprit, celui de l'esprit tendancieux, doit fréquemment surmonter deux sortes d'inhibitions :
ses inhibitions propres et celles de ses tendances
(p. 163) ; or les allusions et les déplacements
sont bien à même de lui faciliter cette dernière
tâche.

L'emploi fréquent et effréné, dans l'élaboration du rêve, de la représentation indirecte, du
déplacement et spécialement de l'allusion, a
une conséquence, que je ne mentionne pas en
raison de son importance particulière, mais de
l'occasion qu'elle m'a fournie d'étudier le problème de l'esprit. Si nous communiquons à un

profane, à un non-initié, l'analyse d'un rêve,
analyse qui découvre ces voies singulières et
choquantes à l'état de veille (allusions, déplacements dont s'est servie l'élaboration du rêve)
le lecteur éprouve une impression désagréable ;
il déclare que ces interprétations ressemblent
à des « pointes » ; cependant il ne les considère
évidemment pas comme des bons mots bien
vénus, mais comme des mots forcés, et pourrait-
on dire, contraires aux lois du mot d'esprit. Or,
cette impression s'explique aisément : elle provient de ce que l'élaboration du rêve recourt aux
mêmes moyens que l'esprit mais dépasse dans
leur emploi les limites que l'esprit respecte. Aussi
allons-nous bientôt apprendre que la présence
du tiers impose à l'esprit une certaine condition
qui n'intéresse pas le rêve.

Parmi les techniques communes à l'esprit et au
rêve, deux offrent un certain intérêt : la représentation par le contraire et l'emploi du contresens.
La première est un des moyens puissants dont
dispose l'esprit, comme nous l'avons pu remarquer, entre autres, dans les exemples d' « esprit

par surenchère » (p. 114). La représentation par
le contraire ne pouvait pas, du reste, se dérober,
comme la plupart des autres techniques analogues, à l'attention consciente ; celui qui s'efforce d'actionner volontairement en lui le mécanisme de l'élaboration de l'esprit, le faiseur de
mots, ne tarde pas à s'apercevoir qu'une réponse

spirituelle se fait à peu de frais en s'attachant
à l'antithèse d'une assertion et en se fiant à la
saillie qui, par une modification, écarte la réplique réservée à cette antithèse. Peut-être la
représentation par le contraire doit-elle ce succès
à ce qu'elle recèle en elle-même le germe d'un
autre mode d'expression de la pensée, susceptible de déclencher le plaisir, et n'exigeant pas,
pour être compris, de faire appel à l'inconscient.
Je veux parler de *l'ironie*, qui se rapproche beaucoup de l'esprit et représente une variété du
comique. Elle consiste essentiellement à dire le
contraire de ce que l'on veut suggérer, tout en
évitant aux autres l'occasion de la contradiction : les inflexions de la voix, les gestes signifi-
catifs, quelques artifices de style dans la narration écrite, indiquent clairement que l'on pense
juste le contraire de ce que l'on dit. L'ironie n'est
de mise que lorsque l'interlocuteur est prêt à
entendre le contraire, de telle sorte qu'il ne peut
lui-même échapper ainsi à l'envie de contredire.
Cette condition fait que l'ironie risque très facilement de demeurer incomprise. La personne
qui en use y trouve l'avantage de pouvoir tourner aisément les difficultés d'une expression
directe, s'il s'agit d'invectives, par exemple ;
l'ironie offre à celui qui l'entend le plaisir comique, probablement parce qu'elle lui inspire
un effort de contradiction dont l'inutilité apparaît aussitôt. Cette comparaison de l'esprit

à une catégorie fort voisine du comique nous
confirmera peut-être dans cette opinion que le
rapport avec l'inconscient est le trait caractéristique de l'esprit, trait qui sans doute le distingue également du comique [1].

Dans l'élaboration du rêve, le rôle de la représentation par le contraire est beaucoup plus
important encore que dans l'élaboration de l'esprit. Le rêve ne se plaît pas seulement à associer
deux contraires en une image composite, il va
souvent jusqu'à transformer un élément de la
pensée onirique en son contraire, ce qui compli-
que singulièrement le travail de l'interprétation. « De prime abord, on ne peut savoir si
un élément susceptible d'antithèse figure,
dans la pensée onirique, au sens positif ou
négatif [2]. »

Je dois faire ressortir que ce fait n'a point
encore été du tout compris. Il semble cependant
impliquer un caractère important du penser
inconscient, dépourvu, suivant toute vraisemblance, d'un processus comparable au « jugement ». A la place du rejet par le jugement, on
trouve, dans l'inconscient, le « refoulement ».
Le refoulement peut être considéré comme inter-

1. De même, le caractère du comique, appelé sa « sécheresse »,
se fonde sur la discordance entre l'énonciation et les gestes (pris
dans le sens le plus large) qui l'accompagnent.
2. *Science des Rêves*, 7ᵉ éd., p. 217. (*Ges. Schriften*, Bd. II).
Trad. Mayerson, p. 285.

médiaire entre le réflexe de défense et la condamnation [1].

Pourtant le non-sens, l'absurdité, dont le rêve est si coutumier, et qui lui ont valu tant de mépris injustifié, ne sont jamais dus à une mosaïque d'éléments représentatifs assemblés au hasard, mais ils sont régulièrement admis intentionnellement par l'élaboration du rêve afin d'exprimer une critique amère, une contradiction méprisante impliquée dans les pensées latentes du rêve. L'absurdité du contenu du rêve manifeste remplace donc ce jugement des pensées latentes du rêve : « C'est un non-sens. » Dans ma *Science des Rêves* je me suis particulièrement attaché à cette argumentation, car elle m'a permis de combattre à outrance cette erreur que le rêve n'est en rien un phénomène psychique, erreur qui barre la route à toute reconnaissance de l'inconscient. Nous avons encore appris (lors de l'explication de certains mots d'esprit tendancieux, p. 91) que, dans l'esprit, le non-sens est employé aux mêmes fins de représentation. Nous

1. Cette relation des contraires, si particulière à l'inconscient et encore si mal connue, n'est pas sans importance dans la compréhension du « négativisme » des névrosés et psychopathes. Comparer les deux derniers travaux parus sur la question : Bleuler, *Ueber die negative Suggestibilität*. (De la suggestibilité négative), *Psych. Neurol. Wochenschrift*, 1904, et Otto Gross, *Zur Differentialdiagnostik negativistischer Phänomene* (Diagnostic différentiel des phénomènes négativistes), *ibid.*, et mon rapport *Ueber den Gegensinn der Urworte* (Des sens opposés dans les mots primitifs) (*Ges. Schriften*, Bd. X).

savons aussi que le non-sens qui sert de façade
à l'esprit est particulièrement apte à augmenter
chez l'auditeur la dépense psychique, et par là la
somme d'énergie susceptible d'être déchargée
par le rire. En outre, n'oublions pas que dans
l'esprit le non-sens est un but en soi, car l'intention de récupérer l'ancien plaisir du non-sens est
l'un des mobiles de l'élaboration de l'esprit.
D'autres procédés nous permettent encore de
récupérer le non-sens et d'en tirer du plaisir : la
caricature, l'hyperbole, la parodie, le travestissement en usent et réalisent alors le « non-sens
comique ». Soumettons ces modes expressifs à
l'analyse, comme nous l'avons fait pour les mots
d'esprit, et nous verrons qu'on peut tous les
expliquer sans faire intervenir les processus
inconscients tels que nous les concevons. Nous
comprenons à présent aussi pourquoi le caractère du spirituel peut s'ajouter par surcroît à la
caricature, à l'hyperbole, à la parodie ; c'est la
diversité de la « scène psychique » qui le rend
possible [1].

Je crois que la localisation de l'élaboration de
l'esprit dans le système de l'inconscient nous est
devenue plus précieuse depuis qu'elle nous a fait
comprendre que les techniques, dont dépend
cependant l'esprit, ne sont pas par ailleurs son

1. *Psychischer Schauplatz*. Un terme dû à G. Th. Fechner et qui
a pris une grande importance dans mes conceptions.

apanage exclusif. Par là même s'éclaircissent
aisément certains points douteux, qu'au début
de notre étude de ces techniques nous avions
dû provisoirement réserver. L'objection d'après
laquelle les rapports indéniables qui relient
l'esprit à l'inconscient ne s'appliqueraient qu'à
certaines catégories de l'esprit tendancieux,
tandis que nous sommes disposés à les étendre
à toutes les formes, à tous les stades évolutifs de
l'esprit, cette objection, dis-je, ne s'en impose
que davantage à notre attention. Nous n'avons
pas le droit de nous soustraire à son examen.

La genèse de l'esprit dans l'inconscient est
indubitable lorsqu'il s'agit de mots d'esprit
dictés par des tendances inconscientes ou ren-
forcées par l'inconscient, partant dans la plupart
des mots d'esprit « cyniques ». La tendance
inconsciente entraîne alors la pensée préconsciente dans l'inconscient, afin de l'y transformer ;
l'étude de la psychologie des névroses nous a
révélé de nombreux processus analogues. Mais
cette force d'entraînement vers l'inconscient
semble faire défaut dans les mots d'esprit tendancieux d'un autre ordre, dans l'esprit inoffensif
et dans la plaisanterie ; le rapport de l'esprit à
l'inconscient y est donc douteux.

Envisageons à présent l'expression spirituelle
d'une pensée qui, en elle-même, n'est pas sans
valeur, et qui surgit dans le cycle même des processus cogitatifs. Pour faire de cette pensée un

mot d'esprit, il faut de toute évidence choisir, parmi les modes expressifs possibles, précisément celui qui est susceptible de réaliser le profit de plaisir verbal. L'auto-observation nous apprend que ce n'est pas l'attention consciente qui fait ce choix ; mais ce choix gagnera certes à ce que l'investissement de la pensée préconsciente soit abaissé à l'inconsciente, car, ainsi que nous l'avons appris par l'élaboration du rêve, les voies associatives partant des mots sont, dans l'inconscient, traitées à la façon des associations partant des choses. L'investissement inconscient offre des conditions infiniment plus favorables au choix de l'expression. Du reste, nous sommes fondés à admettre que le mode d'expression qui implique le bénéfice de plaisir verbal agit d'une façon semblable à la tendance inconsciente dans le premier cas, en attirant dans l'inconscient la conception encore instable de la pensée préconsciente. Quant au cas plus simple de la plaisanterie, nous pouvons nous imaginer qu'une intention, sans cesse tendue vers le profit de plaisir verbal, saute sur l'occasion fournie à point nommé par le préconscient pour entraîner dans l'inconscient le processus d'investissement, selon le schéma qui nous est déjà connu.

Je désirerais vivement qu'il me fût possible, d'une part, d'expliquer plus clairement ce point capital de ma conception du mot d'esprit, d'au-

tre part, de l'appuyer sur des arguments décisifs.
Mais à vrai dire il ne s'agit pas ici d'un double,
mais d'un seul et même échec : je ne puis m'expliquer plus clairement en l'absence d'autres
preuves à l'appui de ma conception. Cette dernière résulte de l'étude de la technique et de sa
comparaison avec l'élaboration du rêve, et elle
ne résulte que de là ; je trouve ensuite qu'elle
s'accorde en somme parfaitement avec les particularités de l'esprit. Or ma conception résulte
d'une induction ; si une telle conclusion nous
mène, non point en pays connu, mais bien plutôt
sur un terrain inexploré et nouveau pour la
pensée, on l'appelle « hypothèse » et l'on n'accepte pas, et à juste titre, comme « preuve » le
rapport qui relie l'hypothèse au matériel dont
elle a été déduite. Nous ne la considérons comme
« démontrée » que lorsque nous l'avons également
ment atteinte par d'autres voies, lorsqu'elle se
révèle comme le carrefour de connexions nouvelles. Mais nous ne disposons pas encore de
telles preuves, nous qui commençons à peine à
connaître les processus inconscients. Nous sachant sur un terrain vierge, nous nous bornerons
donc, de notre poste d'observation, à jeter vers
l'inexploré une simple et chétive passerelle.

Nous n'édifierons sur ces fondations que de
modestes superstructures. Rapprochant les différents stades de l'esprit des dispositions psychiques qui leur sont les plus favorables, nous

pourrions dire : « La *plaisanterie* jaillit d'une
humeur joyeuse, qui semble avoir des affinités
particulières en rapport avec une tendance à la
réduction des investissements psychiques. » Elle
met déjà en œuvre toutes les techniques caractéristiques de l'esprit et satisfait déjà à ses conditions essentielles par le choix d'un matériel
de mots ou d'associations d'idées, qui permettent de s'accommoder à la fois des exigences du
bénéfice de plaisir et de celles de la critique
rationnelle. Il s'ensuit que la chute dans l'inconscient de l'investissement de la pensée,
chute favorisée par l'humeur joyeuse, se réalise
déjà dans la plaisanterie. Pour *l'esprit inoffensif*,
mais lié à une pensée de quelque prix, le secours
de l'humeur est inutile ; nous devons admettre
ici l'intervention d'une *aptitude personnelle*,
qui se manifeste par la facilité avec laquelle
l'investissement préconscient est abandonné et
échangé, un instant, pour l'inconscient. Une
tendance, toujours à l'affût des occasions de
renouveler le bénéfice primitif de plaisir, agit et
entraîne dans l'inconscient l'expression préconsciente et encore instable de la pensée. Nous
sommes presque tous capables de faire des plaisanteries, quand nous sommes d'humeur joyeuse ;
par contre, faire des mots d'esprit lorsque
l'humeur n'y est pas n'appartient qu'à une
minorité. Enfin, l'aiguillon le plus puissant de
l'élaboration de l'esprit est la présence de fortes

tendances, atteignant l'inconscient, tendances
qui représentent une disposition particulière
à la production spirituelle, et qui peuvent nous
expliquer pourquoi les conditions subjectives
de l'esprit se rencontrent si souvent chez les
névrosés. Sous l'influence de fortes tendances,
l'esprit jaillit même chez celui qui en est généralement dépourvu.

Malgré la part d'hypothèse que comporte
encore notre élucidation de l'élaboration spirituelle, cette contribution épuise à proprement
parler l'intérêt que nous portions à l'esprit. Il
nous reste encore à achever brièvement le
parallèle de l'esprit et du rêve, qui nous est plus
familier : nous dirons *a priori* que nous nous
attendons à ce que deux activités psychiques si
hétérogènes ne nous permettent de saisir que
des différences, en dehors de la seule analogie
que nous venons de relever. La différence la
plus importante réside dans leurs rapports
sociaux respectifs. Le rêve est un produit
psychique parfaitement asocial ; il n'a rien à
communiquer à autrui ; né dans le for intérieur
d'une personne à titre de compromis entre les
forces psychiques aux prises, il reste incompréhensible à cette personne elle-même et manque
par conséquent totalement d'intérêt pour autrui.
Loin d'attacher du prix à sa compréhensibilité,
il doit même se garder d'être compris, sous
peine de se détruire ; il est conditionné par le

déguisement. Il peut donc, à son gré, user du
mécanisme qui domine les processus cogitatifs
inconscients et il va dans ce sens jusqu'à user
des déformations les plus radicales. L'esprit,
au contraire, est la plus sociale des activités
psychiques visant à un bénéfice de plaisir. Il
nécessite le plus souvent l'intervention de
trois personnes et ne complète son cycle que
grâce à la participation d'un tiers au processus
psychique qu'il a déclenché. Il doit donc satisfaire à la condition d'être compréhensible,
il ne doit utiliser la déformation, qui peut se
réaliser dans l'inconscient grâce à la condensation et au déplacement, que dans la mesure où
la compréhension du tiers peut en corriger les
effets. Au reste, rêve et esprit sont issus l'un et
l'autre de sphères entièrement différentes de
notre vie psychique, et occupent dans le système
psychologique des régions fort distantes. Malgré
ses travestissements, le rêve demeure toujours
un désir ; l'esprit est un développement du jeu.
En dépit de toute sa non-valeur dans la vie
pratique, le rêve reste lié aux intérêts primordiaux de notre existence ; il cherche à satisfaire
à nos besoins par le détour régressif de l'hallu-
cination ; il doit son admission à la vie psychique
au seul besoin qui subsiste à l'état nocturne :
celui de dormir. L'esprit, par contre, cherche à
réaliser un petit bénéfice de plaisir par l'activité simple et désintéressée de notre appareil

psychique, plus tard il s'efforce de saisir au vol un bénéfice accessoire au cours de l'activité elle-même de ce dit appareil, et il acquiert ainsi *secondairement* des fonctions assez importantes, orientées vers le monde extérieur. Le rêve sert surtout à épargner le déplaisir, l'esprit à acquérir le plaisir ; or, c'est autour de ces deux centres que gravitent toutes nos activités psychiques.

CHAPITRE VI

L'ESPRIT ET LES VARIÉTÉS
DU COMIQUE

Nous avons abordé les problèmes du comique
d'une façon insolite. Il nous semblait que l'esprit, considéré habituellement comme une
variété du comique, présentait assez de particularités pour être étudié en lui-même ; nous
avions ainsi négligé, dans la mesure du possible,
ses rapports avec la catégorie plus compréhen-
sive du comique, non sans avoir, chemin faisant,
saisi au vol quelques indications utiles à l'étude
de ce dernier. Il ne nous a point été difficile
de comprendre que, socialement parlant, le
comique se comporte autrement que l'esprit.
Le comique peut se contenter de deux personnages : celui qui le découvre et celui chez qui
on le découvre. Le tiers, à qui le comique est
communiqué, intensifie le processus comique
sans y ajouter aucun élément nouveau. Dans
le cas de l'esprit, ce tiers est indispensable pour
clore le cycle qui réalise le plaisir ; par contre,
la deuxième personne peut être omise, sauf dans

le cas de l'esprit tendancieux ou agressif. L'esprit se fait ; le comique se trouve, et cela tout d'abord chez les personnes et, par extension seulement, dans les objets et dans les situations, etc. Nous savons, qu'en matière d'esprit, les sources auxquelles le plaisir s'alimente n'ont pas leur origine en autrui, mais dans nos propres processus cogitatifs. Nous avons appris, par ailleurs, que l'esprit sait à l'occasion retrouver les sources du comique devenues inaccessibles, et que le comique sert souvent de façade à l'esprit (p. 251) pour suppléer au plaisir préliminaire, dans d'autres cas conditionné par la technique qui nous est déjà si bien connue. Tout cela indique que les rapports respectifs de l'esprit et du comique ne sont pas des plus simples. D'autre part, les problèmes du comique lui-même se montrent si complexes, ils ont si victorieusement défié les efforts des philosophes, que nous ne pouvons pas nous flatter d'être en mesure de nous en rendre maîtres comme par un coup de main, si nous les abordons en partant de l'esprit. Pour l'exploration de l'esprit, nous étions munis, en outre, d'un instrument qui manquait à nos devanciers, la connaissance de l'élaboration du rêve ; pour l'étude du comique, nous ne disposons pas d'un tel avantage, et il faut nous résigner à n'atteindre de son essence que ce que l'esprit nous en a déjà livré, et encore dans la mesure où l'esprit fait partie du comique et comporte, dans sa propre nature, des traits communs, identiques ou modifiés.

La forme du comique la plus voisine de l'esprit est le *naïf*. A l'instar du comique, le naïf, en général, se trouve ; il ne se fait pas comme l'esprit ; le naïf ne peut même se faire en aucun cas, tandis qu'en matière de comique pur, il peut être question d'un comique intentionnel, d'une provocation du comique. Le naïf doit spontanément se manifester dans les discours et dans les actions d'autres personnes, qui tiennent la place du *deuxième* personnage du comique ou de l'esprit. Le naïf jaillit lorsque quelqu'un ne tient aucun compte d'une inhibition, parce que cette inhibition n'existe pas en lui, et que, par conséquent, il semble la surmonter sans aucun effort. Pour que l'homme naïf fasse un effet sur nous, il est indispensable que nous sachions qu'il ne possède pas cette inhibition, sans quoi nous ne l'appelons plus naïf mais effronté, nous ne rions pas de lui mais nous sommes indignés. L'effet du naïf est irrésistible et paraît simple à comprendre. Un effort d'inhibition qui nous est habituel devient, à l'audition des paroles naïves, subitement inutile et se décharge par le rire ; il n'est pas nécessaire, en l'espèce, de détourner l'attention, probablement parce que la levée de l'inhibition s'effectue directement et se passe de l'intermédiaire d'une opération induite. Nous nous

comportons, en ce cas, d'une façon analogue
au troisième personnage du mot d'esprit, lequel
réalise, sans frais et sans effort personnel,
l'épargne de l'inhibition.

Vu l'intelligence de la genèse des inhibitions
que nous avons acquise au cours de l'étude de
l'évolution du jeu vers le mot d'esprit, nous ne
serons pas étonnés de retrouver le naïf le plus
souvent chez l'enfant et, par extension, chez
l'adulte illettré que nous pouvons considérer,
en raison de son développement intellectuel,
comme un infantile. Il va de soi que les discours
naïfs se prêtent mieux à la comparaison avec
l'esprit que les actions naïves, étant donné que
ce sont les discours, et non les actes, qui sont
les modes d'expression habituels de l'esprit.
Il est significatif que les discours naïfs, tels que
ceux des enfants, peuvent, sans contrainte,
être qualifiés également de « mots d'esprit naïfs ».
La concordance entre l'esprit et la naïveté et
la raison de leur divergence se dégageront
aisément des quelques exemples suivants.

Une fillette de trois ans et demi sermonne son
frère en ces termes : « Ne mange donc pas tant
de ce plat, sans quoi tu seras malade et il faudra
que tu prennes de la Bubizin. » — « Qu'est-ce
que c'est que ça que de la Bubizin ? » demande
la mère. — « Lorsque j'ai été malade, dit la
petite en manière de justification, on m'a bien
donné de la médecine ! » — La petite Allemande

pense que le remède ordonné par le médecin
s'appelle Mædi-zin (Mædi = fillette ; Medizin = médecine), quand il est destiné aux filles,
et que, par conséquent, il doit s'appeler Bubizin lorsqu'il est prescrit à un petit garçon
(Bubi = garçonnet). Voilà qui est construit
à la façon d'un mot d'esprit des mots fondé
sur la technique de l'assonance et qui aurait
pu en effet être conté comme un vrai mot d'esprit, mais n'aurait alors provoqué de notre part
qu'un sourire à demi contraint. Comme exemple de naïveté, ce mot nous paraît, par contre,
excellent et nous fait rire aux éclats. Mais qu'est-
ce qui établit ici la différence entre l'esprit et
le naïf ? Évidemment ni le texte ni la technique,
identiques dans l'un et l'autre cas, mais un
facteur qui, à première vue, semble être très
éloigné des deux. Il s'agit tout simplement de
ce que, dans un cas, nous supposons que l'interlocuteur fait un mot d'esprit intentionnel,
tandis que, dans le second, l'enfant veut de
bonne foi tirer une conclusion sérieuse, basée
sur son ignorance encore intégrale. Seul le
second cas est celui de la naïveté. C'est ici que
nous remarquons pour la première fois l'immixtion d'une autre personne dans le processus
psychique qui a pour théâtre la personne productrice.

L'analyse d'un deuxième exemple confirmera
cette conception. Un frère et une sœur, âgés

respectivement de dix et douze ans, représentent devant un parterre d'oncles et de tantes
une pièce de leur composition. La scène figure
une hutte au bord de la mer. Au premier acte,
les deux auteurs-acteurs, braves pêcheurs,
déplorent la dureté des temps, la modicité du
gain. Le mari se décide à courir les mers, pour
chercher fortune ; après des adieux touchants,
le rideau tombe. Le second acte se passe quelques
années plus tard. Le pêcheur a fait fortune et
revient la bourse pleine ; il raconte à sa femme,
qui l'attend devant la chaumière, les péripéties
de son activité prospère. La femme l'interrompt
avec orgueil : « Et moi aussi, pendant ce temps-
là, je n'ai guère chômé ! » — elle ouvre la chaumière et montre sur le sol douze grosses poupées
dormant, qu'elle présente comme ses enfants...
A ce moment, les artistes furent interrompus
par les éclats de rire bruyants de l'auditoire ;
ils ne comprenaient point, ils regardaient avec
étonnement leur chère famille qui jusqu'ici
s'était bien tenue et les avait écoutés avec une
attention soutenue. Ce rire s'explique ainsi :
l'auditoire pose comme prémisses que les
jeunes auteurs ignorent tout des conditions
de la génération des enfants, et partant se
figurent qu'une femme peut se flatter d'une
nombreuse postérité née pendant une longue
absence de son mari, et que ce dernier a tout
lieu de s'en réjouir. Cependant ce que les

jeunes auteurs ont produit, en raison de leur ignorance, peut s'appeler un non-sens, une absurdité.

Un troisième exemple montrera encore la mise en œuvre, au service du naïf, d'une autre technique, à laquelle l'esprit nous a déjà initiés. On engage, pour une fillette, une gouvernante soi-disant « française », qui ne lui agrée point. A peine la nouvelle engagée s'est-elle éloignée, que la petite ne peut s'empêcher de dire sur un ton de critique : « Das soll eine Französin sein! Vielleicht heisst sie sich so, weil sie einmal bei einem Franzosen gelegen ist! » (« Ça, une Française! Cela veut peut-être dire qu'elle a une fois couché auprès d'un Français! ») Ce serait, à la rigueur, un mot d'esprit tolérable (double sens avec équivoque ou avec allusion équivoque) si l'enfant avait pu soupçonner le double sens. En réalité, elle n'avait fait que transposer à la peu sympathique étrangère une plaisanterie qu'elle avait souvent entendu appliquer à des objets faux. (« Das soll echtes Gold sein? Das ist vielleicht einmal bei Gold gelegen! » — Ça, de l'or véritable? on l'a peut-être un jour posé = couché à côté de l'or!) L'ignorance de l'enfant modifie radicalement le processus psychique des auditeurs au moment où ils s'en rendent compte ; c'est cette ignorance qui confère la naïveté aux paroles de l'enfant. Mais, cette condition fait qu'il y a place encore pour un pseudo-naïf : on peut, en effet, supposer chez l'enfant une ignorance qui n'existe plus, et les enfants feignent souvent la naïveté pour s'octroyer des libertés qui, autrement, ne leur seraient point concédées.

Ces exemples montrent quelle situation le naïf occupe entre l'esprit et le comique. Le naïf (du discours) coïncide avec l'esprit par sa forme et par son fond, il peut donner naissance à une impropriété de terme, à un non-sens ou à une grivoiserie. Mais dans le naïf, les processus psychiques qui ont pour théâtre la première personne — la personne productrice — et qui, dans l'esprit, nous ont présenté tant de traits intéressants et énigmatiques, font totalement défaut. L'individu naïf se figure avoir pensé et s'être exprimé d'une façon simple et normale sans soupçonner aucune arrière-pensée : aussi ne réalise-t-il aucun bénéfice de plaisir par la production du naïf. Les caractères du naïf sont déterminés exclusivement par la conception de la personne réceptrice qui correspond au troisième personnage du mot d'esprit. En outre, la personne productrice commet le naïf sans aucun effort : la technique compliquée qui, dans l'esprit, est destinée à paralyser l'inhibition de la critique rationnelle, fait défaut en elle, parce qu'elle ne possède pas encore cette inhibition, et ainsi elle peut extérioriser le non-sens et la grivoiserie de plain-

pied et sans compromis. Envisagé sous cet
angle, le naïf est le cas limite de l'esprit : il se
réalise lorsque l'on réduit à zéro le coefficient
de cette censure dans l'équation de la formation
de l'esprit.

Or, tandis que l'effet du mot d'esprit est subordonné à cette condition que les deux sujets
possèdent à peu près les mêmes inhibitions
ou les mêmes résistances internes, nous voyons
que la condition du naïf réside en ce fait qu'un
des sujets possède des inhibitions dont l'autre
est dépourvu. C'est la personne en puissance
d'inhibitions qui saisit le naïf, elle seule réalise
le bénéfice de plaisir dû au naïf, et nous sommes
par là près de deviner que ce plaisir provient de
la levée d'une inhibition. Étant donné que
l'origine du plaisir de l'esprit est la même — un
noyau de plaisir par les mots et par le non-sens,
entouré d'une coque de plaisir par levée ou
par allégement d'inhibition — il s'ensuit que ces
rapports analogues à l'inhibition établissent
la parenté interne du naïf et du mot d'esprit.
Dans les deux cas, le plaisir résulte de la levée
d'une inhibition interne. Mais le processus
psychique qui se déroule chez la personne
réceptrice (laquelle, dans le naïf, correspond
régulièrement à notre moi, tandis que nous
pouvons, dans le mot d'esprit, nous mettre
également à la place de la personne productrice)
est, dans le cas du naïf, d'autant plus compliqué

que celui qui se déroule chez la personne productrice est plus simplifié en comparaison de
ce qui se passe dans le cas de l'esprit. Sur la
personne réceptrice, l'audition du naïf doit
agir d'une part comme un mot d'esprit, ce dont
témoignent justement nos exemples, car chez
elle, comme pour l'esprit, le seul effort d'entendre suffit à lever la censure. Mais cette explication ne s'applique qu'à une partie seulement du
plaisir engendré par le naïf, et même cette
fraction serait, dans d'autres formes du naïf,
assez menacée, par exemple dans le cas de
grivoiseries naïves. Une grivoiserie naïve serait
même susceptible de nous faire aussitôt réagir
par une indignation identique à celle que pro-
voquerait parfois en nous la grivoiserie intentionnelle, si un autre facteur ne faisait avorter
cette indignation et ne fournissait en même
temps la majeure partie du plaisir du naïf.

Cet autre facteur est représenté par la condition ci-dessus mentionnée, à savoir que, pour
reconnaître le naïf, il importe de nous rendre
compte de ce que la personne productrice ne
possède point l'inhibition interne. Ce n'est
qu'après nous en être assurés que nous rions
au lieu de nous indigner. Nous tenons en effet
compte de l'état psychique de la personne productrice, nous nous mettons à sa place et cherchons à comprendre son état psychique par
comparaison avec le nôtre. De cette manière

de nous mettre à sa place et de nous comparer à elle résulte une épargne d'effort psychique, qui se décharge par le rire.

On pourrait préférer cette explication plus simple : en pensant à l'absence de l'inhibition chez la personne qui commet le naïf l'indignation deviendrait inutile, le rire se produirait donc aux dépens de l'indignation épargnée. Pour écarter cette conception qui, en général, est propre à nous égarer, je veux établir une distinction plus nette entre deux cas que, dans l'exposé qui précède, j'avais tout d'abord associés.

Le naïf qui se présente à nous peut être de nature spirituelle, comme le montrent nos exemples, ou de nature grivoise, choquante, ce qui arrivera notamment si le naïf s'extériorise non point par le discours, mais par l'acte. Ce dernier cas pourrait, en effet, nous induire en erreur en nous faisant supposer que le plaisir résulterait de l'indignation épargnée et transformée.

Mais c'est le premier cas qui tranche la question. Les paroles naïves, comme par exemple la « Bubizin », peuvent en elles-mêmes faire l'effet d'un mot d'esprit médiocre et n'offrir aucune prise à notre indignation. C'est certainement le cas le plus rare, mais le plus clair et de beaucoup le plus instructif. Dès que nous avons dans l'idée que c'est sérieusement et sans

arrière-pensée que l'enfant a identifié la syllabe
Mædi », du mot « Medizin » à celle de son
propre nom « Mædi », le plaisir causé par ce
mot s'accroît dans une proportion qui n'a plus
rien de commun avec le plaisir du mot d'esprit.
Nous considérons à présent cette parole succes-
sivement à deux points de vue : la première
fois à celui de l'enfant, la seconde à notre point
de vue à nous, et cette comparaison nous fait
voir que l'enfant a découvert une identité et
surmonté un obstacle qui nous arrêtait. Et
alors c'est à peu près comme si nous nous disions : si tu veux comprendre ce que tu viens
d'entendre, tu peux t'épargner l'effort nécessité
par le maintien de cet obstacle. L'effort libéré
à la faveur de cette comparaison est la source
du plaisir que nous offre le naïf, et il se décharge
par le rire ; il est vrai qu'il s'agit ici de cette
même dépense psychique que nous aurions
transformée en indignation, si la compréhension de la personne productrice, et, dans le cas
présent, aussi la nature du propos, n'excluaient
pas une telle indignation. Mais si nous prenons
l'exemple de l'esprit naïf comme prototype
de l'autre cas, celui du choquant naïf, nous
voyons que, là encore, l'épargne des inhibitions
peut résulter directement de la comparaison,
qu'il est inutile d'admettre une indignation
ébauchée, puis étouffée, et que cette dernière n'équivaut qu'à un autre emploi de la

dépense devenue disponible ; c'est justement
pour empêcher ce remploi que l'esprit devait
édifier des organisations défensives compliquées.

Cette comparaison, cette épargne de dépense
réalisée par notre immixtion dans le processus
psychique de la personne productrice, ne peuvent acquérir de l'importance pour le naïf que
si elles ne s'appliquent pas exclusivement à lui.
En effet, nous en venons à supposer que ce
mécanisme, absolument étranger à l'esprit,
constitue une partie, et peut-être même la
partie essentielle, des processus psychiques du
comique. Vu sous cet angle — et c'est là certainement l'aspect le plus important du naïf —
le naïf est ainsi une des variétés du comique.
Ce qui, dans nos exemples de propos naïfs,
s'ajoute au plaisir de l'esprit, c'est le plaisir
du « comique ». Quant à ce dernier, nous serions
portés à admettre qu'il résulterait en général
de la dépense épargnée par la comparaison des
faits et gestes d'autrui avec les nôtres propres.
Mais comme nous abordons ici des considérations
d'un ordre fort général, il convient tout d'abord
d'en finir avec l'appréciation du naïf. Le naïf
serait donc une forme du comique, en tant que
le plaisir qu'il déclenche résulte de la différence
de la dépense psychique réalisée par notre
« volonté de comprendre » autrui, et il se rappro-
cherait de l'esprit par cette condition que la

dépense, épargnée par la comparaison, doit être
un effort d'inhibition [1].

Signalons encore brièvement quelques concordances et quelques divergences entre les
conceptions auxquelles nous venons d'aboutir
et celles qui, depuis longtemps, ont cours dans
la psychologie du comique. Cette immixtion
dans les processus d'autrui, cette « volonté de
comprendre » n'est évidemment que le « prêt
comique » qui, depuis Jean Paul, joue son rôle
dans l'analyse du comique ; la « comparaison »
du processus psychique qui se déroule chez autrui avec celui qui se déroule en soi-même
correspond au « contraste psychologique » auquel, enfin, nous pouvons assigner ici sa place,
tandis que, dans l'esprit, nous ne savions qu'en
faire. Dans l'explication du plaisir comique,
nous nous écartons toutefois de bien des auteurs,
qui le considèrent comme lié à des oscillations
de l'attention entre les représentations qui se
font réciproquement contraste. Nous ne saurions
comprendre un tel mécanisme du plaisir ; nous
observons que la comparaison, qui préside au
contraste, détermine une différence de dépense
psychique qui, en l'absence de toute autre

---

1. J'ai ici partout identifié le naïf au comique naïf, ce qui n'est
certainement pas admissible en général. Mais il suffit, à notre programme, d'étudier les caractères du naïf dans « l'esprit naïf » et
dans la « grivoiserie naïve ». Pénétrer plus avant serait supposer
l'intention d'approfondir l'essence du comique.

occasion de remploi, est susceptible d'être
déchargée et de devenir ainsi une source de
plaisir [1].

Ce n'est pas sans appréhension que nous osons
aborder le problème du comique proprement dit.
Ce serait trop présumer de nous-mêmes que
d'espérer voir nos efforts contribuer, d'une
façon décisive, à sa solution, après que les
travaux de tant de penseurs remarquables
n'ont rien apporté qui nous satisfasse complètement. En effet, toute notre ambition se bornera
à suivre, dans le domaine du comique, les directives qui ont déjà fait leurs preuves dans le
domaine de l'esprit.

Le comique se présente tout d'abord comme
une trouvaille involontaire au cours des rapports
sociaux de l'humanité. On le trouve chez les
personnes : particulièrement dans leurs gestes,
leurs formes, leurs actions et les traits de leur
caractère ; probablement à l'origine dans leurs
seules qualités physiques, plus tard aussi dans
leurs qualités psychiques ou plus précisément
dans les manifestations extérieures de ces dernières. Par un processus très courant de per-

---

1. Bergson (*Le Rire*, 1904, p. 99) réfute également, et avec de
bons arguments, cette déduction relative au plaisir comique. Évidemment, cette déduction a été influencée par le désir d'établir
une analogie avec le rire déclenché par le chatouillement. — A
un niveau tout différent se trouve l'explication, donnée par Lipps,
du plaisir comique que, suivant sa conception générale du comique,
on pourrait définir : « Petitesse inattendue. »

sonnification, les animaux et même les objets
inertes deviennent comiques. Le comique peut
aussi se détacher de la personne elle-même dans
la mesure où l'on reconnaît la condition qui
rend une personne comique. C'est là l'origine
du comique de situation, et cette connaissance
nous permet de rendre à volonté une personne
comique en la plaçant dans une situation qui
confère à ses actes ces conditions du comique.
La découverte du pouvoir que nous avons de
rendre notre prochain comique nous procure
un bénéfice inopiné de plaisir comique, et
engendre une technique fort raffinée. On peut se
rendre comique soi-même, tout aussi bien que
les autres. Les moyens mis en œuvre sont : la
transposition dans une situation comique,
l'imitation, le déguisement, le démasquage,
la caricature, la parodie, le travestissement, etc.
Il est évident que ces techniques peuvent se
mettre au service de tendances hostiles et
agressives. On peut rendre comique quelqu'un
pour le rendre méprisable, pour attenter à sa
dignité ou à son autorité. Mais même si l'acte
de rendre comique répondait régulièrement à
cette intention, celle-ci ne constituerait pas
nécessairement le sens du comique spontané.

Dans son caractère désordonné, cette vue
d'ensemble des domaines où se rencontre le
comique montre que son lieu d'origine est fort
étendu, et que le comique ne comporte pas de

conditions aussi spécialisées que, par exemple,
le naïf. Pour découvrir la condition favorable
au comique, il importe, avant tout, de choisir
un point de départ idoine : nous choisissons le
comique des mouvements, parce que nos souvenirs nous apprennent que la figuration scénique
la plus primitive, la pantomime, se sert du
mouvement pour nous faire rire. Pourquoi
rions-nous des gesticulations des clowns ? Parce
que ces mouvements sont démesurés et qu'ils
ne répondent pas à leur objectif. Nous rions
d'un effort exagéré. Recherchons maintenant
cette condition en dehors du comique artificiel,
c'est-à-dire là où le comique est involontaire.
Les mouvements de l'enfant ne nous semblent
pas comiques, malgré ses ébats et ses sautille-
ments. Par contre, l'enfant est comique lorsque,
en apprenant à écrire, il tire la langue et suit
avec elle les mouvements du porte-plume ;
nous voyons, dans cette synergie de la langue,
une dépense inutile de mouvement qu'à la
place de l'enfant nous eussions évitée. De même,
chez l'adulte, nous nous amusons de ses gestes
inutiles ou même de sa mimique expressive
exagérée. Citons, comme exemples purs du
comique de ce genre, le geste du joueur de quilles,
qui se poursuit après le lancement de la boule,
comme si celle-ci pouvait encore en être influencée ; de même sont comiques toutes les grimaces
qui exagèrent la mimique expressive normale

des émotions, même si elles sont involontaires
comme celles des personnes atteintes de la
danse de Saint-Guy (chorée) ; de même encore
un homme, qui n'entend rien à la musique,
trouvera comiques les gesticulations passionnées
d'un chef d'orchestre moderne, dont il ne saisit
pas la nécessité. C'est bien de ce comique du
mouvement que dérive encore le comique des
formes du corps et le comique des traits du
visage en tant que ces formes, ces traits sont
conçus comme le résultat d'un mouvement
exagéré et inutile. Des yeux écarquillés, un nez
crochu qui tombe dans la bouche, des oreilles
décollées, une bosse, ne produisent l'effet du
comique qu'en tant que nous nous figurons les
mouvements nécessaires à la production de ces
difformités ; en cette occurrence on attribue au
nez, aux oreilles, aux autres parties du corps,
une mobilité qu'ils ne possèdent pas dans la
réalité. Il est incontestablement comique que
quelqu'un puisse remuer les oreilles, il le serait
plus encore s'il était en état de lever et de
baisser isolément le nez. Une bonne partie
de l'effet comique que nous produit l'animal
tient à ce que nous lui voyons exécuter des
mouvements que nous ne pouvons reproduire.

Mais qu'est-ce qui déclenche en nous le rire
au moment où nous nous apercevons que les
mouvements d'autrui sont démesurés et contraires à leur objectif ? C'est, je pense, la com-

paraison des mouvements de cette personne
à ceux que j'eusse faits à sa place. Il va sans
dire qu'il faut appliquer aux deux grandeurs
comparées une commune mesure, et cette
mesure est ma dépense d'innervation liée,
dans un cas comme dans l'autre, à la représentation du mouvement. Cette assertion demande
à être illustrée et commentée.

Ce que nous mettons ici en parallèle, c'est,
d'une part, la dépense psychique nécessaire à
une certaine représentation, d'autre part, le
contenu de cette représentation. Notre assertion tend à dire que la première n'est pas, en
général et en principe, indépendante du
second, c'est-à-dire du représenté, et en particulier que la représentation du grand nécessite plus de dépense psychique que la représentation du petit. Tant qu'il ne s'agit que
de la représentation de certains mouvements
d'amplitudes diverses, le bien-fondé théorique
de notre proposition et sa démonstration par
l'observation courante semblent faciles à établir.
Nous verrons, en effet, qu'en pareil cas une
qualité de la représentation coïncide réellement
avec une qualité du représenté, bien que, d'ordinaire, la psychologie nous mette en garde contre
une telle confusion.

J'ai acquis la représentation d'un mouvement d'une certaine amplitude en exécutant
ou en imitant moi-même ce mouvement, et,

à l'occasion de cet acte, j'ai appris à connaître,
dans mes sensations d'innervation, une mesure
de ce mouvement [1].

Or lorsque je perçois, chez un autre, un
mouvement similaire, de plus ou moins grande
amplitude, la voie qui me mènera le plus sûrement à sa compréhension — à son aperception
— coïncidera avec celle que je suivrais moi-
même pour reproduire, par imitation, ce même
mouvement : je puis alors décider lequel de
ces deux mouvements nécessite, chez moi,
une dépense supérieure. Cette impulsion à
l'imitation se produit sans aucun doute lors
de la perception du mouvement. Mais je n'imite
pas en réalité ce mouvement, pas plus que je
n'épelle quoique ayant appris à lire en épelant.
Au lieu d'imiter ce mouvement en contractant
mes muscles, je représente ce mouvement à
l'aide des traces de souvenir laissées en moi par
les dépenses que des mouvements analogues
ont exigées de moi. Le « représenter » ou le
« penser » se distingue de l' « agir » ou de l' « exécuter » surtout en ce qu'il déplace des énergies

1. Le souvenir de cette dépense d'innervation demeurera la
partie essentielle de la représentation de ce mouvement, et il y aura
toujours, dans ma vie psychique, certaines manières de penser
dans lesquelles la représentation ne sera déterminée que par cette
dépense. Dans d'autres conjonctures, cet élément peut, à la rigueur,
être remplacé par d'autres, par exemple par les représentations
visuelles du but du mouvement ou par la représentation du mot
pertinent ; dans certaines formes du penser abstrait un signe suffira
à suppléer à tout le contenu de la représentation.

d'investissement beaucoup moindres et qu'il
empêche la liquidation de la dépense principale.
Mais de quelle manière la notion quantitative
— du plus grand ou du plus petit — du mouvement perçu est-elle figurée dans notre représentation ? Et si une figuration du quantitatif
ne trouve plus sa place dans la représentation,
qui se compose de qualités, comment puis-je
alors distinguer les représentations de mouvements d'amplitudes différentes, comment puis-je
établir entre elles la comparaison qui importe ici ?

C'est là que la physiologie nous montre la
voie en nous apprenant que, même au cours de
la représentation, des influx nerveux s'écoulent
vers les muscles, influx qui, il est vrai, ne correspondent qu'à une dépense modique. On est
alors tout près d'admettre que cette dépense
d'innervation, liée à la représentation, est
employée à figurer le facteur quantitatif de
la représentation, que cette dépense est plus
grande pour la représentation d'un grand mouvement, plus petite pour celle d'un petit mouvement. Donc la représentation du plus grand
mouvement serait ici véritablement la représentation la plus grande, c'est-à-dire s'accom-
pagnant d'une plus grande dépense.

Or, l'observation courante démontre, de
façon immédiate, que les hommes ont coutume
d'exprimer, au moyen de dépenses variées,

par une sorte de *mimique représentative*, le grand et le petit impliqués dans leurs représentations.

Il est facile de voir qu'un enfant, un homme du peuple, un sujet de certaines races, ne se contente pas, dans ses récits et dans ses prescriptions, de mots clairs et explicites pour communiquer sa représentation à l'auditeur ; il en traduit le contenu par une mimique expressive, il associe le langage mimique au message verbal, il appuie surtout sur la quantité et l'intensité. Il lève la main par-dessus la tête pour parler d'une « haute montagne », il la rapproche du sol pour parler d'un « petit nain ». S'il s'est déshabitué de dépeindre avec les mains, il se laisse aller à dépeindre avec la voix, et si, sur ce point, il arrive à se maîtriser, il y a gros à parier qu'il écarquille les yeux pour parler de ce qui est grand et qu'il cligne des yeux pour parler de ce qui est petit. Ce ne sont pas ses propres affects qu'il extériorise ainsi, mais vraiment le contenu de ce qu'il représente.

Faut-il donc admettre que cette impulsion à la mimique ne soit éveillée que par le besoin de se communiquer, quand on voit qu'une bonne partie de ce mode expressif échappe entièrement à l'attention de l'auditeur ? Je crois plutôt que cette mimique, bien que moins active, existe, abstraction faite de toute communication, qu'elle se réalise encore si le sujet

« représente » pour lui seul, s'il pense à quelque
chose d'une façon figurative ; il exprime alors
physiquement, comme dans le discours, le
grand et le petit, en modifiant, tout au moins,
l'innervation des traits de son visage ou de
ses organes des sens. Je puis même me figurer
que l'influx nerveux somatique qui correspond
au contenu du représenté a marqué le début et
l'origine de la mimique destinée à communiquer
une représentation, il suffirait d'accroître cet
influx, de le rendre perceptible à autrui, pour lui
faire remplir cette mission. En avançant qu'à
« l'expression des émotions », reconnue comme
effet somatique accessoire de certains processus
psychiques, il faudrait joindre cette « expression
du contenu des représentations », je conçois
certes bien que mes observations relatives à la
catégorie du grand et du petit n'épuisent pas le
thème. Il y a même bien des considérations que
je pourrais ajouter avant d'en arriver aux
phénomènes de tension par lesquels une personne indique physiquement la concentration
de son attention et le degré d'abstraction actuel
de sa pensée. Je considère ce sujet comme important, et je crois que dans d'autres domaines
encore de l'esthétique l'étude de cette mimique
serait utile, comme elle nous le fut ici à la compréhension du comique.

Pour en revenir au comique du mouvement,
je rappelle que la perception d'un mouvement

donné s'accompagne de l'impulsion à le représenter par une certaine dépense, un certain effort.
Donc, lorsque j'éprouve la « volonté de comprendre » ce mouvement, lorsque j'en réalise l'aperception, j'engage une certaine dépense, et,
à ce stade du processus psychique, je me comporte exactement comme si je me mettais à la
place de la personne observée. Je saisis probablement en même temps le but de ce mouvement,
et je peux estimer, en vertu de l'expérience
acquise, quelle dépense serait nécessaire à l'atteindre. Je fais alors abstraction de la personne
observée, et je m'y prends comme si, pour mon
propre compte, je cherchais à atteindre le but
du mouvement. Ces deux virtualités représen-
tatives reviennent à une comparaison entre le
mouvement observé et le mien propre. Si le
mouvement de l'autre personne est démesuré
et contraire à son objectif, l'excès de ma dépense,
nécessitée par la compréhension, est inhibé
in statu nascendi, pour ainsi dire pendant la
mobilisation ; cet excès est déclaré superflu,
et il est ainsi libre d'être utilisé par ailleurs,
éventuellement d'être déchargé par le rire. De
cette façon, quand d'autres circonstances favorables surviennent, le plaisir dû au mouvement
comique serait engendré par un excès de dépense
d'influx nerveux, excès qui résulte de la comparaison avec mon propre mouvement et qui est
devenu inutilisable.

Nous voyons à présent qu'il nous faut poursuivre nos discussions dans deux directions
différentes : premièrement déterminer les conditions nécessaires à la décharge de l'excès,
deuxièmement voir si les autres cas du comique
peuvent être conçus sur le modèle du comique
du mouvement.

Nous aborderons tout d'abord ce dernier
problème et, après le comique des mouvements
et des actes, nous envisagerons le comique qui
réside dans les productions intellectuelles et
dans les traits de caractère d'une autre personne.

Nous pouvons prendre comme type du genre
le non-sens comique réalisé, à l'examen, par le
candidat ignorant ; il est certes plus difficile
de citer un exemple simple concernant les
traits du caractère. Ne nous laissons pas induire
en erreur par ce fait que le non-sens et la sottise,
qui sont si souvent comiques, ne le sont pourtant pas dans tous les cas, de même que les
mêmes caractères qui nous font rire une fois
par leur côté comique peuvent nous paraître
d'autres fois abjects ou haïssables. Ce fait,
dont nous ne devons pas oublier de tenir compte,
indique simplement qu'il y a, en dehors de la
comparaison qui nous est déjà bien connue,
d'autres conditions dont dépend l'effet comique ;
nous pourrons chercher à démêler ces conditions
dans un autre contexte.

Le comique que je trouve dans les caractères

intellectuels et psychiques d'une autre personne
ressort évidemment, lui aussi, d'une comparaison de cette personne avec mon propre moi ;
il est, cependant, remarquable que le plus souvent le résultat de cette comparaison soit
l'opposé de celui que l'on obtient dans le cas du
mouvement ou de l'acte comiques. Dans ce
dernier cas, mon congénère me semblait comique, parce que sa dépense était supérieure à
celle que je croyais nécessaire ; dans le cas de
la production psychique, au contraire, le comique surgit lorsque ce congénère s'est épargné
une dépense qui me paraît indispensable, car
le non-sens et la sottise résultent d'un fonction-
nement psychique à un niveau inférieur. Dans
le premier cas, je ris parce que l'autre personne
a fait trop d'efforts ; dans le second, parce
qu'elle en a fait trop peu. Il apparaît donc que
la cheville ouvrière du comique n'est que la
différence de deux dépenses d'investissement,
— dépense « par sympathie » et dépense de
mon moi — ; peu importe au profit de qui s'établit cette différence. Cette bizarrerie, qui semblerait tout d'abord appelée à égarer notre
jugement, s'efface toutefois si nous considérons
que restreindre notre activité musculaire et
accroître notre activité intellectuelle est conforme à la direction que nous poursuivons dans
notre évolution vers un degré de culture supérieure. L'élévation de notre dépense cogitative

restreint la dépense motrice nécessaire à un
même effet, progrès dont témoigne notre machi-
nisme actuel [1].

C'est donc d'après ce même principe qu'une
personne nous paraît comique lorsqu'elle déploie,
par rapport à nous, trop d'effort dans ses
actes physiques et trop peu dans ses actes
psychiques ; il est incontestable que, dans ces
deux cas, notre rire est la manifestation du
plaisir causé par la supériorité que nous nous
attribuons sur autrui. L'ordre, dans ces deux
cas, est-il interverti, la dépense somatique de
l'autre personne est-elle trouvée inférieure, sa
dépense psychique supérieure à la nôtre : loin
de rire, nous nous en étonnons et nous nous en
émerveillons [2].

Cette origine du plaisir comique, le fait que
ce plaisir tient, comme nous venons de le
montrer, à la comparaison de l'autre personne
avec notre moi propre — de la différence entre
la dépense « par sympathie » et la dépense
propre du moi — constitue sans doute son
élément génétique le plus important. Mais assurément cet élément n'est pas seul en cause.
Nous avons appris quelque part à faire abstrac-

---

1. « Qui n'a pas de tête — dit le proverbe — doit avoir des
jambes. »
2. Ces contradictions, que nous trouvons constamment, dans les
conditions du comique, à savoir, que tantôt le trop, tantôt le trop
peu apparaît comme la source du plaisir comique, n'ont pas peu
contribué à embrouiller le problème. (Cf. Lipps, l. c., p. 47.)

tion de cette comparaison entre l'autre personne
et le moi et à ne rechercher cette différence qui
nous procure le plaisir que d'un seul côté,
soit dans la « sympathie », soit dans les processus
qui ont pour théâtre notre moi propre, ce qui
prouve que le sentiment de supériorité n'est
pas une condition essentielle du plaisir comique.
Une comparaison est indispensable à l'éclosion
de ce plaisir ; nous trouvons que cette comparaison s'établit entre deux dépenses d'investissement qui se succèdent de près et s'appliquent
à une même production : ou bien nous produi-
sons ces deux dépenses par la voie de la « sympathie » par une autre personne, ou bien nous les
trouvons, en dehors de tout rapport avec l'autre
personne, dans nos propres processus psychiques. Dans le premier cas, où l'autre personne
joue encore un rôle, mais indépendant d'une
comparaison avec notre moi, la différence des
dépenses d'investissement, qui procure le plaisir, tient à des influences extérieures, que nous
pouvons embrasser sous le nom de « situation » ;
c'est pourquoi cette sorte de comique peut être
qualifiée de *comique de situation*. Les qualités
de la personne qui fournit le comique n'interviennent pas à titre principal : nous rions même
si nous reconnaissons que, nous trouvant dans
la même situation, nous eussions agi comme
elle. Nous tirons ici le comique des rapports
de l'homme avec le monde extérieur qui le

domine souvent, rapports qui, dans les processus
psychiques humains, sont aussi représentés par
les conventions, les nécessités sociales, et même
par les propres besoins corporels du sujet. Un
cas typique de ce dernier genre est celui d'un
homme qui, au cours d'une activité nécessitant
le plein déploiement de ses forces psychiques,
est saisi tout à coup d'une violente douleur
ou du besoin de déféquer. Le contraste qui,
par la voie de la « sympathie », nous fournit la
différence comique est celui qui s'établit entre le
grand intérêt que l'autre personne prenait
avant la perturbation à son activité psychique
et l'intérêt minime dont elle dispose encore
après cette perturbation. La personne qui nous
fournit cette différence nous apparaît à nouveau
comique, parce qu'inférieure ; elle n'est, toutefois, inférieure que par rapport à son moi
précédent, et non par rapport à nous, car
nous savons qu'en pareille occurrence, notre
attitude eût été la même. Mais il est remarquable que ce ne soit que dans les cas par « sympathie », dans le cas où c'est un autre qui se
trouve dans une pareille situation, que nous
trouvions comique cette infériorité, cette défaite
de l'homme, tandis que, si nous nous trouvions
nous-mêmes dans un pareil embarras, nous
n'éprouverions que des émotions pénibles. Il
est probable qu'il nous faut nous sentir nous-
mêmes à l'abri d'un pareil embarras pour pou-

voir trouver plaisante la différence qui résulte
de la comparaison des investissements successifs.

L'autre source du comique, celle que nous trouvons dans la variation de nos propres investissements, intéresse particulièrement nos relations
avec l'avenir, que nous avons coutume d'anticiper dans nos représentations d'attente. Je
suppose qu'une dépense quantitativement bien
déterminée est le fond de chacune de nos représentations d'attente, dépense qui, dans le cas
de la désillusion, est ainsi rabaissée d'une différence déterminée, et je rappelle ici à nouveau les
remarques que j'ai faites plus haut au sujet de
la « mimique de représentation ». Mais il me
semble plus facile de mettre en évidence la dépense d'investissement effectivement mobilisée
par l'attente. Il est toute une série de cas où,
de toute évidence, l'attente se manifeste sous
forme de préparations motrices, surtout lorsque
l'événement attendu fait appel à la motilité ;
on peut même apprécier quantitativement ces
préparations. Je m'apprête à reprendre une
balle qu'on me lance ; tout mon corps se tend
pour résister au choc de la balle ; et les mouvements excessifs que j'exécute, si la légèreté de
la balle trompe mon attente, ne font que me
rendre comique aux yeux des spectateurs. Cette
attente m'a poussé à faire une dépense de
mouvement excessive. De même, si je sors d'un

panier un fruit que j'estimais lourd, et que le fruit soit creux, modelé dans la cire, ma main trahit, par l'élan que j'avais préparé à cet effet, un excès de potentiel nerveux et par là je prête à rire. Dans un cas, tout au moins, l'expérience physiologique peut démontrer, chez l'animal, la dépense d'attente, et cela d'une façon directement mesurable. Dans ses recherches sur la sécrétion salivaire, Pavlov montre à des chiens, porteurs de fistules salivaires, des aliments divers : la quantité de salive sécrétée varie suivant qu'au cours de l'expérience l'attente de l'animal, qui se préparait à consommer la pâture présentée, est renforcée ou trompée.

Là encore où l'attente intéresse simplement mes organes des sens et non ma motilité, il me semble qu'elle se manifeste par une certaine dépense motrice, qui met les sens en tension et les neutralise à l'égard des autres impressions non attendues ; je me crois en droit de concevoir, en général, la fixation de l'attention comme un acte moteur qui équivaudrait à une certaine dépense. Il convient de supposer aussi que l'activité préparatoire de l'attente ne sera pas sans relation avec l'intensité de l'impression attendue, mais que je représenterai la grandeur ou la petitesse de cette intensité par ma mimique à l'aide d'une dépense de préparation plus grande ou plus petite, tout comme dans le cas de la communication verbale ou dans celui du penser

qui n'est pas expectatif. Il est vrai que la dépense d'attente comportera plusieurs composantes et que ma désillusion, elle aussi, sera
influencée par divers facteurs ; il ne s'agira pas
seulement de déterminer si, sensoriellement
parlant, la réalité est supérieure ou inférieure à
mon attente, mais encore si elle est digne du
grand intérêt que je lui avais réservé dans mon
attente. Je suis ainsi amené à faire entrer en
ligne de compte, outre la dépense nécessaire à
la représentation du grand et du petit (mimique
représentative), la dépense que nécessite la tension de l'attention (dépense d'attente), et, par
surcroît, dans certains cas, la dépense d'abstraction. Mais ces autres types de dépense peuvent
se ramener aisément à celle du grand et du petit,
car ce qui est plus intéressant, ce qui est plus
relevé, et même ce qui est plus abstrait, ne constitue que des cas d'espèce, particulièrement
qualifiés, de ce qui est plus grand. Ajoutons que,
suivant Lipps et d'autres, c'est le contraste
quantitatif — et non qualitatif — qui est considéré, en première ligne, comme source du plaisir
comique ; nous voilà donc, en somme, satisfaits
d'avoir adopté comme point de départ de nos
recherches le comique du mouvement.

Conformément à la thèse de Kant, « le comique est une attente qui se réduit à rien »,
Lipps, dans un ouvrage souvent cité ici, a tenté
de faire dériver, sans exception, tout plaisir

comique, de l'attente. Bien que sa tentative ait
donné maints résultats fort instructifs et fort
précieux, je voudrais m'associer aux auteurs qui,
dans leur critique, ont prétendu que Lipps avait
rétréci outre mesure le champ des origines du
comique et forcé les phénomènes du comique
pour les faire entrer dans le cadre de sa formule.

Les hommes ne se sont pas contentés de savourer le comique au hasard des rencontres ; ils
se sont efforcés de le produire intentionnellement, et l'on en apprend davantage sur la
nature du comique par l'étude des différents
moyens dont on dispose pour le produire. On
peut, avant tout, le produire en se rendant soi-
même comique pour mettre les autres en gaieté,
par exemple en jouant la maladresse ou la sottise. On produit alors le comique tout comme si
l'on était réellement comique, du fait qu'on
remplit la condition de la comparaison, dont
résulte la différence de dépense ; mais on ne se
rend pas, de ce fait, ridicule ou méprisable, on
peut même, le cas échéant, inspirer de l'admiration. Le partenaire, en effet, n'éprouve pas de
sentiment de supériorité, s'il comprend que l'on
s'est borné à simuler ; ce qui démontre clairement, une fois de plus, qu'en principe, le comique est indépendant du sentiment de supériorité.

Pour rendre autrui comique, nous avons tout
d'abord la ressource de le placer dans une situation où la sujétion de l'homme aux contin-
gences extérieures, en particulier aux contin-
gences sociales, le rend comique, quelles que
soient ses qualités propres ; c'est là l'exploitation du comique de situation. Cette transposition du prochain dans une situation comique
peut être des plus réelles (*a practical joke*), si,
par exemple, on lui lance un croc-en-jambe afin
de le faire tomber gauchement, si on le fait
paraître sot, si on exploite sa crédulité pour lui
faire accroire des absurdités, etc. ; ou bien cette
transposition peut être simplement fictive,
réalisée alors par la parole ou le geste. L'agression, qui use souvent de cette arme du comique,
profite largement de la prérogative du plaisir
comique d'être indépendant de la réalité même
de la situation comique, de sorte qu'au fond
tout homme est susceptible d'être rendu comique.

Mais il y a encore d'autres moyens de tourner
au comique quelqu'un ou quelque chose ; ces
moyens, qui méritent une attention particulière, nous découvrent en partie de nouvelles
sources du plaisir comique. Signalons, parmi ces
moyens, *l'imitation* qui procure à l'auditeur un
plaisir extrême, et qui rend son objet comique,
en dehors de toute exagération caricaturale. Il
est plus facile de scruter l'effet comique de la

caricature que celui de l'imitation pure et simple.
La caricature, la parodie et le travestissement,
comme son contraire pragmatique, le démasquage, s'attaquent aux personnes et aux objets
à qui l'on doit le respect, qui détiennent quelque
autorité, qui *s'élèvent*, dans un sens ou dans
l'autre, au-dessus du commun. Ce sont des procédés de dégradation, procédés pour lesquels la
langue allemande possède l'heureuse expression
de : *Herabsetzung* [1]. Ce qui est élevé est grand
au sens figuré, au sens psychique, et je suis porté
à supposer, ou plutôt à renouveler à ce propos
cette supposition que, comme le grand au sens
somatique, le grand au sens psychique est représenté par une dépense supplémentaire. Il n'est
pas nécessaire d'aller chercher bien loin pour
observer que, si je parle de ce qui est élevé,
l'innervation de ma voix se modifie, ma mimique
change, tout mon maintien cherche à se mettre
au diapason de la dignité de ce que je représente.
Je m'impose une contrainte solennelle, à peu près
comme si je devais affronter la présence d'un
haut personnage, d'un monarque ou d'un prince
de la science. Ce ne serait guère me tromper
que de supposer que cette nouvelle innervation

---

1. *Herabsetzen* = littéralement : mettre plus bas. Anglais :
Degradation. A. Bain (*The emotions and the will*, p. 248, 2 nd edit.,
1865) dit : The occasion of the Ludicrous is the degradation of
some person or interest, possessing dignity, in circumstances that
excite no other strong emotion.

de la mimique de représentation témoigne d'une dépense supplémentaire. Un troisième cas de dépense supplémentaire se présente lorsque je m'engage dans un ordre d'idées abstraites, au lieu de m'en tenir aux représentations familières du concret et du plastique. Or, si les procédés signalés plus haut, destinés à la dégradation du relevé, me font représenter ce relevé comme ce qui m'est familier, me permettant, en sa présence idéale, de prendre mes aises, de « me mettre au repos », comme on dit dans le militaire, je m'épargne la dépense supplémentaire de la contrainte solennelle, et la comparaison de ce mode de représentation suggéré « par sympathie », au mode de représentation usité en pareille occurrence, et qui cherche à se réaliser simultanément, cette comparaison, dis-je, crée à nouveau la différence de dépense susceptible d'être déchargée par le rire.

La caricature réalise, comme on sait, la dégradation, en extrayant de l'expression générale du sujet haut placé un seul trait, comique par lui-même, qui devait dans l'ensemble passer inaperçu. Par l'isolement de ce trait on peut alors produire un effet comique qui, dans notre souvenir, irradie au sujet tout entier. Néanmoins, une condition s'impose, c'est que la présence même du sujet haut placé ne nous contraigne pas à persévérer dans notre tendance au respect. Lorsque l'original n'offre pas, par lui-même, un

trait qui prête au comique, la caricature n'hésite pas, à créer un trait comique en outrant un
trait nullement comique par lui-même. C'est là
encore une caractéristique de l'origine du plaisir comique que de telles entorses à la vérité
ne nuisent guère à l'effet de la caricature.

La *parodie* et le *travestissement* parviennent
par une autre voie à rabaisser ce qui est haut
placé : ils détruisent la conformité qui existe
entre le caractère d'une personne, telle qu'elle
nous est connue, et ses actes et ses paroles ; ils
remplacent, ou les personnages haut placés ou
bien leurs faits et gestes, par des personnages
ou par des gestes d'un ordre inférieur. C'est par
là qu'ils se distinguent de la caricature, mais ils
produisent le plaisir comique par le même mécanisme. C'est encore le même mécanisme qui est
mis en œuvre par le *démasquage,* mais celui-ci ne
vise que la dignité et l'autorité usurpées par
l'imposture et de ce fait dignes d'être arrachées
à leur détenteur. Nous avons appris à reconnaître l'effet comique du démasquage dans
quelques mots d'esprit, par exemple dans celui
qui vise cette femme distinguée criant aux premières douleurs de l'enfantement : « Ah! mon
Dieu! » et à qui le médecin ne veut porter secours
que lorsqu'elle s'écrie : « Ai waih! » Après ce
que nous venons d'apprendre des caractères du
comique, il est incontestable que cette histoire
constitue un type parfait de démasquage co-

mique et n'a aucun droit au titre de mot d'esprit. Elle ne rappelle le mot d'esprit que par sa
mise en scène, par le procédé technique de la
« représentation par un détail », dans le cas particulier par le cri qui fournit l'indication suffisante. Avouons cependant que, si nous faisons
appel au sentiment de notre langue pour trancher cette question, rien ne nous empêchera de
qualifier cette histoire de mot d'esprit. Nous
comprendrons cette particularité, si nous observons que l'usage de la langue ne s'est pas moulé
sur nos conceptions scientifiques touchant la
nature de l'esprit, conceptions que nous avons
acquises à grand-peine au cours de nos recherches. Étant donné qu'il est dans les attributions
de l'esprit de rendre à nouveau accessibles d'an-
ciennes sources du plaisir comique (p. 165) on
peut, si l'on se contente d'une lointaine analogie,
qualifier de mot d'esprit tout artifice qui dévoile
un comique non flagrant. Mais ce dernier trait
s'applique par excellence au démasquage, ainsi
qu'à d'autres méthodes de ridiculisation [1].

On peut encore faire rentrer dans le « démasquage » certains procédés de ridiculisation qui
nous sont déjà connus, procédés qui ravalent la
dignité d'un homme en montrant qu'il participe

---

1. On appelle en somme esprit toute évocation consciente et
habile du comique, que ce soit du comique dû à la manière de voir
ou à la situation. Naturellement cette conception de l'esprit ne
peut nous être utile ici. Lipps, *loc. cit.*, p. 78.

à l'infirmité humaine, et particulièrement que
son activité psychique est dominée par ses
besoins corporels. Le démasquage revient alors
à dire : Tel ou tel, que l'on admire à l'égal d'un
demi-dieu, n'est qu'un homme comme toi et
moi. Se rangent encore dans cette catégorie
tous les efforts destinés à mettre en évidence,
derrière la richesse, la liberté apparente de la
production psychique, l'automatisme psychique
dans toute sa monotonie. Les exemples que nous
avons donnés des mots d'esprit de marieurs se
présentent ainsi comme des « démasquages » ; il
est vrai que lorsque nous les citions nous nous
demandions si nous étions bien en droit de ranger ces histoires parmi les mots d'esprit. Nous
voilà maintenant en état d'affirmer avec plus
de certitude, que l'anecdote de l'écho, qui fait
chorus à toutes les assertions dudit marieur et
même, finalement, corrobore l'aveu de la bosse
par l'exclamation : « Et encore quelle bosse! »,
que cette anecdote, disons-nous, est essentiellement une histoire comique, un exemple de
démasquage de l'automatisme psychique. Mais
l'histoire comique ne fait ici office que de façade ; pour qui veut bien saisir le sens caché des
anecdotes de marieurs, elle demeure dans son
ensemble un mot d'esprit parfaitement campé.
Celui qui n'approfondit pas s'en tient à l'histoire comique. Ces considérations s'appliquent
encore à un autre mot d'esprit, celui du marieur

qui, pour rétorquer une objection, finit par dire la vérité en s'écriant : « Qui prêterait donc à de telles gens ! » : démasquage comique servant de façade à un mot d'esprit. Mais le caractère de l'esprit est ici beaucoup moins méconnaissable, puisque le discours du marieur est en même temps une représentation par le contraire. En voulant démontrer que ces gens sont riches, il démontre par là même qu'ils ne le sont pas, qu'ils sont même fort pauvres. L'esprit se combine ici au comique, nous apprenant ainsi qu'une même allégation peut être à la fois spirituelle et comique.

Nous sommes heureux de saisir l'occasion de revenir du comique par démasquage au mot d'esprit, car, au fond, notre programme comporte, non pas la détermination de la nature du comique, mais l'élucidation des rapports respectifs de l'esprit et du comique. Nous joindrons au cas de la révélation de l'automatisme psychique, où le sentiment de l'alternative entre le comique et l'esprit nous a laissés désemparés, un autre cas où l'esprit se confond de même avec le comique. Je veux parler des mots d'esprit par le non-sens. Or, nos recherches montreront finalement que, dans ce dernier cas, la rencontre de l'esprit et du comique possède une dérivation théorique.

Nous avons vu plus haut, dans notre discussion des techniques de l'esprit, que nombre de

mots d'esprit usent de ce procédé technique :
laisser le champ libre à certaines manières du
penser, qui sont en usage dans l'inconscient,
mais qui ne peuvent être considérées, dans le
conscient, que comme des « fautes de raisonnement » ; nous avons pourtant plus tard douté
de leur caractère de mot d'esprit, de sorte que
nous étions disposés à les ranger simplement
parmi les histoires comiques. Nous ne pouvions
nous défendre de quelques hésitations, car nous
ne connaissions pas encore le caractère essentiel
du mot d'esprit. Plus tard nous avons trouvé,
par analogie avec l'élaboration du rêve, ce
caractère, dans un compromis ménagé par l'élaboration de l'esprit entre les exigences de la
critique rationnelle, et la pulsion à ne pas renoncer à ce plaisir d'antan lié au non-sens et au
jeu avec les mots. Le compromis ainsi réalisé,
lorsque la pointe préconsciente de la pensée
était confiée pour un moment à l'élaboration
inconsciente, satisfait dans tous les cas à l'un
et l'autre désideratum, mais offrait prise à la
critique à différents égards et se trouvait ainsi
exposé à subir de sa part des jugements divers.
L'esprit avait une fois réussi à usurper, par
ruse, la forme d'une phrase insignifiante mais
admissible ; une autre fois à se faufiler dans
l'expression d'une pensée intéressante ; dans le
cas extrême du compromis, il avait renoncé à
satisfaire aux exigences de la critique et, se fiant

à ses propres sources de plaisir, il se présentait
à la critique dans le simple appareil du non-
sens. Il ne craignait alors pas d'encourir sa
désapprobation, car il pouvait escompter que
l'auditeur redresserait, par le traitement inconscient, la déformation de l'expression du mot
d'esprit et, par là, en rétablirait le sens réel.

En quel cas l'esprit apparaîtra-t-il à la critique comme un non-sens ? Tout spécialement
lorsqu'il adoptera les façons de penser que
l'inconscient accepte, mais que le conscient
réprouve, c'est-à-dire lorsqu'il usera des fautes
de raisonnement. Quelques modes du penser
inconscient subsistent, comme nous le savons,
également dans le conscient, par exemple certaines formes de la représentation indirecte,
l'allusion, etc., bien que leur emploi conscient
soit soumis à des restrictions assez importantes.
Grâce à ces techniques, le mot d'esprit ne heurte
que peu ou prou la critique ; ce résultat n'est
atteint que lorsque la technique met en œuvre
des moyens que la pensée consciente a définitivement rejetés. Le mot d'esprit peut encore éviter
de heurter la critique, s'il sait dissimuler la faute
de raisonnement, s'il sait la revêtir d'une apparence de logique, comme dans l'histoire de la tarte
et de la liqueur, du saumon mayonnaise et autres
anecdotes du même genre. Mais s'il laisse subsister la faute de raisonnement sans la travestir,
il encourt, à coup sûr, l'opposition de la critique.

Voici encore une autre conjoncture qui, dans ce cas, tourne à l'avantage de l'esprit. Les fautes de raisonnement dont il use dans sa technique comme modes de penser de l'inconscient paraissent — souvent, sinon constamment — comiques à la critique. La tolérance consciente des modes de penser propres à l'inconscient et rejetés comme défectueux est un des moyens utilisés pour produire le plaisir comique ; cela se comprend aisément, car l'investissement préconscient nécessite certainement une plus forte dépense que l'investissement qu'on laisse se produire dans l'inconscient. En entendant et en comparant la pensée, conçue sur le mode inconscient, à la pensée correcte, nous réalisons la différence de dépense d'où résulte le plaisir comique. Or, un mot d'esprit qui use dans sa technique de telles fautes de raisonnement, et qui de ce fait paraît absurde, peut, en même temps, avoir un effet comique. Si nous ne parvenons pas à dépister le mot d'esprit, il ne subsiste encore, dans ce cas, que l'histoire comique, la farce.

Un excellent exemple d'un effet de comique pur, par tolérance du mode de penser propre à l'inconscient est fourni par l'histoire du chaudron emprunté qui, au rendu, avait un trou. L'emprunteur, prétendait, premièrement, qu'il n'avait point emprunté de chaudron ; deuxièmement, que le chaudron avait déjà un trou

lorsqu'il l'avait emprunté et, troisièmement,
qu'il l'avait rendu intact, sans trou (p. 99).
C'est justement l'incompatibilité de plusieurs
pensées contradictoires, dont chacune a, prise
isolément, sa raison d'être, qui n'existe plus
dans l'inconscient. Le rêve qui, nous le savons,
est une manifestation des modes de penser de
l'inconscient, ne connaît pas, conformément à
cette loi, l'alternative : « Ou — Ou Bien [1] », mais
seulement la juxtaposition simultanée. Dans
le songe que, malgré sa complication, j'avais
choisi pour servir le type au travail d'interprétation dans ma *Science des Rêves* [2], je cherche à
me blanchir du reproche de n'avoir pas guéri
les troubles d'une malade par le traitement
psychothérapique. Voici mes arguments : 1º la
malade serait le propre auteur de ses maux,
parce qu'elle ne voulait pas admettre ma solution ; 2º ses douleurs seraient d'origine orga-
nique, donc ne me regarderaient pas ; 3º ses
souffrances tiendraient à son veuvage, dont je
n'étais évidemment pas responsable ; 4º ses
douleurs proviendraient d'une injection faite
avec une seringue malpropre par un autre que
moi. Tous ces arguments sont ainsi juxtaposés,
comme s'ils ne s'éliminaient pas l'un l'autre. Il

1. Cette alternative est, tout au plus, ajoutée par le narrateur
à titre d'interprétation.
1. *Die Traumdeutung*, 7ᵉ édit., p. 74. et suiv. et *La Science des
Rêves*, trad. Meyerson, Alcan, Paris, 1926, p. 98 et suiv.

me faudrait, pour ne pas être taxé d'absurdité,
remplacer le « et » du songe par le « ou — ou
bien ».

Voici une autre histoire comique du même
genre. Dans un village de Hongrie, un forgeron
commet un crime méritant la mort ; le maire
toutefois décide de faire pendre non point le
forgeron, mais un tailleur, sous prétexte que le
village a deux tailleurs, mais un seul forgeron et
que, d'autre part, justice doit être faite. Cette
sorte de déplacement de la personne du coupable à celle d'un autre est en contradiction
avec toutes les lois de la logique consciente,
mais non point avec la façon de penser propre à
l'inconscient. Je n'hésite pas à considérer cette
histoire comme comique et pourtant j'ai rangé
l'histoire du chaudron parmi les mots d'esprit.
Je dois cependant avouer que cette dernière,
elle aussi, mérite plutôt la qualification de
« comique », que de spirituelle. Mais je comprends
maintenant pourquoi mon sentiment, si net en
d'autres circonstances, m'a fait hésiter entre
le caractère comique ou spirituel de cette histoire. Il s'agit ici d'un cas où il m'est impossible
de prendre une décision par intuition, du cas
où le comique résulte du dévoilement des modes
de penser exclusivement propres à l'inconscient.
Une telle histoire peut être à la fois comique
et spirituelle ; elle me donnera néanmoins
l'impression du spirituel, même si elle est

simplement comique, parce que l'emploi des
fautes de raisonnement propres à l'inconscient
m'oriente vers l'esprit, de même que plus haut
les procédés mis en œuvre pour révéler le comique qui se dissimule (p. 337).

Je dois m'attacher à bien expliquer ce point
particulièrement délicat de mon analyse, les
rapports de l'esprit et du comique, et, dans
cette intention, je voudrais compléter mon
exposé par quelques propositions négatives.
Je ferai remarquer tout d'abord que ce cas
de rencontre de l'esprit et du comique n'est
pas identique au précédent (p. 338). La distinction, il est vrai, est subtile, mais on peut l'établir avec certitude. Dans le cas précédent, en
effet, le comique résidait dans la révélation de
l'automatisme psychique. Or, celui-ci n'est
nullement l'apanage de l'inconscient et, dans
les techniques de l'esprit, il ne joue pas non plus
un rôle de premier plan. Les rapports entre le
démasquage et l'esprit ne sont que fortuits, ils
se présentent lorsque le démasquage prête ses
services à une autre technique spirituelle, par
exemple à la représentation par le contraire.
Par contre, dans le cas de tolérance des modes
de penser propres à l'inconscient, la rencontre
de l'esprit et du comique est une nécessité, car
le procédé même qui, chez la première personne
du mot d'esprit, est mis au service de la technique de déclenchement du plaisir, produit,

de par sa nature, chez la troisième personne,
le plaisir comique.

On serait tenté de généraliser ce dernier cas
et de chercher les rapports de l'esprit avec le
comique dans ce fait que l'esprit agit sur la
troisième personne suivant le mécanisme du
plaisir comique. Mais il ne saurait en être
question, car le contact avec le comique ne
s'établit pas dans tous les mots d'esprit, pas
même dans la majorité d'entre eux. Le plus
souvent, on peut discerner nettement l'esprit
du comique. Dès que l'esprit parvient à éviter
l'apparence de l'absurde, donc dans la majorité
des mots d'esprit par double sens ou par allusion, il ne détermine en aucune façon chez l'auditeur un effet comparable à celui du comique.
On peut s'en convaincre par les exemples cités
précédemment et par quelques autres, que je
rapporte ici :

Congratulation à un joueur à l'occasion de ses
soixante-dix ans :

« *Trente et quarante.* » (Morcellement avec
allusion.)

Hevesi décrivant la fabrication du tabac :
« Die hellgelben Blätter... wurden da in eine
Beize getunkt und in dieser *Tunke gebeizt.* »
(Les feuilles jaune clair reçurent un bain de
mordant et se mordancèrent dans ce bain.)
(Emploi multiple du même matériel.)

Madame de *Maintenon* fut appelée M**a**.

dame de *Maintenant*. (Modification de nom.)

Le professeur Kästner dit à un prince qui, au cours d'une observation astronomique, s'était placé devant le télescope : « Mein Prinz, ich weiss wohl, dass Sie durch*läuchtig* sind, aber Sie sind nicht durch*sichtig*. (Mon Prince, je sais bien que vous êtes transcendant [sérénissime], mais non pas transparent.)

On qualifia le comte Andrassy de : *Minister des schönen Aeusseren* (Ministre du bel extérieur), il était ministre des Affaires étrangères (Minister des Aeusseren, de l'extérieur).

On pourrait croire, du moins, que tous les mots d'esprit à façade absurde doivent avoir l'apparence et l'effet du comique. Je rappelle cependant que bien souvent les mots d'esprit de ce genre ont sur l'auditeur un autre effet, celui de la sidération et de la tendance à les rejeter. C'est évidemment selon que le non-sens du mot d'esprit apparaît comme un non-sens comique ou comme un non-sens pur et simple, ce dont nous n'avons pas encore démêlé la condition. Nous nous en tenons donc à cette conclusion que, de par sa nature, l'esprit doit être distingué du comique, et que leur rencontre n'a lieu, d'une part, que dans certains cas spéciaux, d'autre part, dans la tendance à puiser le plaisir à des sources intellectuelles.

En cherchant à établir les rapports respectifs de l'esprit et du comique, nous découvrons à

présent cette différence, que nous devons faire
ressortir comme la plus importante et qui,
de plus, signale un des caractères psychologiques
primordiaux du comique. Nous étions amenés
à placer la source du plaisir spirituel dans
l'inconscient ; nous ne saurions trouver aucune
raison d'y localiser le comique. Bien plus, toutes
nos analyses concourent à démontrer que la
source du plaisir comique réside dans la comparaison de deux dépenses, elles-mêmes attri-
buables au préconscient. L'esprit et le comique
se distinguent donc avant tout par leur localisation psychique : *l'esprit est, pour ainsi dire,
au comique, la contribution qui lui vient du
domaine de l'inconscient.*

Nous n'encourrons pas le reproche de nous
être laissés aller à une digression, car ce sont les
rapports de l'esprit et du comique qui nous ont
amenés à l'étude du comique. Mais il est grand
temps de revenir à notre thème d'alors, c'est-à-
dire aux moyens qui servent à rendre comique.
Nous avons commencé par la discussion de la
caricature et du démasquage, en raison des
points de repère qu'ils sont susceptibles de
nous fournir dans l'analyse du comique de
l'*imitation*, que nous allons tenter. L'imitation,
dans la plupart des cas, s'allie certes à un

soupçon de caricature, d'exagération de certains
traits, qui sans elle passeraient inaperçus ;
elle comporte aussi le caractère du rabaissement. Pourtant ces traits n'épuisent pas son
essence : incontestablement l'imitation en
elle-même représente une source de plaisir
comique particulièrement riche, puisque c'est
justement l'imitation fidèle qui nous fait le
plus rire. Il est fort malaisé d'en donner une
explication satisfaisante, si l'on ne veut pas
se rallier à l'opinion de Bergson [1], qui rapproche
le comique de l'imitation de celui de la révélation
de l'automatisme psychique. Bergson estime
que tout ce qui, chez une personne vivante,
rappelle le mécanisme inanimé, fait un effet
comique. Telle est sa formule : « *Mécanisation
de la vie* [2]. » Bergson explique le comique de
l'imitation en partant d'un problème soulevé
par Pascal dans ses *Pensées:* « Deux visages
semblables, dont aucun ne fait rire en particulier, font rire ensemble par leur ressemblance. »
Il dit que le vivant, selon notre attente, ne
devrait jamais se répéter d'une façon complètement similaire. Là où il y a cette répétition,
nous soupçonnons toujours un mécanisme
fonctionnant derrière le vivant. Si l'on voit
deux visages qui se ressemblent trop fidèle-

1. Bergson, *Le Rire*, essai sur la signification du comique. 3ᵉ édit.,
Paris, 1904.
2. En français dans le texte. (N. d. T.)

ment, on pense à deux moulages, issus d'un
même moule ou dus à un procédé mécanique
analogue. Bref, la cause du rire, dans ces cas,
résiderait dans la transposition du vivant à
l'inanimé ; nous pourrions dire la dégradation
du vivant à l'inanimé (*l. c.*, p. 35). Si nous
adoptons la thèse si séduisante de Bergson,
nous n'aurons pas de peine à faire rentrer son
point de vue dans notre propre formule. Ins-
truits par notre expérience, qui nous apprend
que chaque être vivant est divers et sollicite,
de notre compréhension, une sorte de dépense,
nous nous trouvons désillusionnés si, en vertu
de la conformité complète ou de l'imitation
fidèle, nous n'avons plus besoin d'engager
une nouvelle dépense. Mais nous sommes désillusionnés dans le sens de l'allégement ; aussi la
dépense d'attente, devenue inutile, se solde par
le rire. Cette même formule s'appliquerait aussi
à tous les cas de *raideur* [1] comique, signalés par
Bergson : habitudes professionnelles, idées
fixes et expressions répétées à tout propos.
On pourrait ramener tous ces cas à la comparaison entre notre propre dépense d'attente et
celle qu'implique la compréhension de ce qui
est simplement demeuré pareil, comparaison
où la dépense d'attente, des deux la plus
importante, se fonde sur l'observation de la

1. En français dans le texte. (N. d. T.)

diversité et de la plasticité individuelles du
vivant. Ainsi, dans l'imitation, la source du
plaisir comique ne serait pas le comique de
situation, mais le comique d'attente.

Puisque nous avons fait dériver le plaisir
comique en général d'une comparaison, nous
voici tenus d'analyser le comique de la comparaison elle-même, également apte à « rendre
comique ». Notre intérêt s'accroîtra si nous
nous rappelons que, dans le cas de la comparaison, le « sentiment », auquel nous faisons appel
lorsqu'il s'agit de distinguer un mot d'esprit
d'un mot tout simplement comique, nous laisse
souvent désemparés. (Voir p. 130.)

Ce thème mériterait certes plus de développement que ne nous le permet le programme de
nos recherches. La qualité primordiale que
nous exigeons de la comparaison, c'est d'être
juste, c'est-à-dire d'attirer notre attention
sur une concordance réellement existante entre
deux objets différents. Le plaisir primitif que
nous éprouvons à retrouver le semblable (Groos,
p. 133), n'est pas le seul facteur qui favorise
l'emploi de la comparaison ; il faut encore
ajouter que la comparaison est susceptible
d'un emploi qui allège le travail intellectuel,
quand l'on compare, comme il est en général
d'usage, le moins connu au plus connu, cette
comparaison, ce que l'on élucide, grâce à cette
comparaison, ce que l'on connaît le moins bien

et ce qui semble le plus difficile. Chacune de
ces comparaisons, en particulier celle de l'abstrait au concret, est liée à un certain abaisse-
ment et à une certaine épargne de dépense
d'abstraction (dans le sens de la mimique de
représentation) ; toutefois cette économie ne
suffit naturellement pas à faire surgir nettement
le caractère du comique. Ce caractère ne surgit
pas d'emblée, mais peu à peu, du plaisir d'allégement produit par la comparaison : il y a bien
des cas qui ne font que côtoyer le comique,
et à propos desquels on peut se demander s'ils
possèdent vraiment le caractère du comique.
La comparaison devient indubitablement comique, lorsque la différence de « niveau » de
la dépense en abstraction s'accroît entre les
deux termes de la comparaison, lorsque le
sérieux et l'inconnu, surtout dans l'ordre
intellectuel et moral, entrent en parallèle avec
le vulgaire et le banal. Le plaisir de l'allégement,
dont il vient d'être question, et la contribution
fournie par les conditions qui commandent la
mimique de représentation, peuvent peut-être
nous expliquer comment, dans la comparaison,
on passe d'une sorte d'agrément général au
comique par des transitions graduelles déterminées par des relations quantitatives. J'éviterai
probablement un malentendu, en faisant ressortir que, dans la comparaison, je ne fais pas
dériver le plaisir comique du contraste des

deux objets comparés, mais de la différence des
deux dépenses en abstraction. Ce qui est inconnu, abstrait, réellement élevé du point de vue
intellectuel, est difficile à saisir ; or, en affirmant
sa concordance avec le vulgaire qui nous est
familier et dont la représentation ne nécessite
aucune dépense d'abstraction, nous le démas-
quons comme étant tout aussi vulgaire. Le
comique de la comparaison se réduit donc
à n'être qu'un cas particulier de la dégradation.

La comparaison peut, comme nous l'avons vu
précédemment, être spirituelle sans aucun
mélange de comique, précisément lorsqu'elle
évite le rabaissement. Ainsi la comparaison
de la Vérité à un flambeau qui ne peut être
promené à travers une foule « sans brûler la
barbe à quelqu'un », est purement spirituelle,
parce qu'elle prend au sens littéral une locution qui est tombée en désuétude (« le flambeau
de la Vérité ») ; cette comparaison n'est pas du
tout comique car, malgré son caractère concret,
le flambeau n'est pas exempt d'une certaine
noblesse. Toutefois une comparaison peut aisément être tout aussi spirituelle que comique ;
elle peut être l'un indépendamment de l'autre,
quand elle se fait l'auxiliaire de certaines techniques de l'esprit, par exemple de l'unification
ou de l'allusion. Ainsi la comparaison de Nestroy,
qui assimile la mémoire à un « magasin » (p. 137),
est à la fois comique et spirituelle : comique

parce que la comparaison d'une notion psychologique à un magasin représente un rabaissement extraordinaire ; elle est par ailleurs
spirituelle, parce que celui qui en use est un
commis qui établit ainsi, par cette comparaison,
une unification des plus inattendues entre la
psychologie et sa propre activité professionnelle.
Ces lignes de Heine : « Jusqu'à ce que tous
les boutons me soient sautés du pantalon de la
patience » n'apparaissent tout d'abord que
comme un excellent exemple de comparaison
comique et ravalante ; à un examen plus approfondi, il faut cependant leur reconnaître aussi le
caractère spirituel, car la comparaison représente un procédé d'allusion à l'obscène et permet ainsi la libération du plaisir que nous procure l'obscène. Le même matériel détermine,
par une rencontre, il est vrai, pas tout à fait
fortuite, un double bénéfice de plaisir, comique
et spirituel ; bien que les conditions de l'un
favorisent l'éclosion de l'autre, une telle unification ne peut qu'agir de façon troublante sur
le « sentiment » qui doit nous indiquer si, dans
ce cas, il s'agit d'esprit ou de comique. Seule
une analyse minutieuse, et libérée de la disposition joyeuse qui accueillit le mot, saura trancher la question.

Quelque tentant qu'il soit de dépister ces
conditionnalités plus profondes de l'acquisition
du plaisir comique, je dois me rappeler que ni

mes études antérieures, ni ma profession jour-
nalière ne me qualifient pour pousser mes
recherches au-delà du domaine de l'esprit, et
j'avoue que c'est justement le thème de la
comparaison comique qui me fait sentir mon
incompétence.

Nous serons donc heureux qu'on nous le
rappelle : beaucoup d'auteurs n'admettent pas
de distinction tranchée entre l'esprit et le
comique, ni du point de vue théorique, ni du
point de vue pratique. Ces auteurs considèrent
l'esprit tout simplement comme « le comique
du discours » ou « des mots », tandis que nous-
mêmes nous avons été amenés à les distinguer
l'un de l'autre. Pour éprouver l'opinion de ces
auteurs, nous choisirons un exemple de comique
intentionnel et un autre de comique involontaire du discours, afin de les comparer à l'esprit.
Nous nous étions déjà flattés antérieurement de
distinguer le discours comique du discours
spirituel.

> « Avec la fourchette et mille maux
>   Sa mère le retira du pot. »

n'est que comique ; par contre, la phrase de
Heine sur les quatre castes de la population de
Göttingen :

> Professeurs, étudiants, philistins et bétail.

est au plus haut point spirituelle.

Je prends pour type du comique intentionnel
du discours de « Wippchen » de Stettenheim.
On qualifie cet auteur de spirituel, parce qu'il
possède, à un très haut degré, le talent d'évoquer le comique. En effet, cette faculté caractérise précisément l'esprit que l'on « a », par
opposition à celui que l'on « fait ». Il est indé-
niable que les lettres écrites par « Wippchen »,
de la ville de Bernau, en sa qualité de correspondant d'un journal, sont spirituelles, parce
qu'elles comportent nombre de mots d'esprit,
fort divers, dont certains sont vraiment réussis
(« fastueusement déshabillés » à propos d'une
parade chez les sauvages) ; mais ce qui donne à
ces productions leur caractère propre, ce n'est
pas chacun de ces mots d'esprit pris en soi,
mais le véritable feu roulant comique du discours, « Wippchen » est à coup sûr, à l'origine,
un personnage à intention satirique, une
variante du « Schmock » de G. Freytag, un de
ces ignorants qui usent et mésusent des trésors
de la culture nationale. Mais il apparaît que
l'agrément que Stettenheim trouvait aux effets
comiques obtenus par la présentation de son
personnage a progressivement relégué à l'arrière-
plan ses tendances satiriques. Ce que dit et fait
« Wippchen » est en majeure partie du « non-
sens comique » ; l'auteur, à raison après tout,
profite de la disposition joyeuse créée chez son
lecteur par le fatras de pareilles productions

pour sortir, à côté de propos tout à fait admissibles, toutes sortes de niaiseries, qui, prises
isolément, eussent paru intolérables. Or le
non-sens de « Wippchen » garde sa personnalité
spécifique grâce à une technique toute spéciale.
En examinant de plus près ces « mots d'esprit »,
on en remarque tout spécialement certains qui
impriment leur cachet à l'œuvre tout entière.
« Wippchen » use principalement d'assemblages
(fusions), de modifications de locutions et de
citations connues, et il remplace volontiers,
dans leur texte, les banalités par des expressions plus prétentieuses et plus choisies. Il est
vrai que tout cela se rapproche beaucoup des
techniques de l'esprit.

Voici des fusions (extraites de la préface et
des premières pages de la série entière) :

« La Turquie a autant d'argent qu'il y a de foin
[dans la mer »,

ce qui résulte de la fusion de ces deux dictons :

« de l'argent comme du foin »
« de l'argent comme les sables de la mer »,

rajustés l'un à l'autre. Ou bien : « Je ne suis plus
qu'une colonne effeuillée qui témoigne de sa
splendeur passée », condensation de : « arbre
effeuillé » et de « une colonne qui témoigne, etc. ». Ou bien : « Où est le fil d'Ariane qui
nous tirera du Scylla de ces écuries d'Augias ? »,

propos auquel trois légendes grecques ont fourni
chacune leur apport.

Les modifications et substitutions peuvent
être aisément envisagées dans leur ensemble.
Leur caractère apparaît dans les exemples
suivants qui appartiennent en propre à « Wippchen », et dans lesquels émerge régulièrement
une autre locution courante, le plus souvent
banale, devenue un lieu commun :

« Me poser le papier et l'encre plus haut. » On
dit, dans un style imagé, « poser la corbeille à
pain plus haut [1] » pour dire : placer quelqu'un
dans une situation pénible. Pourquoi ne pas
étendre cette image à d'autres sujets ?

« Schlachten, in denen die Russen einmal
den Kürzeren, einmal des Längeren ziehen »
(Des batailles au cours desquelles les Russes
tirent tantôt la courte paille, tantôt la paille
longue). La première expression seule est
d'usage courant ; d'après sa dérivation, il
ne serait pas absurde d'admettre aussi la
seconde.

« De très bonne heure déjà, Pégase s'agitait
en moi. » En rétablissant « le poète » à la place
de « Pégase » nous obtenons une formule auto-
biographique, galvaudée et périmée. « Pégase »
ne se prête certes pas à être substitué au mot
« poète », mais il y a entre les deux termes asso-

---

1. En français : Tenir la dragée haute. (N. d. T.)

ciation d'idées, et de plus c'est un mot grandi-
loquent.

« C'est ainsi que je vivais dans des chaussures
d'enfant pleines d'épines. » Encore une métaphore au lieu d'un simple mot. « Quitter ses
chaussures d'enfant » est une des métaphores
qui ont trait à l'enfance.

Dans la foule des autres productions de
« Wippchen », nous pouvons encore relever des
exemples de comique pur, par exemple de désillusion comique : « Pendant des heures la lutte
oscilla et finit par rester indécise. » Ou bien le
démasquage comique (de l'ignorance) : « Clio, la
méduse de l'histoire » ; des citations : « *Habent
sua fata morgana.* » Mais nous nous intéressons
plutôt aux fusions et aux modifications, parce
qu'elles rappellent les techniques de l'esprit,
qui nous sont déjà connues. Que l'on compare à
ces modifications les mots d'esprit suivants :
« Il a un grand avenir derrière lui. » — « Il a un
idéal devant la tête » ; — puis les mots par
modification lancés par Lichtenberg : « Nouveaux bains guérissent bien », et autres semblables. Les propos de « Wippchen », qui usent
de ces mêmes techniques, peuvent-ils être consi-
dérés comme des mots d'esprit ou, sinon,
comment peut-on les distinguer ?

Il n'est certes pas difficile de répondre. Rappelons que le mot d'esprit présente à l'auditeur
un double visage et lui impose deux conceptions

différentes. Dans les mots d'esprit par non-
sens, comme ceux que nous venons justement
de citer, l'une des conceptions, celle qui s'en
tient uniquement au texte, affirme le non-sens ;
l'autre, celle qui, au fil des allusions, suit sa
voie à travers l'inconscient de l'auditeur, atteint
le sens profond. Dans les propos de « Wippchen »,
qui se rapprochent de l'esprit, l'un des masques
du mot d'esprit est vide, comme étiolé, c'est
une tête de Janus dont un seul visage serait
modelé. Si l'on se laisse entraîner dans l'inconscient par la technique, on ne trouve que le
néant. Ces fusions, par la synthèse de leurs
deux éléments, ne donnent jamais un sens vraiment nouveau : le moindre essai d'analyse les
dissocie aussitôt. Les modifications et les substitutions — tout comme dans le mot d'esprit —
ramènent à une formule courante et familière,
mais la modification ou la substitution n'expriment par elles-mêmes rien. Il ne reste ainsi à
ces soi-disant « mots d'esprit » que l'une des
conceptions, l'une des faces : celle du non-sens.
On peut alors, à son gré, ou bien appeler ces
productions, qui se sont affranchies d'un des
caractères les plus essentiels de l'esprit, « mauvais » mots d'esprit, ou bien leur refuser l'épithète de spirituelles.

Incontestablement, ces mots d'esprit avortés
produisent leur effet comique, qui peut s'expliquer de plus d'une manière. Ou bien le comique

résulte de la révélation des modes de penser
propres à l'inconscient, comme dans les cas
envisagés plus haut, ou bien le plaisir jaillit
de la comparaison avec le mot d'esprit parfait.
Rien ne nous empêche d'admettre ici le concours
de ces deux sources du plaisir comique. On ne
peut nier que ce qui fait ici du non-sens un non-
sens comique, c'est précisément sa ressemblance
imparfaite avec l'esprit.

Dans d'autres cas, dont la technique est
transparente, le contraste entre ce que l'on
apporte et ce qu'il faudrait apporter confère
au non-sens un comique irrésistible. La contre-
partie du mot d'esprit, l'énigme, pourra peut-
être, à cet égard, nous fournir de meilleurs
exemples que l'esprit. Voici un exemple de
question comique : « Qu'est-ce qui pend à la
muraille et permet de s'essuyer les mains ? »
Ce ne serait qu'une sotte énigme si la réponse
était : l'essuie-mains. Cette réponse n'est justement pas la bonne — « Non, c'est un hareng. —
Mais, pour l'amour de Dieu, objecte l'interlocuteur interloqué, un hareng n'est pas suspendu
au mur. — Tu peux l'y accrocher — Mais qui
aurait l'idée de s'essuyer les mains à un hareng ?
— Mais, répond l'autre de façon conciliante,
personne ne t'y oblige. » — Cette explication,
donnée par deux déplacements typiques,
montre tout ce qui manque à cette question
pour être une énigme véritable et, en raison

même de cette insuffisance absolue, elle apparaît non point comme absurdement sotte mais comme irrésistiblement comique. Ainsi, du fait de ne pas répondre à des conditions essentielles, mots d'esprit, énigmes, et autres propos incapables, en toute autre circonstance, de déclencher le plaisir comique, sont susceptibles de devenir des sources de ce dit plaisir.

Encore moins difficile à pénétrer est le comique involontaire du discours, que nous trouvons en particulier dans les poèmes de Friederike Kempner [1] à l'état de véritables cascades :

Gegen die Vivisektion

Ein unbekanntes Band der Seelen kettet
Den Menschen an das arme Tier.
Das Tier hat einen Willen — ergo Seele —
Wenn auch'ne kleinere als wir.

Contre la vivisection

Un lien inconnu des âmes
Lie l'homme à l'animal infortuné.
L'animal sait vouloir — ergo il a une âme —
Bien qu'elle soit plus petite que la nôtre.

Voici encore un exemple de dialogue entre deux tendres époux :

Der Kontrast

« Wie glücklich bin ich », ruft sie leise,
« Auch ich », sagt lauter ihr Gemahl,

1. 6ᵉ édit., Berlin, 1891.

« Es macht mich deine Art und Weise
« Sehr stolz auf meine gute Wahl! »

CONTRASTE

« Comme je suis heureuse », dit l'épouse à voix basse,
« Et moi », répond l'époux, plus haut.
« Ta manière d'être et de te comporter
« Me rendent fier de mon bon choix! »

Ici rien ne rappelle l'esprit. Sans aucun doute,
c'est l'insuffisance de ces « poèmes » qui les rend
comiques, l'extraordinaire lourdeur de l'expression, tirée des lieux communs les plus rebattus
ou de locutions feuilletonesques, la niaiserie,
le caractère borné des pensées, l'absence de
toute trace d'idée ou de langage vraiment
poétiques. Tout cela ne nous explique pourtant pas pourquoi nous trouvons comiques les
poèmes de Mme Kempner ; bien d'autres productions du même genre nous paraissent franchement mauvaises et, loin de nous faire rire,
nous irritent. C'est justement parce que les
productions de Mme Kempner sont si nettement
inférieures à ce que nous exigeons d'un poème
qu'elles nous paraissent comiques ; une marge
notablement plus réduite nous disposerait
plutôt à critiquer qu'à rire. D'autres facteurs
accessoires ajoutent encore à l'effet comique
des poèmes de Mme Kempner : l'incontestable bonne intention de l'auteur, une certaine
sentimentalité qui désarme notre ironie et notre
irritation, et qui se laisse deviner derrière cette

phraséologie misérable. Un problème, dont
nous avions remis l'examen à plus tard, vient
ici solliciter notre attention. La différence de
dépense psychique est à coup sûr la condition
fondamentale du plaisir comique, mais l'observation montre qu'une telle différence ne produit
pas constamment le plaisir. Quelles conditions
doivent s'adjoindre, quelles perturbations doivent être évitées, pour que le plaisir comique
puisse effectivement résulter de la différence
de dépense ? Avant de répondre à cette question nous clorons les discussions qui précèdent
par cette conclusion : le comique du discours
ne se confond pas avec l'esprit ; l'esprit doit
donc être autre chose que le comique du discours.

Sur le point d'aborder cette dernière question, celle des conditions dans lesquelles le
plaisir comique peut résulter de la différence
de dépense, nous nous permettrons un allégement qui ne peut tourner qu'à notre propre
plaisir. La réponse précise à cette question
équivaudrait à un exposé complet de la nature
du comique, ce dont nous nous sentons incapables et qui dépasse notre compétence. Nous
nous bornerons encore à n'envisager le problème du comique que jusqu'au point où ce
problème se sépare nettement de celui de l'esprit.

Les critiques ont reproché à toutes les théories du comique de laisser dans leurs définitions échapper l'essentiel du comique lui-même. Le comique résulte d'un contraste de représentations ; oui, mais dans la mesure où ce contraste fait un effet comique et non point un effet différent. Le sentiment du comique résulterait de la suppression d'une attente ; oui, s'il se trouve que cette désillusion n'est pas pénible. Ces objections sont sans doute fondées, mais c'est aller trop loin que d'en conclure que le critère essentiel du comique nous ait jusqu'ici échappé. Ce qui empêche ces définitions d'avoir une portée générale, c'est qu'il existe des conditions indispensables à l'éclosion du plaisir comique, qui toutefois ne recèlent pas l'essence du comique. La réfutation des objections, l'explication des contradictions soulevées par ces définitions du comique, seront cependant assez aisées si nous faisons émaner le plaisir comique de la différence qui s'établit quand on compare entre elles deux dépenses psychiques. Le plaisir comique et son critérium, le rire, ne peuvent se produire qu'à la condition que cette différence devienne inutilisable et susceptible d'être déchargée. Nous ne pouvons éprouver cet effet de plaisir, mais tout au plus un plaisir fugitif qui n'a en rien le caractère du comique lorsque cette différence, aussitôt perçue, trouve un autre emploi. De même que l'esprit a besoin

d'organismes spéciaux destinés à empêcher
le remploi de la dépense psychique reconnue
superflue, de même le plaisir comique ne peut
se produire que lorsque cette dernière condition
se trouve réalisée. C'est pourquoi, dans notre
vie représentative, les cas qui comportent
de telles différences de dépense psychique sont
très nombreux, au regard de ceux, compara-
tivement fort rares, qui engendrent le comique.

Deux observations s'imposent d'emblée à
qui embrasse, fût-ce d'un coup d'œil rapide,
les conditions qui président à l'éclosion du
comique par la différence de dépense : premièrement, il est des cas où le comique se présente
infailliblement et pour ainsi dire nécessairement,
et, par contre, il en est d'autres où le comique
semble absolument dépendre de certaines conditions et du point de vue du spectateur ; deuxièmement, des différences particulièrement importantes triomphent très fréquemment de
conditions défavorables et le comique jaillit
malgré elles. On pourrait, conformément au
premier point, diviser le comique en deux classes:
le comique inéluctable, et le comique circons-
tanciel ; dans la première classe, on devrait
néanmoins s'attendre *a priori* à ce que l'inéluc-
tabilité du comique souffrît des exceptions.
Il serait fort séduisant de rechercher les conditions requises par l'une et l'autre classe.

Ce sont les conditions groupées en partie

sous la rubrique d'« isolation » du cas comique
qui régissent essentiellement la deuxième classe.
Une analyse plus serrée permet de reconnaître,
à peu près, les conditions suivantes :

a) La condition la plus favorable à l'éclosion du plaisir comique dérive d'un sentiment
général de bonne humeur qui « dispose à rire ».
Dans la gaieté d'origine toxique, presque tout
paraît comique, probablement par comparaison entre la dépense actuelle et celle qu'exigerait la disposition normale. L'esprit, le
comique, et toutes les méthodes analogues
destinées à nous procurer du plaisir au moyen
d'une activité psychique, ne sont en effet
rien autre que des moyens destinés à retrouver, de ce seul fait, cette humeur enjouée — cette euphorie — quand elle
n'existe pas en tant que disposition générale
du psychisme.

b) On peut également citer parmi les conditions favorables l'attente du comique, la préparation au plaisir comique. Ainsi, lorsqu'on a
l'intention de provoquer le comique et que cette
intention est partagée par le partenaire, des
différences infimes suffisent, des différences
qui passeraient inaperçues en l'absence de cette
intention. Tel qui se met à une lecture comique
ou va au théâtre voir une farce doit à cette seule
intention de rire de choses qui, dans la vie de
tous les jours, ne lui eussent presque jamais

semblé comiques. Il finit par rire du souvenir
d'avoir ri, de l'attente du rire, dès l'entrée en
scène de l'acteur comique, avant même que
celui-ci ait pu tenter de le faire rire. C'est pourquoi, après coup, on est parfois honteux de ce
dont on a pu rire au théâtre.

c) Des conditions défavorables au comique
sont liées à la nature de l'activité psychique
actuelle du sujet. Le travail représentatif et
cogitatif orienté vers un objectif sérieux entrave
la possibilité de la décharge des investissements,
ces investissements étant nécessaires aux déplacements exigés par ce travail, de telle sorte que
seules les différences de dépense d'une importance inattendue parviennent à se frayer une
voie jusqu'au plaisir comique. Sont particulièrement défavorables au comique toute espèce
de processus cogitatifs suffisamment éloignés
du plastique pour mettre fin à toute mimique
représentative ; la méditation abstraite ne laisse
aucune place au comique, sauf dans le cas où
cette opération cogitative est subitement in-
terrompue.

d) L'occasion de déclenchement du plaisir
comique s'évanouit encore lorsque l'attention
est justement accaparée par la comparaison
dont le comique pourrait résulter. Dans, ces
circonstances tout ce qui autrement eût infailliblement engendré le comique perd tout son
pouvoir comique. Un mouvement, une produc-

tion intellectuelle, ne peuvent devenir comiques
pour celui dont l'intérêt se porte, à ce moment,
sur la comparaison de ce mouvement, de cette
production, avec un étalon qu'il se représente
clairement. Ainsi l'examinateur ne trouve point
comique le non-sens dû à l'ignorance du candidat ; il s'en irrite, tandis que les camarades
du candidat, plus soucieux du résultat de l'examen que du savoir de leur concurrent, rient
de bon cœur de ce même non-sens. Le professeur de gymnastique ou de danse n'est que
rarement sensible aux mouvements comiques
de ses élèves ; au prédicateur échappe complètement tout ce qui est comique dans les défauts
du caractère humain, défauts dont l'auteur
de comédies tire ses meilleurs effets. Le processus comique ne peut supporter un excès
d'investissement par l'attention ; il est nécessaire qu'il puisse se dérouler en passant inaperçu
— en ceci d'ailleurs semblable à l'esprit. — Il
y aurait, cependant, antinomie avec la nomenclature des « processus de la conscience » dont
je me suis servi à bon escient dans ma *Science
des Rêves*, si l'on voulait qualifier ce processus
de nécessairement inconscient. Il appartient
bien plutôt au préconscient, et l'on peut donner
à juste titre le nom d'« automatique » aux processus qui ont pour théâtre le préconscient
et sont privés de l'investissement de l'attention,
auquel est précisément liée la conscience. Le

24

processus qui consiste à comparer les dépenses
doit rester automatique, s'il veut engendrer
le plaisir comique.

e) Le comique est tout particulièrement
troublé quand le thème qui doit le provoquer
déclenche, du même coup, un affect violent.
La décharge de la différence efficace d'énergie
est en général, alors, complètement impossible.
Les affects, la disposition, l'attitude de l'individu
dans chaque cas particulier, font comprendre
que, suivant le point de vue de chacun, le
comique surgisse ou avorte, et qu'il n'existe
de comique absolu que dans des cas exception-
nels. La marge de contingence ou de relativité
est par là bien plus étendue pour le comique
que pour l'esprit, que l'on ne rencontre jamais
sur sa route, mais qu'il faut toujours faire et
dont la production permet déjà de tenir compte
des conditions susceptibles de le faire accepter.
Mais le développement de l'affect est l'obstacle
le plus sérieux que puisse rencontrer le comique,
c'est là un point universellement admis [1]. C'est
pourquoi l'on dit que le sentiment comique
apparaît au mieux dans les cas où l'état d'âme
est à peu près indifférent, sans participation
notable du sentiment ni de l'intérêt. Cependant,
dans certains cas où précisément se déclenche

---

1. *Du hast leicht lachen, dich geht es nicht weiter an.* « Tu peux
rire à ton aise, cela ne te touche pas. » Locution proverbiale allemande.

un affect puissant, une différence de dépense
particulièrement importante peut provoquer
l'automatisme de la décharge. Lorsque le colo-
nel Butler répond avec un *rire amer* aux exhor-
tations d'Octavio par cette exclamation :

« Remerciements de la Maison d'Autriche! »

son amertume ne l'a pas empêché de rire au
souvenir du traitement décevant dont il croit
avoir été victime ; d'autre part l'énormité de
cette déception ne peut trouver, de la part du
poète, une expression plus saisissante que cette
effraction du rire dans le tourbillon même de
la passion déchaînée. Cette explication s'appliquerait, à mon avis, à tous les cas où le rire
se déclenche dans des circonstances qui n'ont
rien de plaisant et en même temps que des
affects particulièrement pénibles et poignants.

f) Si nous ajoutons encore que le développement du plaisir comique peut être favorisé par
l'adjonction d'un élément plaisant quelconque,
qui agit pour ainsi dire par contact (à l'instar
du principe du plaisir préliminaire dans le cas
de l'esprit tendancieux), nous aurons envisagé
les conditions du plaisir comique d'une manière,
sinon complète, du moins suffisante pour le
programme que nous nous sommes tracé. Nous
voyons de la sorte qu'aucune autre hypothèse
ne rend aussi aisément compte de ces conditions, ainsi que de l'inconstance et de la contin-

gence de l'effet comique, que celle qui fait
dériver le plaisir comique de la décharge d'une
différence susceptible, en raison de la variabilité des circonstances, de trouver un emploi
autre que la décharge.

Il conviendrait aussi de réserver une place
plus importante à l'étude du comique du sexuel
et de l'obscène ; sur ce point nous nous bornerons cependant ici à quelques remarques. Notre
point de départ serait, là encore, le déshabillage.
Un déshabillage fortuit nous paraît comique,
parce que nous comparons la facilité avec
laquelle nous le savourons au grand effort
qu'exigerait de nous, dans les circonstances
habituelles, la réalisation d'un objectif semblable. Par là, ce cas se rapproche du comique
naïf, mais il est plus simple. Tout déshabillage,
auquel un tiers nous fait assister en spectateur
ou, dans le cas de la grivoiserie, en auditeur,
équivaut à placer la personne déshabillée dans
une situation comique. Nous avons appris
que l'objectif de l'esprit consiste à supplanter
la grivoiserie grossière et à nous rendre ainsi
une source perdue du plaisir comique. Par
contre, surprendre volontairement un de ces
déshabillages n'est pas comique pour le guetteur, car l'effort supprime alors pour lui la

condition du plaisir comique ; il ne subsiste ici
que le plaisir sexuel du spectacle. Mais si, après
coup, le guetteur raconte à un autre sa découverte, la personne guettée redevient comique,
car elle est considérée par le tiers comme ayant
omis l'effort qu'eût nécessité le mystère de son
intimité. Ce cas mis à part, le sexuel et l'obscène
nous fournissent amplement l'occasion d'atteindre, en dehors de l'excitation sexuelle
agréable, le plaisir comique, en tant que l'homme
y peut être représenté comme rivé à ses besoins
corporels (dégradation) ou que derrière l'amour
éthéré se dévoilent les exigences somatiques
(démasquage).

Nous serons surpris de nous trouver également, par l'ouvrage charmant et vivant de
Bergson (*Le Rire*), invités à chercher à comprendre le comique par sa psychogenèse. Nous
connaissons déjà les formules que Bergson a
appliquées au caractère comique : *Mécanisation de la Vie, Substitution quelconque de l'artificiel au naturel* [1]. Bergson, par une association
d'idées, du reste facile à concevoir, va de l'automatisme à l'automate, et cherche à ramener
toute une série d'effets comiques au souvenir

1. En français dans le texte. (N. d. T.)

pâli des jouets de notre enfance. Dans cet ordre d'idées, il s'élève en une page à un point de vue qu'il abandonne d'ailleurs bientôt ; il tente de faire dériver le comique du contrecoup de nos joies d'enfant. « *Peut-être devrions-nous pousser la simplification plus loin encore, remonter à nos souvenirs les plus anciens, chercher, dans les jeux qui amusèrent l'enfant, la première ébauche des combinaisons qui font rire l'homme... Trop souvent surtout nous méconnaissons ce qu'il y a d'encore enfantin, pour ainsi dire, dans la plupart de nos émotions joyeuses* [1] » (p. 68 et suivantes). Pour nous, qui avons remonté, dans l'étude de l'esprit, jusqu'à l'assimilation au jeu de l'enfant, jeu avec les mots et les pensées, proscrit par la critique raisonnante, il serait fort séduisant de dépister également les racines infantiles du comique, soupçonnées par Bergson.

En effet, en étudiant les rapports du comique à l'enfant, nous trouvons toute une série de relations qui s'annoncent pleines de promesses. L'enfant par lui-même ne semble nullement comique, bien que sa nature réalise toutes les conditions qui, par comparaison avec la nôtre, déterminent une différence comique ; citons, parmi elles, l'excès des dépenses en mouvement, le trop peu de dépense intellectuelle, la domi-

---

1. En français dans le texte. (N. d. T.)

nation des opérations psychiques par les fonctions somatiques, et ainsi de suite. L'enfant
nous paraît comique, non pas quand il reste
enfant, mais seulement quand il se pose en
grande personne sérieuse, et ceci alors à la façon
de tout être qui se déguiserait. Mais tant qu'il
conserve sa nature d'enfant, nous éprouvons,
à l'observer, un plaisir pur, rappelant peut-être,
de fort loin, le plaisir comique. Nous qualifions
l'enfant de naïf, en tant qu'il nous montre son
absence d'inhibition, et nous qualifions de naïf-
comique tout ce que, dans ses propos, nous
aurions considéré comme obscène ou spirituel
de la part d'un adulte.

D'autre part, l'enfant n'a pas le sentiment
du comique. Cette proposition semble se borner
à dire que le sentiment du comique surgit un
jour, au cours du développement psychique,
comme nombre d'autres facultés : ce qui ne
serait nullement remarquable, attendu que ce
sentiment — il faut l'avouer — apparaît déjà
nettement à un âge qui appartient encore à
l'enfance. On peut toutefois démontrer que cette
assertion — à l'enfant manque le sentiment
du comique — est mieux qu'un simple truisme.
Tout d'abord on concevra aisément qu'il ne
peut en être autrement, si tant est que soit
juste notre conception qui fait dériver le sentiment du comique d'une différence de dépense
résultant du fait de vouloir comprendre l'autre

personne. Prenons à nouveau l'exemple du
comique du mouvement. La comparaison qui
fournit la différence se formulerait dans le langage du conscient comme suit : Il fait ainsi, et
moi je ferais, j'ai fait autrement. Mais l'enfant
manque de cet étalon qui figure dans la seconde
proposition, il ne comprend que par la voie de
l'imitation et il agit ainsi qu'il voit agir. L'éducation lui apporte cet étalon : « Voici commé tu
dois faire », et lorsque l'enfant arrive à employer cet étalon à ses comparaisons, il est bien
près d'aboutir à cette conclusion : voilà qui est
mal fait, j'aurais fait mieux. Il rit dans ce cas
de l'autre personne, il se rit d'elle avec le sentiment de sa propre supériorité. Rien n'empêche
de faire dériver aussi ce rire de la différence
de dépense, mais l'analogie avec les cas où
nous-mêmes nous rions d'un autre nous permet
de conclure que l'enfant n'éprouve nullement
le sentiment du comique lorsqu'il rit par supériorité. Ce rire est le rire du plaisir pur. Là où
le jugement de notre propre supériorité se
manifeste nettement, nous ne rions pas, nous
sourions seulement ou, si nous rions, nous pouvons nettement distinguer le sentiment conscient de notre supériorité du comique qui nous
fait rire.

Il est probablement exact de dire que l'enfant rit par pur plaisir dans des circonstances
variées qui nous paraissent « comiques », sans

que nous puissions dire pourquoi, tandis que chez lui les motifs sont nets et transparents. Par exemple lorsque nous voyons, dans la rue, quelqu'un glisser et tomber, nous rions car, sans qu'on sache pourquoi, cette impression est comique. L'enfant rit dans les mêmes conditions par sentiment de supériorité ou par joie maligne : « Tu es tombé, et moi pas. » Il semble que, si certains mobiles du plaisir de l'enfant se perdent pour nous autres adultes, nous éprouvons en revanche, dans ces mêmes circonstances, le sentiment du comique qui supplée à ces plaisirs perdus.

S'il nous était permis de généraliser, nous serions fort tentés de rapporter le caractère spécifique du comique que nous recherchons au réveil de l'infantile, et de concevoir le comique comme la récupération du « rire infantile perdu ». On pourrait dire alors que je ris de la différence de dépense faite par l'autre ou par moi-même, chaque fois que je retrouve, en l'autre, l'enfant. Ou plus exactement, le parallèle complet qui aboutit au comique s'exprimerait ainsi dans son intégralité :

Ainsi fait-il. — Moi je fais autrement — Il le fait comme je le faisais, enfant.

Ainsi le rire serait chaque fois dû à la comparaison de mon moi adulte avec mon moi infantile. Même la variabilité du sens de la différence comique, à savoir que c'est tantôt le plus, tantôt le moins de la dépense qui me paraît comique, s'accorderait fort bien avec la condition infantile ; dans ces cas le comique se trouve effectivement toujours du côté de l'infantile.

Cette assertion n'est pas en contradiction avec ce fait que, en tant que terme de comparaison, l'enfant lui-même ne me produit pas une impression comique, mais une impression de plaisir pur, ni avec cet autre fait que la comparaison à l'infantile ne produit un effet comique que si un autre emploi de la différence est évité. Car les conditions de la décharge entrent ici en jeu. Tout ce qui agrège un processus psychique à un « ensemble » s'oppose à la décharge de l'investissement en excès et oriente cet investissement vers un autre emploi ; tout ce qui isole un acte psychique est favorable à la décharge. Il s'ensuit qu'une attitude consciente qui adopte l'enfant comme terme de comparaison rend impossible la décharge nécessaire à l'éclosion du plaisir comique ; seul l'investissement préconscient est susceptible d'approcher d'une « isolation » semblable à celle qu'il nous est par ailleurs loisible d'attribuer également aux processus psychiques qui se déroulent chez l'enfant. Cette adjonction à la comparaison : « Voilà ce que j'ai fait également dans mon enfance », qui serait l'origine de l'effet comique,

ne jouerait, quand il s'agit de différences
moyennes, que si aucun autre ensemble ne
pouvait se saisir de l'excès d'énergie libéré.

Si nous persistons à chercher l'essence du
comique dans la liaison préconsciente avec
l'infantile, nous devons aller un peu plus loin
que Bergson et convenir de ce que la comparaison qui doit faire naître le comique n'est pas tenue d'évoquer les anciens plaisirs ou jeux de l'enfance; il lui suffit de toucher en général à la nature
de l'enfant, peut-être bien même aux chagrins
infantiles. Sur ce point, nous nous écartons de
Bergson, mais nous demeurons d'accord avec
nous-mêmes en faisant dériver le plaisir comique,
non point du souvenir d'un plaisir, mais encore
et toujours d'une comparaison. Les cas de la
première catégorie se superposent peut-être
aux cas dans lesquels le comique est infaillible
et irrésistible. Appliquons donc ici le schéma
des possibilités du comique, établi plus haut.
Nous disions que la différence comique pouvait
résulter :

a) de la comparaison de l'autre personne
avec le moi,

ou *b*) d'une comparaison ayant pour seul
théâtre l'autre personne,

ou *c*) d'une comparaison ayant pour seul
théâtre le moi.

Dans le premier cas, l'autre personne m'apparaîtrait comme un enfant ; dans le second, elle

s'abaisserait elle-même jusqu'à l'enfant ; dans
le troisième, je trouverais l'enfant en moi-même.
Au premier cas appartiennent le comique du
mouvement et des formes, de même que le
comique des opérations intellectuelles et du
caractère ; les traits infantiles correspondants
seraient le besoin de mouvement et le moindre
développement intellectuel et moral de l'enfant :
le sot m'apparaîtrait ainsi comique, dans la
mesure où il me rappellerait un enfant pares-
seux ; l'homme mauvais, dans la mesure où il
me rappellerait un enfant méchant. D'un plaisir
de l'enfance perdu par l'adulte, il ne pourrait
être question que dans le cas de la joie du mouvement, si propre à l'enfant.

Le deuxième cas, dans lequel le comique
repose intégralement sur la « sympathie »,
embrasse les éventualités les plus nombreuses :
le comique de la situation, de l'hyperbole (caricature), de l'imitation, de la dégradation et
du démasquage. C'est le cas qui tire le plus
grand profit de l'intervention du point de vue
infantile. Le comique de situation est, en effet,
conditionné en majeure partie par les circonstances embarrassantes dans lesquelles nous
nous retrouvons aussi désarmés qu'un enfant ;
la pire de ces situations, celle où nous sommes
troublés, au cours de nos occupations, par les
exigences impérieuses de nos besoins corporels,
répond à la maîtrise encore incomplète de

l'enfant sur ses fonctions somatiques. Dans les
cas où le comique de situation réside dans la
répétition, il s'appuie sur ce plaisir si particulier que l'enfant trouve à répéter (des questions,
des histoires) et qui fait de lui le fléau de l'adulte.
L'hyperbole, qui plaît encore à l'adulte, à condition toutefois qu'elle trouve moyen de ne pas
heurter sa critique, correspond au manque de
mesure propre à l'enfant, à son ignorance de
toutes les relations quantitatives dont la notion
est, chez lui, postérieure à celle des relations
qualitatives. Observer la mesure, modérer
même les impulsions permises, voilà qui représente une acquisition tardive de l'éducation,
et résulte d'une inhibition réciproque des
différentes activités psychiques agrégées en
un ensemble. Là où cette cohérence faiblit,
dans l'inconscient du rêve, dans le mono-idéisme
des psychonévroses, le dérèglement propre
à l'enfant reparaît.

Le comique de l'imitation nous avait semblé
relativement difficile à comprendre, tant que
nous y avions négligé le facteur infantile. L'imitation est, cependant, l'art suprême de l'enfant
et le promoteur de la plupart de ses jeux. L'ambition de l'enfant vise bien moins à se distinguer parmi ses pareils qu'à imiter les grands.
Des rapports de l'enfant à l'adulte dépend
aussi le comique de la dégradation, à laquelle
correspond, dans la vie infantile, la condescen-

dance de l'adulte. Rien ne fait plus de plaisir
à l'enfant que de voir l'adulte condescendre
à oublier sa supériorité écrasante pour partager
ses jeux de pair à compagnon. Cet allégement,
qui procure à l'enfant un plaisir pur, devient
chez l'adulte, sous les espèces de la dégradation,
à la fois un moyen de rendre comique et une
source de plaisir comique. Quant au démasquage, nous savons qu'il se ramène à la dégradation.

Il est beaucoup plus difficile de fonder le
troisième cas, le comique de l'attente, sur les
rapports avec l'infantile ; ce qui explique que,
parmi les auteurs, ceux qui ont placé ce cas au
premier plan de leur conception du comique
n'ont pas pu trouver occasion de faire entrer
en ligne de compte, dans le comique, le facteur
infantile. Le comique de l'attente est, en effet,
celui qui s'éloigne le plus de la mentalité de
l'enfant, la faculté de le saisir apparaît plus
tardivement chez lui. Dans la majorité des cas
de ce genre, là où l'adulte trouvera du comique,
l'enfant n'éprouvera que du désappointement.
On pourrait cependant en appeler à la félicité
de l'attente, à la crédulité de l'enfance, pour
comprendre qu'on puisse se considérer soi-
même comme comique « en tant qu'enfant »
lorsqu'on est victime de la désillusion comique.

Bien que les développements précédents
nous permettent de traduire, avec une certaine

vraisemblance, le sentiment du comique à peu
près en ces termes : « Est comique tout ce qui ne
sied pas à l'adulte », je n'oserais, pourtant, vu
mon attitude en présence du problème du
comique, défendre cette dernière proposition
avec la même conviction que les précédentes.
Je ne saurais décider si la dégradation « vers
l'enfant » n'est qu'un cas particulier de la
dégradation comique ou si le fond de tout
comique réside dans une dégradation vers
l'enfant [1].

Si superficielle que soit une étude du comique,
elle paraîtrait notoirement incomplète si elle ne
comportait encore quelques remarques relatives à *l'humour*. La parenté de leur nature est
si peu douteuse qu'un essai sur le comique doit
apporter au moins un appoint à la compréhension de l'humour. Tout ce que l'on a écrit de
juste sur l'humour, tous les éloges qu'on lui a
décernés (car l'humour est une des manifestations psychiques les plus élevées et les plus
chères aux penseurs), le tout ne nous dispense

---

1. Le fait que le plaisir comique ait sa source dans le « contraste
quantitatif », dans la comparaison entre le petit et le grand, ce qui,
en fin de compte, exprime aussi la relation essentielle de l'enfant
à l'adulte, serait, en effet, une coïncidence étrange, si le comique
n'offrait d'autres rapports avec l'infantile.

pas de chercher à exprimer son essence suivant
les formules que nous avons appliquées au
comique et à l'esprit.

Nous avons vu que le déclenchement d'affects
pénibles constitue le plus grand obstacle à
l'effet comique. Du moment que le mouvement
mal adapté à ses fins cause un dommage, que la
sottise mène à mal, que la désillusion produit la douleur, la possibilité de l'effet comique
n'existe plus, du moins pour celui qui ne peut
se défendre de ces sentiments pénibles, qu'il
soit frappé lui-même ou qu'il soit atteint par
ricochet ; par contre, l'attitude d'un tiers désintéressé fait voir qu'en pareil cas la situation
comporte tout ce qui est nécessaire à un effet
comique. Or, l'humour nous permet d'atteindre
au plaisir en dépit des affects pénibles qui
devraient le troubler ; il supplante l'évolution
de ces affects, il se met à leur place. Voici ses
conditions : une situation où, par la force de
nos habitudes, nous sommes tentés de déclencher un affect pénible, tandis que, d'autre part,
certains mobiles nous déterminent à réprimer
cet affect *in statu nascendi*. Dans ces cas, la personne lésée, la personne qui souffre, etc., pourrait ainsi éprouver du plaisir humoristique,
tandis que le tiers désintéressé rirait par la vertu
du plaisir comique. Le plaisir de l'humour
naît alors, nous ne saurions dire autrement,
aux dépens de ce déclenchement d'affect qui ne

s'est pas produit ; il résulte de l'épargne d'une dépense affective.

De toutes les variétés du comique, l'humour est la plus modeste ; il parcourt tout son cycle chez le même individu ; la participation d'autrui n'y ajoute rien. Je puis garder pour moi seul la jouissance du plaisir qui jaillit de mon humour, sans me sentir poussé à en rien communiquer. Il n'est pas facile de dire ce qui se passe chez la personne qui engendre le plaisir de l'humour ; nous pouvons cependant nous en former quelque idée, si nous envisageons les cas où l'humour nous a été communiqué, ou bien ceux où nous l'éprouvons « par sympathie », et arrivons ainsi, par la compréhension de la personne humoristique, à goûter le même plaisir qu'elle. Le cas le plus grossier, ce que l'on appelle « l'humour de gibet », est particulièrement instructif. Le fripon que l'on mène à la potence un lundi s'écrie : « Voilà une semaine qui commence bien ! » C'est, à la vérité, un mot d'esprit, car la remarque est par elle-même bien topique ; d'autre part elle est déplacée de façon tout à fait absurde, puisque la semaine ne comportera plus pour lui d'autres événements. Il faut cependant de l'humour pour lancer un tel mot d'esprit, c'est-à-dire pour ne pas tenir compte de ce qui distingue ce début de semaine des autres, pour démentir la différence qui serait capable de susciter des réactions émotives d'un ordre tout

particulier. Voici un autre cas du même genre.
Sur le chemin du supplice, le fripon, dans la
crainte de prendre froid, demande un foulard
pour protéger son cou nu ; cette précaution, fort
louable en toute autre circonstance, est plus
que superfétatoire et oiseuse, en raison de la
destinée imminente de ce cou. On doit convenir
qu'il y a quelque grandeur d'âme dans cette
« blague [1] », dans cette pleine possession de
soi-même et dans cette façon de se détourner
de tout ce qui devrait jeter à bas et réduire au
désespoir. Cette sorte de magnanimité de
l'humour apparaît de toute évidence dans les
cas où notre admiration n'est plus inhibée par
les circonstances où se trouve le sujet qui fait
l'humour.

Dans l'*Hernani* de Victor Hugo, le bandit,
impliqué dans une conspiration contre son roi
Charles Ier d'Espagne, Charles-Quint, empereur
d'Allemagne, est tombé aux mains de son puissant rival ; il connaît le sort réservé au coupable
de haute trahison. Sa tête va tomber. Mais cette
perspective ne l'empêche pas de revendiquer sa
qualité de grand d'Espagne et de proclamer qu'il
ne renoncera à aucune des prérogatives atta-
chées à son rang. Un grand d'Espagne avait le
droit de rester couvert devant son souverain :

... Oui, nos têtes, ô roi,
Ont le droit de tomber couvertes devant toi.

1. En français dans le texte. (N. d. T.)

Voilà de l'humour de grand style, et, si l'auditoire n'en rit pas, c'est parce que l'admiration étouffe en nous le plaisir humoristique. Dans le cas du fripon qui ne veut pas attraper froid sur le chemin du gibet, nous rions à gorge déployée. Cette situation, qui devrait réduire le délinquant au désespoir, pourrait éveiller chez nous une profonde pitié ; mais notre pitié est inhibée, car nous comprenons que lui, le principal intéressé, est indifférent à son propre sort. Par suite de cette compréhension, la dépense de pitié que nous tenions toute prête ne trouve plus son emploi, et nous la soldons par le rire. L'indifférence du fripon nous gagne pour ainsi dire, bien que nous soyons conscients de la grande dépense de travail psychique qu'elle a dû lui coûter.

La pitié épargnée, voilà une des sources les plus fréquentes du plaisir humoristique. C'est le mécanisme habituel de l'humour de Mark Twain. Dans les récits qui ont trait à la vie de son frère, il nous raconte que celui-ci, attaché à une vaste entreprise de travaux publics, fut surpris par l'explosion précoce d'une mine et s'en fut, par les airs, retomber fort loin de son chantier ; nous sommes irrésistiblement saisis de compassion pour ce malheureux sinistré ; nous voudrions savoir si son accident n'a pas eu de conséquences graves, mais la suite de l'histoire nous apprend qu'on lui retint une

demi-journée de salaire « pour s'être éloigné
de son chantier » ; notre pitié s'évanouit, et
notre cœur se cuirasse à l'égal de celui des
entrepreneurs ; nous devenons aussi indiffé-
rents qu'eux à l'éventualité du préjudice causé
à sa santé. Une autre fois, Mark Twain nous
expose son arbre généalogique, qu'il fait
remonter à un compagnon de Christophe
Colomb. Cependant, lorsqu'il en vient à nous
décrire le caractère de cet ancêtre, dont les
bagages se bornaient à quelques pièces de linge
portant des chiffres différents, nous ne pouvons
que rire aux dépens du respect que nous nous
épargnons et auquel nous étions tout disposés
aux premières phrases de cette histoire de
famille. Le mécanisme du plaisir humoristique
n'est point troublé de ce fait que nous le sachions :
cette généalogie est fictive, cette fiction sert
la tendance satirique visant à stigmatiser ceux
qui parent leurs récits généalogiques de cou-
leurs éclatantes. Car ce mécanisme est tout
aussi indépendant de la condition de réalité
qu'il l'était dans le cas du « rendre comique ».
Voici encore une autre histoire de Mark Twain :
Son frère s'était aménagé une demeure souter-
raine, dans laquelle il avait placé un lit, une
table et une lampe, et dont le toit était fait d'une
toile à voile trouée ; à peine sa chambre était-
elle en état qu'une vache, qu'on ramenait le
soir du pâturage, tomba par le trou de la toile

sur la table et éteignit la lampe. Le frère déploya
la plus grande patience à faire sortir la vache et
à réparer le désordre ; il fit de même lorsque
les mêmes tribulations se renouvelèrent la
nuit suivante, et ainsi de suite toutes les nuits.
Cette histoire devient comique par sa répétition.
Mark Twain la termine ainsi : lorsque, à la
40ᵉ nuit, la vache revint à tomber, le frère se
dit : « La chose commence à devenir mono-
tone. » C'est alors que nous ne pouvons retenir
notre joie humoristique, car il y avait longtemps que nous nous attendions à voir le frère
s'irriter de l'acharnement de cet accident.
L'humour au petit pied que nous faisons, le
cas échéant, dans notre existence, se produit
en général aux dépens de notre mécontente-
ment ; il remplace notre colère [1].

1. L'effet puissamment humoristique d'une figure telle que celle
du corpulent Sir John Falstaff résulte d'une économie de mépris
et d'indignation. Tout en reconnaissant en lui l'indigne ripailleur
et le flibustier, notre jugement est désarmé par toute une série
de facteurs. Nous comprenons que Falstaff se connaît tel que nous
le jugeons ; il nous en impose par son esprit et, de plus, sa difformité physique exerce par contact un effet favorable en nous faisant
prendre le personnage au comique et non point au sérieux, comme
si sur ce gros ventre devaient s'émousser toutes les exigences de la
morale et de l'honneur. Ses actes sont, en somme, inoffensifs et la
bassesse comique de ses victimes lui fournit presque une excuse.
Nous concédons à ce malheureux le droit de jouir de sa vie tout
comme un autre. Nous le plaignons presque, dans les scènes principales, d'être un jouet aux mains d'un plus puissant que lui. Nous
ne saurions le prendre en aversion et tout ce que nous économisons
d'indignation, nous le reversons sur le plaisir comique, que ce
personnage nous dispense, d'ailleurs, largement. Au fond, l'humour
de Sir John doit son origine à la supériorité d'un moi qui garde son

Les variétés de l'humour sont extraordinairement nombreuses, selon la nature de l'émoi affectif, qui est économisé pour produire l'humour : pitié, dépit, douleur, attendrissement, etc. Il semble que la série de ces variétés ne soit pas encore épuisée, car le domaine de l'humour s'élargit chaque jour davantage, chaque fois qu'un artiste ou un écrivain parvient à soumettre au joug de l'humour des émois affectifs jusque-là indomptés et, comme dans les exemples précédents, à en faire, au moyen d'artifices semblables, des sources de plaisir humoristique. Les artistes du *Simplizissimus*, par exemple, sont à ce point de vue arrivés à des résultats tout à fait étonnants en produisant l'humour aux frais de l'épouvante et du dégoût.

enjouement et son aplomb en dépit de ses tares physiques et morales.

Le spirituel chevalier Don Quichotte de la Manche est au contraire une figure qui ne possède pas d'humour par elle-même, mais qui, dans son sérieux, nous dispense un plaisir que l'on pourrait qualifier d'humoristique, malgré une différence importante que nous remarquons entre son mécanisme et celui de l'humour. Don Quichotte est, à l'origine, un personnage purement comique, un grand enfant à qui les romans de chevalerie ont tourné la tête. On sait qu'au début l'auteur ne cherchait pas plus loin mais que, dans la suite, la création a de beaucoup dépassé les intentions premières de l'auteur. Lorsque celui-ci eut nanti cette figure risible de la sagesse la plus profonde et des initiatives les plus nobles, lorsqu'il eut fait de lui le représentant symbolique de ces idéalistes qui croient à la réalisation de leur idéal, qui sont esclaves de leur devoir et prennent les promesses au pied de la lettre, ce personnage cessa d'être comique. Comme en tout autre cas où l'émoi affectif est inhibé, le plaisir humoristique surgit ici de la perturbation du plaisir comique. Cependant, ces exemples nous éloignent déjà notablement des cas simples de l'humour.

Du reste, les formes sous lesquelles l'humour se présente sont déterminées par deux particularités, qui dépendent des conditions de son éclosion. L'humour peut, tout d'abord, fusionner avec l'esprit ou avec une autre variété du comique ; son rôle consiste alors à éliminer l'éventualité du développement d'un affect, éventualité impliquée par la situation et susceptible d'entraver l'effet de plaisir. Il peut, en second lieu, ou compenser complètement le développement de cet affect, ou simplement l'atténuer, ce qui représente même le cas le plus fréquent, car le moindre effort, ainsi que les diverses formes de l'humour « émoussé » (« gebrochener » Humor [1]), réalise cet humour qui sourit à travers les larmes. Il enlève à l'affect une partie de son énergie et lui donne en échange la résonance humoristique.

Comme nous l'ont montré les exemples précédents, le plaisir humoristique obtenu « par sympathie » avec l'auteur de l'humour tire son origine d'une technique particulière, qu'on pourrait comparer au déplacement, technique qui déçoit l'affect déjà prêt à se déclencher pour porter l'investissement sur un autre point, souvent accessoire. Mais nous n'en sommes pas plus avancés dans la compréhension du proces-

---

1. Un terme que, dans son esthétique, Fr. Th. Vischer emploie dans un sens tout différent.

sus qui effectue, chez la personne humoristique
elle-même, le déplacement inhibant l'évolution
de l'affect. Nous voyons que l'endosseur de
l'humour imite le créateur de l'humour dans
ses propres processus psychiques, mais nous
n'apprenons pas par là quelles forces permettent chez ce dernier la réalisation de ce processus.

On ne peut dire qu'une chose, c'est que, dans
le cas où un homme triomphe de son affect
douloureux, en comparant l'immensité des
intérêts mondiaux à sa propre petitesse, ce
triomphe n'est pas le fait de l'humour, mais de
la pensée philosophique, aussi n'éprouvons-
nous aucun plaisir à nous transporter au sein
de ses pensées. Le déplacement humoristique
est donc aussi impossible au plein jour de
l'attention consciente que la comparaison comique ; comme cette dernière, il est lié à la condition de demeurer préconscient ou automatique.

On peut acquérir quelque lumière sur le
déplacement humoristique en le considérant
sous l'angle d'un processus de défense. Lès processus de défense sont les équivalents psychiques des réflexes de fuite et sont destinés à
empêcher l'éclosion du déplaisir qui dérive de
sources internes ; à cet effet, ils agissent comme
régulateurs automatiques des opérations psychiques ; il est vrai qu'en fin de compte cette régu-
lation se manifeste comme nocive et c'est

pourquoi il lui faut être subordonnée au contrôle du penser conscient. J'ai démontré qu'un certain type de cette réaction de défense, le refoulement avorté, est l'agent des psychonévroses. Or l'humour peut être considéré comme la manifestation la plus élevée de ces réactions de défense. Il dédaigne de soustraire à l'attention consciente, comme le fait le refoulement, le contenu de la représentation lié à l'affect pénible et il triomphe ainsi de l'automatisme de défense ; pour ce faire, il trouve moyen de soustraire au déplaisir son énergie déjà prête à se déclencher et de transformer cette énergie en plaisir par la voie de la décharge. On peut même penser que là encore ce sont les rapports avec l'infantile qui lui fournissent les moyens de s'acquitter de cette tâche. Seule notre enfance connut des affects, alors fort pénibles, dont, adultes, nous souririons aujourd'hui tout comme l'adulte, en tant qu'humoriste, rit de ses affects pénibles de l'heure présente. L'élévation de son moi, dont témoigne le déplacement humoristique — et qui d'ailleurs pourrait se formuler comme suit : « Je suis trop grand pour que ces événements me touchent de façon pénible » —, cette élévation, dis-je, l'adulte pourrait bien la tirer de la comparaison entre son moi actuel et son moi infantile. Cette opinion se trouve, dans une certaine mesure, corroborée par le rôle dévolu à l'infantile dans les processus névropathiques du refoulement.

En somme, l'humour se rapproche plus du comique que de l'esprit. Comme le comique, il a sa localisation psychique dans le préconscient, tandis que l'esprit, d'après nos recherches, représenterait un compromis entre l'inconscient et le préconscient. D'autre part, il ne participe point d'un caractère particulier commun à l'esprit et au comique et que peut-être nous n'avons pas jusqu'ici suffisamment mis en valeur. Le comique ne peut naître qu'à une condition : nous devons avoir l'occasion d'employer, *simultanément ou à brève échéance*, pour la même opération représentative, deux modes différents de représentation, entre lesquels s'établira la « comparaison » et se réalisera la différence comique. De telles différences surgissent entre ce qui nous est étranger et ce qui nous est propre, entre l'habituel et le modifié, l'attendu et le fortuit [1].

Ce qui, dans le cas du spirituel, importe au processus qui se déroule chez l'auditeur, c'est la différence existant entre deux conceptions simultanées d'une même chose, conceptions qui travaillent chacune avec des dépenses

[1]. Si l'on se risque à donner une entorse à la conception de l'attente, on peut, à l'exemple de Lipps, attribuer au comique de l'attente une très grande partie du domaine total du comique ; toutefois, justement les cas où le comique résulte de la comparaison entre la dépense d'autrui et la nôtre propre, cas qui sont probablement les plus primitifs du comique, s'accommoderaient fort mal d'une pareille synthèse.

différentes. La première de ces deux conceptions, orientée par les indications contenues
dans le mot d'esprit, suit le chemin de la pensée
à travers l'inconscient ; l'autre demeure en
surface et présente le mot d'esprit comme une
proposition quelconque issue du préconscient
et devenue consciente. Ce ne serait peut-être
pas errer que de faire dériver le plaisir qu'éprouve
l'auditeur du mot d'esprit de la différence de
ces deux mots représentatifs [1].

Ce que nous venons d'énoncer touchant l'esprit n'est rien d'autre que ce que nous avons
appelé sa double face, sa tête de Janus, alors
que la relation de l'esprit au comique ne nous
semblait pas encore élucidée [2].

1. On peut, sans hésiter, s'en tenir à cette formule qui ne contre-
dit en rien nos explications antérieures. La différence entre les
deux dépenses doit, en réalité, se réduire à l'épargne de la dépense
nécessitée par l'inhibition. L'absence de cette épargne d'inhibition
dans le comique et, dans le cas de l'esprit, la disparition du contraste
quantitatif, conditionneraient, malgré toutes les concordances
dans le caractère des deux manières d'élaborer la représentation
d'une même conception, la différence qui sépare le sentiment du
comique de l'impression que fait l'esprit.

2. La particularité de la « *double face* » n'a pas, bien entendu,
échappé aux auteurs. Mélinand, chez lequel j'ai pris l'expression
(Pourquoi rit-on? *Revue des deux mondes*, février 1895), formule
ainsi la condition du rire : *Ce qui fait rire, c'est ce qui est à la
fois, d'un côté absurde et de l'autre familier.* Cette formule s'adapte
mieux à l'esprit qu'au comique, sans cependant s'appliquer intégralement au premier. — Bergson (*loc. cit.*, p. 98) définit la situation
comique par l' « *interférence des séries* » : « *Une situation est toujours
comique quand elle appartient en même temps à deux séries d'événements absolument indépendantes, et qu'elle peut s'interpréter à la
fois dans deux sens tout différents.* » — Pour Lipps le comique est
« la grandeur et la petitesse du même ».

Dans le cas de l'humour ce trait caractéristique que nous avons mis ici en valeur s'efface.
Nous éprouvons, il est vrai, le plaisir humoristique là où nous évitons un émoi affectif auquel
nous nous attendions en raison de sa corréla-
tion habituelle avec la situation présente ;
dans ce sens l'humour peut aussi trouver sa
place dans le concept élargi du comique d'attente.
Mais, dans l'humour, il ne s'agit plus de deux
modes représentatifs de même contenu ; ici,
l'émotion désagréable qui doit être évitée
domine la situation, et ainsi se trouve supprimé
tout élément de comparaison entre les caractères respectifs de l'humour, d'une part, du
comique et de l'esprit, de l'autre. Au fond, le
déplacement humoristique représente un cas
particulier de cette utilisation différente d'une
dépense devenue disponible, utilisation qui,
comme nous l'avons vu, fait si aisément échec
à l'effet comique.

Nous voilà donc arrivés au terme de notre
tâche, après avoir ramené le mécanisme du
plaisir humoristique à une formule analogue
à celles du plaisir comique et de l'esprit. Le
plaisir de l'esprit nous semblait conditionné
par *l'épargne de la dépense nécessitée par
l'inhibition ;* celle du comique par *l'épargne*

de la dépense nécessitée par la représentation
(ou par l'investissement) ; celle de l'humour
par *l'épargne de la dépense nécessitée par le*
sentiment. Dans les trois modes de fonctionne-
ment de notre appareil psychique, le plaisir
découle d'une épargne ; tous trois s'accordent
sur ce point : ils représentent des méthodes
permettant de regagner, par le jeu de notre
activité psychique, un plaisir qu'en réalité le
développement seul de cette même activité
nous avait fait perdre. Car cette euphorie, à
laquelle nous nous efforçons par là d'atteindre,
n'est rien autre que l'humeur d'un âge où notre
activité psychique s'exerçait à peu de frais,
l'humeur de notre enfance, temps auquel nous
ignorions le comique, étions incapables d'esprit
et n'avions que faire de l'humour pour goûter
la joie de vivre.

APPENDICE

L'HUMOUR [1]

Dans mon livre : *Le Mot d'esprit et ses rapports avec l'inconscient*, paru en 1905, je n'ai en réalité traité l'humour que du point de vue économique. Je cherchais à découvrir la source du plaisir que nous procure l'humour, et je pense avoir montré que le bénéfice de plaisir dû à l'humour dérive de l'épargne d'une dépense affective.

Le processus humoristique peut se réaliser de deux manières, soit chez une seule personne, qui elle-même adopte l'attitude humoristique, soit entre deux personnes, dont l'une ne prend aucune part au processus de l'humour, mais dont la seconde considère la première sous l'angle humoristique. Quand, pour nous en tenir à l'exemple le plus grossier, le délinquant mené à la potence un lundi s'écrie : « La semaine commence bien! », c'est lui-même qui fait l'humour ; le processus humoristique tout

1. Paru dans *Imago*, 1928, vol. XIV, fasc. 1.

entier a pour théâtre sa propre personne et lui
procure évidemment une certaine satisfaction.
Moi, l'auditeur désintéressé, je suis touché
pour ainsi dire à distance par l'attitude humoristique du criminel ; je perçois, peut-être d'une
façon analogue à la sienne, le bénéfice de plaisir
humoristique.

Nous sommes en présence du second cas
lorsque, par exemple, un écrivain ou un narrateur décrit sur le mode humoristique la manière
d'être de personnages réels ou fictifs. Ces personnages n'ont par eux-mêmes aucun besoin de
manifester de l'humour ; l'attitude humoristique n'appartient qu'à celui qui les prend pour
objet, et le lecteur ou auditeur participe au
plaisir de l'humour de la même manière que
dans le cas précédent. Nous dirons, pour nous
résumer, que l'humour peut être ou contre
soi-même ou contre autrui : il faut admettre
qu'il procure à qui s'en sert un bénéfice de
plaisir, et qu'un bénéfice de plaisir analogue
échoit à l'auditeur désintéressé de l'humour.

Nous saisirons au mieux la genèse du bénéfice
de plaisir humoristique en considérant le
processus qui se déroule chez l'auditeur, au
moment où un autre fait devant lui de l'humour.
L'auteur voit celui-ci dans une situation qui
lui permettait de s'attendre de sa part à la
manifestation d'un certain affect : cet homme
va se mettre en colère, se plaindre, souffrir

visiblement ; il va avoir peur, frémir d'horreur, peut-être même se désespérer, et le spectateur-auditeur est prêt à le suivre dans cette voie, à laisser naître en lui les mêmes émois affectifs. Mais l'attente de cet affect est déçue, l'autre ne manifeste pas le moindre affect, fait à la place une plaisanterie ; l'épargne de dépense affective engendre chez l'auditeur le plaisir humoristique.

Jusque-là point de difficulté, mais on se dit bientôt que, des deux, c'est le processus qui se déroule chez l'autre, chez l'humoriste, qui mérite la plus grande attention. Aucun doute ne subsiste : l'essence de l'humour réside en ce fait qu'on s'épargne les affects auxquels la situation devrait donner lieu et qu'on se met au-dessus de telles manifestations affectives grâce à une plaisanterie. Jusque-là, le processus qui se déroule chez l'humoriste doit être identique à celui qui se déroule chez l'auditeur, ou plus justement le processus de l'auditeur doit être la copie du processus de l'humoriste. Mais comment l'humoriste parvient-il à prendre cette attitude psychique qui lui rend superflue la décharge affective, quel est le dynamisme de l'attitude humoristique ? Il faut évidemment rechercher la solution du problème chez l'humoriste : on ne peut supposer chez l'auditeur qu'un écho, une copie de ce processus inconnu.

Il serait temps de nous familiariser avec

quelques caractéristiques de l'humour. L'humour
a non seulement quelque chose de libérateur,
analogue en cela à l'esprit et au comique, mais
encore quelque chose de sublime et d'élevé,
traits qui ne se retrouvent pas dans ces deux
autres modes d'acquisition du plaisir par une
activité intellectuelle. Le sublime tient évidemment au triomphe du narcissisme, à l'invul-
nérabilité du moi qui s'affirme victorieusement.
Le moi se refuse à se laisser entamer, à se laisser
imposer la souffrance par les réalités extérieures,
il se refuse à admettre que les traumatismes du
monde extérieur puissent le toucher ; bien plus,
il fait voir qu'ils peuvent même lui devenir
occasions de plaisir. Ce dernier trait est la
caractéristique essentielle de l'humour. Supposons que le criminel mené un lundi à la potence
ait dit : « Cela m'est égal, qu'est-ce que ça peut
faire qu'un type comme moi soit pendu, le
monde n'en continuera pas moins à tourner » —
il nous faudrait avouer que ce propos eût
manifesté la même domination grandiose de la
situation réelle, qu'il eût été sage et pertinent,
mais nous n'y saurions trouver la moindre
trace d'humour ; bien plus, il repose sur une
appréciation de la réalité qui est en contradiction absolue avec celle qu'en aurait l'humour.
L'humour ne se résigne pas, il défie, il implique
non seulement le triomphe du moi, mais encore
du principe du plaisir qui trouve ainsi moyen

de s'affirmer en dépit de réalités extérieures
défavorables.

Ces deux derniers traits : démenti à la réalité,
affirmation du principe du plaisir, rapprochent
l'humour des processus régressifs ou « réaction-
naires » qui nous ont tellement occupés en psychopathologie. En tant que moyen de défense
contre la douleur, il prend place dans la grande
série des méthodes que la vie psychique de
l'homme a édifiées en vue de se soustraire à la
contrainte de la douleur, série qui s'ouvre par
la névrose et la folie et embrasse également
l'ivresse, le reploiement sur soi-même, l'extase.
L'humour doit à cette relation une dignité qui
manque totalement, par exemple, à l'esprit,
car ce dernier n'a pour but qu'un bénéfice de
plaisir ou bien il met ce bénéfice de plaisir au
service de l'agression. En quoi consiste donc
l'attitude humoristique par laquelle on se
refuse à la douleur, on proclame l'invincibilité
du moi par le monde réel et l'on affirme victorieusement le principe du plaisir, le tout sans
quitter le terrain de la santé psychique, contrairement à ce qui a lieu dans les autres processus
qui possèdent un même objectif ? Ces deux
attitudes semblent en effet inconciliables.

Si nous envisageons la situation de quelqu'un
qui adopte à l'égard d'autres personnes l'attitude humoristique, nous serons tout prêts à
nous rallier à la conception que j'avais déjà

formulée, avec quelque hésitation, dans mon
livre sur l'esprit. Nous penserons qu'il se conduit à leur égard comme l'adulte à l'égard de
l'enfant, quand l'adulte reconnaît la vanité
des intérêts et des souffrances qui semblent
importants à l'enfant et en rit. C'est ainsi que
l'humoriste acquiert sa supériorité : il adopte le
rôle de l'adulte, il s'identifie jusqu'à un certain
point au père et il rabaisse les autres à n'être
que des enfants. Cette hypothèse rend certes
compte de l'état des choses, mais elle ne semble
pas s'imposer. On se demande comment l'humoriste en vient à assumer ce rôle.

On se rappelle alors l'autre situation qui peut
engendrer l'humour, situation sans doute la
plus primitive et la plus significative : celle dans
laquelle un sujet adopte une attitude humoristique envers lui-même, afin de se défendre
contre une souffrance. Est-il sensé de dire que
l'on se traite alors soi-même en enfant et que
l'on joue en même temps envers cet enfant le
rôle supérieur de l'adulte ?

Je pense que nous donnons à cette idée peu
plausible un solide appui en tenant compte de
ce que nos observations cliniques nous ont
appris de la structure de notre moi. Ce moi n'est
nullement simple, il recèle une instance particulière qui en est pour ainsi dire le noyau : le
surmoi, avec lequel il se confond parfois au
point de ne pas nous permettre de les distinguer

l'un de l'autre, tandis que dans d'autres circonstances ils se différencient nettement. Le surmoi
est génétiquement l'héritier de l'instance parentale, il tient souvent le moi sous une sévère
tutelle, continuant à le traiter vraiment comme
autrefois les parents — ou le père — traitaient
l'enfant. Nous arrivons ainsi à une élucidation
dynamique de l'attitude humoristique : elle
consisterait en ce que l'humoriste a retiré à son
moi l'accent psychique et l'a reporté à son
surmoi. Au surmoi, ainsi exalté, le moi peut
apparaître minuscule et tous ses intérêts futiles,
et il devient dès lors facile au surmoi, grâce à
une telle répartition de l'énergie, d'étouffer les
réactions éventuelles du moi.

Fidèles à notre formulaire habituel, nous
devrons dire, au lieu de « report de l'accent
psychique », « déplacement de grandes quantités
d'investissement ». On peut alors se demander si
nous sommes en droit de nous représenter d'aussi
excessifs déplacements d'une instance à une
autre de l'appareil psychique. On dirait une
hypothèse fabriquée *ad hoc*, mais rappelons
que nous avons à maintes reprises, sans doute
pas assez souvent, tenu compte d'un tel facteur
lorsque nous avons tenté de nous représenter
« métapsychologiquement » les processus psychiques. Nous avons, par exemple, admis que
ce qui différencie un investissement érotique
ordinaire de l'objet d'un état « amoureux »,

c'est que, dans ce dernier cas, infiniment plus
d'investissement passe à l'objet; le moi, pour
ainsi dire, « se vide vers l'objet ». L'étude de
quelques cas de paranoïa m'a permis d'établir
que les idées de persécution se constituent de
bonne heure et subsistent longtemps sans manifester d'effet sensible, jusqu'au jour où une
certaine occasion leur fournit les « grandeurs
d'investissement » qui les rendent enfin domi-
nantes. De même, la guérison de semblables
accès paranoïaques doit consister moins en la
résolution et en la correction des idées délirantes
que dans le retrait de l'investissement qui leur
a été prêté. L'alternance de la mélancolie et
de la manie, alternance d'oppression cruelle
infligée au moi par le surmoi et de libération
du moi succédant à cette oppression, nous a
semblé être due à un changement d'investissement de cet ordre, changement que l'on devrait
d'ailleurs également considérer comme susceptible d'expliquer toute une série de phénomènes
de la vie psychique normale. Si de telles explications ont été si rarement données, il faut
incriminer la réserve plutôt louable que nous
avons observée. Le terrain sur lequel nous nous
sentons en sûreté est celui de la pathologie de la
vie psychique, c'est là que nous faisons nos
observations, que nous acquérons nos convic-
tions. Nous ne nous permettons provisoirement
de juger le normal que dans la mesure où nous

parvenons à le deviner parmi les « isolations » et les déformations du pathologique. Si nous surmontons un jour notre timidité, nous reconnaîtrons le grand rôle dévolu, dans la compréhension des processus psychiques, tant aux relations statiques qu'aux échanges dynamiques intéressant la quantité de l'énergie d'investissement.

Je pense ainsi que l'explication éventuelle que nous avons proposée mérite d'être retenue : une personne se trouvant dans une situation donnée surinvestit soudain son surmoi et, dans cette attitude nouvelle, modifie les réactions de son moi. Cette hypothèse relative à l'humour rappelle de fort près ce qui se passe par ailleurs dans le domaine de l'esprit qui lui est si étroitement apparenté. Voici le mécanisme génétique de l'esprit qu'il me fallut en effet reconnaître : une pensée préconsciente est pour un moment abandonnée à l'élaboration inconsciente ; l'esprit serait ainsi la contribution que l'inconscient apporte au comique. Semblablement, *l'humour serait la contribution apportée au comique par l'intermédiaire du surmoi.*

Nous savons par ailleurs que le surmoi est un dur maître. On dira que la condescendance du surmoi à permettre au moi un petit bénéfice de plaisir s'accorde mal avec ce caractère. Il est exact de dire que le plaisir humoristique n'atteint jamais au degré où parvient le plaisir du comi-

que ou de l'esprit, qu'il ne se manifeste jamais
par des éclats de rire ; il est également exact
que le surmoi, lorsqu'il provoque l'attitude
humoristique, écarte au fond la réalité et sert
une illusion. Cependant nous attribuons à cet
assez faible plaisir — sans trop savoir pourquoi
— un caractère de haute valeur, nous le ressen-
tons comme particulièrement apte à nous
libérer et à nous exalter. La plaisanterie que fait
l'humour n'en est d'ailleurs pas l'élément
essentiel, elle n'a que la valeur d'une épreuve ;
le principal est l'intention que sert l'humour,
qu'il s'exerce aux dépens de soi-même ou d'autrui. L'humour semble dire : « Regarde! voilà
le monde qui te semble si dangereux! Un
jeu d'enfant! le mieux est donc de plaisanter! »

Si vraiment c'est le surmoi qui, par l'humour,
s'adresse, plein de bonté et de consolation, au
moi intimidé ou épouvanté, cela nous rappellera
qu'il nous reste encore beaucoup à apprendre
de l'essence du surmoi. Tous les hommes d'ailleurs ne sont pas également capables d'adopter
l'attitude humoristique ; c'est là un don rare
et précieux, et à beaucoup manque jusqu'à la
faculté de jouir du plaisir humoristique qu'on
leur offre. Et finalement, quand le surmoi
s'efforce, par l'humour, à consoler le moi et à
le préserver de la souffrance, il ne dément point
par là son origine, sa dérivation de l'instance
parentale.

DU MÊME AUTEUR

Impression Bussière à Saint-Amand (Cher),
le 13 juin 1983.
Dépôt légal : juin 1983.
1ᵉʳ dépôt légal dans la collection : novembre 1969.
Numéro d'imprimeur : 1399.
ISBN 2-07-035198-X/Imprimé en France